LA REBELLE

L'Insoumise, Belfond, 2004

JENNIFER DONNELLY

LA REBELLE

*Traduit de l'américain
par France Camus-Pichon*

belfond
12, avenue d'Italie
75013 Paris

Titre original :
A NORTHERN LIGHT
publié par Harcourt, Inc., New York.

Si vous souhaitez recevoir notre catalogue
et être tenu au courant de nos publications,
vous pouvez consulter notre site internet,
www.belfond.fr
ou envoyer vos nom et adresse, en citant ce livre,
aux Éditions Belfond,
12, avenue d'Italie, 75013 Paris.
Et, pour le Canada,
à Interforum Canada Inc.,
1050, bd René-Lévesque-Est,
Bureau 100,
Montréal, Québec, H2L 2L6.

ISBN 2-7144-4083-5

À Megan,
qui s'est enfuie de la forêt ensorcelée.

Même si les innombrables dictons des sages
Prônent la soumission, je ne me soumettrai pas
Mais l'esprit rebelle à toute concession
Je brandirai ma révolte intacte à la face des étoiles.

Adelaïde CRAPSEY
Saranac Lake, 1913

À l'arrivée de l'été dans les forêts du Nord, le temps ralentit sa course. Parfois même, on le dirait suspendu. Le ciel, gris et menaçant la majeure partie de l'année, devient alors un océan d'azur si vaste et lumineux que l'on ne peut s'empêcher d'interrompre son ouvrage pour l'admirer, de lever la tête du fil à linge où l'on étend les draps, ou du boisseau de maïs que l'on égrène sur les marches de la cuisine. Des bouleaux monte le chant des grillons comme un appel à s'abriter du soleil sous les frondaisons, et la chaleur alanguit l'air saturé de parfums balsamiques.

Depuis le porche du Glenmore, le meilleur hôtel de Big Moose Lake, je me dis qu'aujourd'hui, jeudi 12 juillet 1906, sera encore l'une de ces journées sans nuage. Le temps s'est bel et bien arrêté, et la sérénité de cet après-midi radieux ne finira jamais. Nos clients new-yorkais, tout de blanc vêtus, joueront indéfiniment au croquet sur la pelouse. La vieille Mme Ellis restera sous le porche jusqu'à la fin des temps, tapant sur la balustrade avec sa canne pour qu'on lui apporte un autre verre de limonade. Les enfants des médecins et des avocats d'Utica, de Rome ou de Syracuse, gorgés de crème glacée, poursuivront leurs courses effrénées à travers bois, grisés par leurs cris et leurs rires.

11

Je veux y croire. De tout mon cœur. Je sais si bien me mentir à moi-même...

Jusqu'au moment où Ada Bouchard sort du hall et glisse sa main dans la mienne. Où Mme Morrison, l'épouse du directeur, passe sans nous voir et s'immobilise en haut des marches. En temps ordinaire, elle nous réprimanderait de rester là sans rien faire ; cette fois, elle remarque à peine notre présence. Elle croise les bras sur sa poitrine. Ses yeux gris fixent avec inquiétude le quai, le bateau à vapeur qui y est amarré.

— C'est le *Zilpha*, n'est-ce pas, Mattie ? murmure Ada. Il vient de sonder le lac, non ?

Je serre très fort sa main.

— Ça m'étonnerait. Il a dû se contenter de longer la rive. D'après la cuisinière, ce jeune couple s'est sûrement perdu. Ils n'auront pas retrouvé leur chemin dans l'obscurité et auront passé la nuit sous les pins, voilà tout.

— J'ai peur, Mattie. Pas toi ?

Je ne réponds pas. Je n'ai pas peur, enfin pas vraiment, mais je suis incapable d'expliquer ce que je ressens. Parfois, je ne trouve pas le mot juste. J'ai beau avoir lu dans son intégralité, ou presque, le dictionnaire *Webster* de la langue anglaise, il m'arrive encore d'être prise en défaut.

Là, il me faudrait un terme exprimant cette impression de froid, de malaise que l'on éprouve à l'approche d'un événement dont on devine qu'il nous transformera irrémédiablement, à notre corps défendant. Pour la première fois de notre vie, on sait qu'il y aura désormais un « avant » et un « après ». Et que l'on ne sera plus jamais exactement la même personne.

Ève a dû avoir le même pressentiment en croquant la pomme. Ou Hamlet en voyant le fantôme de son père. Ou Jésus enfant, lorsqu'on lui révéla qu'il n'était pas le fils d'un charpentier.

Comment pourrait-on appeler cette sensation, ce mélange de certitude et d'appréhension ? *Anxiétude ? Prémoniscience ? Malbomination ?*

Debout sous le ciel uniformément bleu, bercée par le bourdonnement paresseux des abeilles parmi les roses et les trilles d'un cardinal dans la pinède, je me persuade qu'Ada est une poule mouillée, toujours prête à s'inquiéter pour un rien. Aucun événement malheureux ne peut se produire au Glenmore par une si belle journée.

Mais à la vue de Mme Hennessey, notre cuisinière, qui revient du quai hors d'haleine, le visage livide, en relevant ses jupes pour ne pas tomber, je sais que je me suis réjouie trop vite.

— Mattie, ouvre le salon ! Vite, ma fille ! me crie-t-elle sans se soucier des clients.

Je l'entends à peine. Je ne peux détacher les yeux de M. Crabb, le mécanicien du *Zilpha*. Il remonte le sentier, portant dans ses bras une jeune femme dont la tête dodeline comme la corolle d'une fleur cassée. Sa jupe ruisselle.

Ada se tord les mains de désespoir sur son tablier.

— Oh, Mattie, regarde-la. Mon Dieu ! Regarde, Mattie !

— Chut, Ada. Elle est tombée à l'eau, rien de plus. Ils se sont perdus sur le lac et… la barque a sans doute chaviré, alors ils ont regagné la rive à la nage et… elle s'est évanouie.

— Mattie ! Ada ! Que faites-vous là toutes les deux à bayer aux corneilles ?

Le souffle court, gênée par son embonpoint, Mme Hennessey gravit l'escalier à grand-peine.

— Ouvre la chambre d'amis, Mattie. Tire les stores et mets une vieille couverture sur le lit. Ada, va préparer du café et des sandwichs. Il y a du jambon et du poulet dans la glacière. Dépêchez-vous !

Des enfants jouent à cache-cache au salon. Je les chasse, puis je déverrouille la porte de la petite chambre où restent dormir les conducteurs de diligence et les capitaines de bateau à vapeur quand il fait trop mauvais temps. J'ai oublié la couverture et je repars la chercher dans le placard à linge. À peine l'ai-je déployée sur le matelas que M. Crabb entre dans la pièce. J'ai aussi apporté un oreiller et une épaisse courtepointe. La jeune femme est certainement transie de froid, après avoir passé la nuit à la belle étoile dans ses vêtements trempés.

13

M. Crabb la dépose sur le lit. Mme Hennessey lui déplie les jambes et lui glisse l'oreiller sous la tête. Les Morrison arrivent, suivis de M. Sperry, le propriétaire du Glenmore. Il dévisage la jeune femme, blêmit et ressort aussitôt.

— Je vais chercher une bouillotte chaude, du thé, et… du cognac, dis-je.

Je regarde Mme Hennessey, Mme Morrison, puis le tableau accroché au mur : tout, sauf la silhouette sur le lit.

— Le cognac, est-ce une bonne idée ? Dois-je en rapporter ?

— Laisse, Mattie. Ce n'est plus la peine, répond Mme Hennessey.

Je me force à contempler la jeune femme. Elle a les yeux vides, sans expression. Son teint a pris la coloration jaune du vin muscat. Elle a une vilaine coupure au front et la bouche tuméfiée. Hier, assise seule sous le porche, elle tripotait nerveusement l'ourlet de sa jupe. Je lui ai servi un verre de limonade parce qu'elle semblait épuisée par la chaleur. Comme elle n'avait pas l'air bien riche, je ne le lui ai pas fait payer.

Derrière moi, Mme Hennessey questionne sans répit M. Crabb.

— Et l'homme qui l'accompagnait ? Ce Carl Grahm ?

— Aucune trace de lui. Pas pour l'instant, en tout cas. On a retrouvé la barque. Ils ont bel et bien chaviré. Vers South Bay.

— Je vais devoir contacter la famille. Ils sont d'Albany, déclare Mme Morrison.

— Non, c'est Grahm, son compagnon, qui vient d'Albany. Elle, elle était de South Otselic. J'ai vérifié dans le registre, précise Mme Hennessey.

Mme Morrison hoche la tête.

— Je vais appeler l'opératrice. Elle me mettra peut-être en relation avec un commerce ou un hôtel de la ville. Ou avec quelqu'un susceptible de porter un message à la famille. Seigneur, que vais-je bien pouvoir dire ? Quand je pense à sa pauvre mère !

L'épouse du directeur quitte la pièce en se tamponnant les yeux avec un mouchoir.

14

— Elle peut se préparer à donner un autre coup de téléphone avant la fin de la journée, commente Mme Hennessey. Et si vous voulez mon avis, quand on ne sait pas nager, on n'a rien à faire sur le lac.

— Trop sûr de lui, ce gars-là, renchérit M. Morrison. Je lui ai demandé s'il savait manœuvrer une barque, et il m'a assuré que oui. Il n'y a qu'un empoté de New-Yorkais pour faire chavirer une embarcation par une journée aussi calme…

Je n'entends pas la suite. J'ai l'impression qu'un corset d'acier m'enserre la poitrine. Je baisse les paupières, j'essaie de respirer à fond, mais c'est encore pire. Je revois une liasse de lettres attachées par un ruban bleu pâle. Des lettres cachées sous mon matelas, et que j'avais promis de brûler. Je revois également l'adresse sur la première enveloppe de la pile : *Chester Gillette, 17B Main Street, Cortland, New York.*

Mme Hennessey me fait signe de m'écarter du lit.

— Tire les stores comme je te l'avais demandé, Mattie.

Elle joint les mains de Grace Brown sur son cœur, puis lui ferme les yeux.

— Il y a du café dans la cuisine. Et des sandwichs. Voulez-vous manger un morceau ? propose-t-elle aux deux hommes.

— Avec votre permission, on va emporter quelques sandwichs, répond M. Morrison. On repart dès que Sperry aura eu le shérif au téléphone. Il doit aussi prévenir le Martin's, le Higby's et les autres hôtels. Pour qu'ils ouvrent l'œil au cas où Grahm aurait regagné la rive et se serait perdu dans les bois.

— Il ne s'appelle pas Carl Grahm, mais Chester. Chester Gillette.

Les mots sont sortis sans que je puisse les retenir.

— D'où tiens-tu cela, Mattie ? s'enquiert Mme Hennessey.

Voilà soudain qu'ils me fixent tous les trois : la cuisinière, M. Morrison et M. Crabb. Prise de panique, je bafouille.

— Je… Je crois bien l'avoir entendue l'appeler ainsi.

Mme Hennessey fronce les sourcils.

— As-tu vu quelque chose, Mattie ? Sais-tu quelque chose dont nous devrions être informés ?

Qu'avais-je vu ? Beaucoup trop de choses. Que savais-je ? Qu'on paie souvent très cher le fait de connaître la vérité. Mlle Wilcox, mon institutrice, m'a tant appris. Pourquoi ne m'a-t-elle pas également enseigné cela ?

iras.cible

Beth, ma plus jeune sœur, n'a que cinq ans mais, un jour, elle deviendra sûrement maître draveur : du haut du barrage, elle s'époumonera pour prévenir les hommes en aval qu'un train de bois descend le fleuve. Elle a assez de coffre pour ça.

C'était par un matin de mars, il y a quatre mois à peine, bien que cela me paraisse une éternité. Le printemps commençait. Nous étions en retard pour l'école, il restait mille corvées à faire avant de partir, mais Beth s'en moquait. Dédaignant la bouillie de maïs que je lui avais préparée, elle s'égosillait comme une cantatrice d'Utica en tournée dans un hôtel des environs. À ceci près qu'aucune chanteuse d'opéra n'a jamais interprété « Allons-y, Harry ! ». Du moins pas à ma connaissance.

Allons-y, Harry, Tom, Dick ou Joe,
Prenez-moi ce seau et filez chercher de l'eau !
Ils s'arrosent à plaisir,
Quand la cuisinière crie
« Tout le monde à table ! »
Il faut les voir accourir à toutes jambes
De peur de perdre leur part de farci...

— Tais-toi, Beth, et mange ta bouillie ! la rabrouai-je en lui nattant les cheveux à la hâte.

Elle continua de plus belle, car ce n'était pas pour moi qu'elle chantait, ni pour aucune d'entre nous. Elle chantait pour le fauteuil à bascule immobile près du poêle, pour la vieille nasse à poissons accrochée sur la porte de la remise. Pour remplir le vide et chasser le silence de notre maison. La plupart du temps, son vacarme ne me gênait pas, mais ce matin-là j'avais quelque chose à demander à mon père, quelque chose de très important, et j'étais sur des charbons ardents. Pour une fois, j'avais besoin de calme. Je souhaitais qu'à son arrivée papa trouve la maison en ordre et mes sœurs sages comme des images, afin qu'il soit tout prêt à m'écouter d'une oreille bienveillante.

Y a de la mélasse, des galettes dures comme le roc,
Dans une vieille casserole du thé qui sent la chaussette,
Des haricots rances, du porridge plein de grumeaux.
Une fois qu'on a l'estomac bien calé,
Vers les grands bois il faut partir...

La porte de la cuisine s'ouvrit à la volée, et Lou, onze ans révolus, passa derrière la table avec un seau rempli de lait. Elle avait oublié d'enlever ses bottes et traînait du fumier sous ses semelles.

... On remonte nos bretelles et on lace nos brodequins...

— Beth, je t'en supplie ! m'écriai-je en nouant sa natte avec un ruban. Lou, tes bottes ! Fais un peu attention !

... On affûte nos haches car on ne craint rien ni personne...

— Comment ? Je t'entends à peine, Matt...
Lou plaqua la main sur la bouche de Beth pour la faire taire.
— Vas-tu la fermer, sapristi ?
Beth poussa un couinement, se débattit et tomba en arrière, renversant sa chaise qui entraîna le seau dans sa

chute. Elle atterrit dans une mare de lait, en sanglots. Lou vociférait, et moi je priais pour que ma mère revienne. Comme je le faisais sans cesse. Au moins cent fois par jour.

De son vivant, maman pouvait préparer le petit déjeuner pour sept personnes, nous faire réciter nos leçons, ravauder le pantalon de papa, préparer nos gamelles pour l'école, étaler une pâte à tarte et mettre le lait à bouillir – tout ça à la fois – sans jamais élever la voix. Moi, je m'estimais heureuse si la bouillie de maïs ne brûlait pas, et si je réussissais à empêcher Lou et Beth de se battre comme des chiffonnières.

Abby, quatorze ans, fit son entrée, portant avec précaution quatre œufs au creux de son tablier. Elle les plaça délicatement dans un bol à l'intérieur du garde-manger, puis contempla le spectacle qui s'offrait à elle.

— Papa n'a plus que les cochons à nourrir. Il ne va pas tarder, annonça-t-elle.

— Et il va te botter le cul ! lança Lou à Beth.

— C'est le tien qu'il va botter, parce que tu as dit « cul », rétorqua la petite entre deux reniflements.

— Toi aussi tu l'as dit, maintenant. Tu auras droit à une double correction.

Le visage de Beth se chiffonna. Elle se remit à brailler de plus belle.

— Ça suffit, toutes les deux ! hurlai-je à mon tour.

Je redoutais que papa prenne son ceinturon, que les coups pleuvent sur les jambes de mes sœurs.

— Personne n'aura de correction. Amenez-moi Barney.

Beth et Lou se précipitèrent derrière le poêle et tirèrent sur la laisse du pauvre Barney. Le vieux chien de chasse de papa était boiteux et aveugle. Il mouillait son panier. D'après oncle Vernon, papa aurait dû l'emmener derrière la grange et l'abattre. « Plutôt abattre oncle Vernon », répliquait papa.

Lou guida Barney jusqu'à la mare de lait. Il ne voyait rien, mais, reconnaissant l'odeur, il se mit à laper avec gourmandise. Il n'avait pas bu une goutte de lait depuis une éternité. Nous non plus, d'ailleurs. L'hiver, les vaches n'en donnent pas. Heureusement, l'une d'elles venait de mettre bas et nous avions pu la traire pour la première fois depuis des semaines. Les autres bêtes vêleraient bientôt. Avant la fin du mois de mai, l'étable serait pleine de veaux, et chaque matin, à l'aube, papa irait livrer du lait, de la crème et du beurre dans les pensions et les hôtels des environs. Pour l'heure, hélas, nous n'en avions qu'un malheureux seau, le premier de la saison, et papa comptait sûrement en ajouter un peu à sa bouillie de maïs.

Barney nettoya méthodiquement le sol. Abby essuya ce qui restait avec une serpillière. La robe de Beth était mouillée, et sous sa chaise le lino semblait plus propre que dans le reste de la pièce, mais, avec un peu de chance, papa n'y verrait que du feu. Je coupai d'eau les quelques centimètres de lait au fond du seau, puis versai le mélange dans une cruche que je posai près du bol de mon père. Il devait s'attendre que je lui serve de la sauce blanche avec son dîner, voire de la crème anglaise puisque les poules avaient pondu quatre œufs, mais je m'en soucierais plus tard.

— Papa saura ce qui s'est passé, Matt, dit Lou.

— Pourquoi ? Tu crois que Barney va nous dénoncer ?

— Dès que Barney boit du lait, il pète.

— Inutile d'être grossière sous prétexte que tu marches et que tu t'habilles comme un garçon, Lou. Maman n'aimerait pas ça du tout.

— Maman n'est plus là, alors je parle comme je veux.

Abby, occupée à rincer la serpillière dans l'évier, pivota sur elle-même.

— Tais-toi donc, à la fin !

Elle nous fit sursauter, car elle ne criait jamais. Elle n'avait même pas pleuré aux obsèques de maman, bien que je l'aie trouvée quelques jours plus tard dans la chambre de papa, serrant si fort une gravure sur étain de notre mère qu'elle s'était entaillé la main sur le rebord. Ma sœur Abby fait penser à une robe imprimée qu'on aurait étendue à l'envers après la lessive : ses couleurs sont invisibles. Tout le contraire de Lou.

Tandis qu'elles se chamaillaient, des pas retentirent dans la remise derrière la cuisine. La dispute cessa net. Ce devait être papa. Puis quelqu'un frappa, mais ce n'était que Tommy Hubbard, le fils de la voisine, qui venait encore une fois chez nous le ventre vide.

— Tu ne te grattes plus, Tom ?

— Non, Matt.

— Dans ce cas, tu peux partager notre petit déjeuner. Mais lave-toi d'abord les mains.

La dernière fois que je l'avais laissé entrer, nous avions été envahis par les puces. Tommy a six frères et sœurs. Comme nous ils vivent sur Uncas Road, mais un peu plus haut, dans une bicoque en bois. Leurs terres donnent sur la route et séparent les nôtres de celles des Loomis. Ils n'ont pas de père, ou bien ils en ont beaucoup, ça dépend des humeurs. Emmie, la mère de Tommy, avait beau travailler comme femme de ménage dans les hôtels et vendre aux touristes les quelques tableaux qu'elle peignait, ce n'était pas suffisant pour joindre les deux bouts. Ses enfants criaient famine. Elle n'avait pas de quoi chauffer sa maison et ne payait pas ses impôts.

Tommy s'avança. Il tenait une de ses sœurs par la main. Mes yeux allèrent de l'un à l'autre. Papa n'avait pas encore pris son petit déjeuner, et déjà il ne restait plus grand-chose dans la marmite.

— C'est pour Jenny que je suis venu. Moi, je n'ai pas très faim, bredouilla Tom.

Jenny portait une chemise d'homme en drap de laine sur sa robe en cotonnade qui lui descendait à peine au genou. Les pans de la chemise touchaient le sol. Tommy n'avait ni manteau ni veste.

— Ne t'inquiète pas, Tom. Il y en aura assez pour tout le monde.

— Je donne ma part à Jenny. J'en ai marre de cette satanée bouillie, dit Lou, repoussant son bol.

Sa générosité prenait souvent des chemins détournés.

— Tu mériterais que papa t'entende. Tu parles comme un charretier, fit observer Abby.

La bouche pleine, Lou lui tira la langue. Abby se retint pour ne pas la gifler. Heureusement qu'il y avait la table entre elles.

Tout le monde en avait assez de la bouillie de maïs, moi la première. Depuis des semaines nous en mangions le matin et à midi, additionnée de sucre d'érable. Quant au dîner, il se composait invariablement de galettes de sarrasin accompagnées de nos dernières pommes de l'automne, cuites à la vapeur. Ou d'une soupe de pois cassés avec un vieil os de jambon, blanchi à force d'avoir bouilli. Nous rêvions de hachis Parmentier au corned-beef, de poulet et de petits pains, mais nous avions consommé presque toutes les provisions stockées à la cave en septembre. Nous avions fini le gibier en janvier. Même chose pour le lard et le jambon. Et bien que nous ayons rempli deux saloirs de viande de porc, le contenu de l'un d'eux s'était avarié par ma faute. D'après papa, j'avais insuffisamment salé la saumure. Nous avions tué un coq à l'automne, et quatre poules depuis. Il nous en restait dix, auxquelles papa refusait de toucher puisqu'elles commençaient à pondre, et que l'été venu elles donneraient encore plus d'œufs, sans parler des poussins.

Du vivant de maman, nous tirions moins le diable par la queue. L'hiver durant, elle réussissait à nous préparer des repas dignes de ce nom, tout en gardant des salaisons à la cave jusqu'au printemps. Je n'arrivais pas à la cheville de ma mère et, au cas où je l'aurais oublié, Lou ne se privait pas de me le rappeler. Papa aussi, même s'il me disait moins de méchancetés que Lou. Il suffisait pourtant de voir sa mine s'allonger quand il passait à table pour deviner qu'il n'en pouvait plus de la bouillie de maïs.

Jenny Hubbard, en revanche, n'avait rien contre. Son regard grave fixé sur moi, elle attendit patiemment que j'aie saupoudré de sucre d'érable la ration de Lou. Je lui tendis le bol et prélevai dans la marmite quelques cuillerées pour Tom : autant que je pouvais lui en donner sans léser papa.

Abby but une gorgée de thé, puis me jeta un coup d'œil par-dessus sa tasse.

— Tu as parlé à papa ?

Je fis non de la tête. J'étais debout derrière Lou, que je coiffais tant bien que mal. Elle avait les cheveux trop courts pour que je lui fasse des tresses : ils lui recouvraient à peine les oreilles. Elle se les était coupés au lendemain de Noël avec les ciseaux à couture de maman. Juste après le départ de Lawton, notre frère.

— Tu vas lui parler ? demanda Lou.

— De quoi ? lança Beth.

— De rien. Finis ton petit déjeuner.

— Mais de quoi tu veux lui parler, Matt ?

— Si Mattie souhaitait que tu le saches, elle te le dirait, répliqua Lou.

— Toi non plus, tu ne le sais pas.

— Bien sûr que si !

Beth se mit à pleurnicher.

— Mattie, pourquoi tu l'as dit à Lou et pas à moi ?

— Parce que tu sais pas tenir ta langue ! répondit Lou.

Une nouvelle dispute s'ensuivit. J'avais les nerfs en pelote.

— On dit « tu *ne* sais pas », Lou, rectifiai-je. Quant à toi, Beth, cesse de gémir.

— Tu as choisi ton mot du jour, Matt ? s'enquit Abby.

Abby, notre conciliatrice. La douceur et la gentillesse incarnées. Celle d'entre nous qui ressemble le plus à notre mère.

— Oh, Mattie, je peux le choisir ? Je peux ? supplia Beth.

Elle descendit de sa chaise d'un bond et se précipita au salon. J'y rangeais précieusement mon dictionnaire avec les livres empruntés à Charlie Eckler ou à Mlle Wilcox, une édition populaire des classiques de la littérature américaine ayant appartenu à ma mère, et quelques vieux numéros de *Peterson's Magazine* donnés par tante Josie, car, selon le rédacteur en chef, c'était « l'un des rares périodiques convenant à toute la famille, même aux jeunes filles ».

— Beth, tu apportes le dictionnaire, mais c'est Lou qui choisit le mot ! lui criai-je.

— Je joue pas à ces jeux de bébé, maugréa Lou.

— « Je *ne* joue pas », Lou.

Son mépris de la grammaire m'agaçait encore plus que toutes ses grossièretés, sa salopette crasseuse et le fumier qu'elle ramenait sous les semelles de ses bottes.

Beth se dirigea vers la table de la cuisine, portant l'énorme volume avec autant de soin que s'il avait été en or massif. D'ailleurs, il aurait pu l'être. Il pesait aussi lourd.

— Tu peux choisir le mot, dis-je. Lou ne veut pas.

Elle tourna délicatement quelques pages, revint en arrière, posa l'index sur la page de gauche.

— Irasse... kible ? articula-t-elle.

— Je ne crois pas que ce mot existe. Épèle-le-moi.

— I-r-a-s-c-i-b-l-e.

— « Irascible ». Tommy, que signifie-t-il ?

Tommy se pencha sur le dictionnaire.

— « Prompt à s'emporter... hargneux, grognon, irritable, coléreux », lut-il.

— Juste ce qu'il nous faut, non ? « I-ra-scible », répétai-je, détachant chaque syllabe.

Un nouveau mot. Riche de promesses. Une perle sans défaut à faire rouler au creux de ma main avant de la mettre en lieu sûr.

— À toi, Jenny. Peux-tu construire une phrase avec ?

Jenny se mordilla la lèvre inférieure.

— Il veut dire « coléreux » ?

J'acquiesçai de la tête.

Elle fronça les sourcils, puis se jeta à l'eau.

— Maman est irascible : elle m'a donné un coup de poêle à frire parce que j'avais renversé sa bouteille de whisky.

Beth ouvrit des yeux ronds.

— Un coup de poêle à frire ? Mais pourquoi ?

— Parce qu'elle n'était pas dans son assiette, suggéra Abby.

— Mais non, parce qu'elle avait bu, expliqua Jenny, léchant la bouillie de maïs qui restait sur sa cuiller.

Jenny Hubbard n'avait que six ans. Dans le nord de l'État de New York la belle saison est courte et, comme les plantes, les enfants doivent se dépêcher de grandir.

— Ta maman boit du whisky ? Les mamans ne devraient pas en boire…

— Assez parlé, Beth. On va être en retard, coupa Abby, lui faisant précipitamment quitter la table.

— Tu ne viens pas, Matt ? s'étonna Beth.

— Dans un instant.

Il fallait rassembler les livres de classe, les gamelles pour le déjeuner. Tommy et Jenny finissaient de manger sans rien dire. Abby ordonna à Beth et à Lou d'enfiler leur manteau. La porte de la remise claqua derrière elles. Enfin le silence se fit, pour la première fois de la matinée. Soudain j'entendis :

— Matt ? Tu peux venir une minute, s'il te plaît ?

— Qu'y a-t-il, Lou ? Je suis occupée.

— Viens, je te dis !

Je pénétrai dans la remise. Lou s'apprêtait à partir, la canne à pêche de Lawton à la main.

— Qu'est-ce qui te prend ?

— J'en peux plus de manger de la bouillie de maïs.

Elle me saisit l'oreille, approcha mon visage du sien et m'embrassa sur la joue. Un baiser brusque, rapide. Il avait l'odeur de Lou : un mélange de feu de bois, d'étable et de cette gomme d'épicéa qu'elle mâchait sans arrêt. La porte claqua de nouveau. Lou avait disparu.

Mes sœurs et moi sommes le portrait de notre mère. Yeux noisette, cheveux châtains. Sauf Lou, qui ressemble à papa. Et à Lawton. Même tignasse noire de jais, même regard bleu. Même caractère que papa, aussi. Toujours prête à s'emporter, désormais, depuis la mort de maman et le départ de Lawton.

À mon retour dans la cuisine, Tommy raclait l'intérieur de son bol avec sa cuiller comme s'il voulait en ôter l'émail. Je poussai le mien vers lui. J'avais à peine eu le temps de toucher à ma bouillie.

— Finis ma part, Tom, s'il te plaît. Je n'ai plus faim, et je ne veux pas qu'elle se perde.

Je vidai une bouilloire d'eau chaude dans l'évier, y ajoutai un peu d'eau froide tirée à la pompe et attaquai la vaisselle.

— Où sont tes autres frères et sœurs, Tom ?

— Susie et Bill sont allés chez Weaver. Myrton et Clara ont préféré tenter leur chance à l'hôtel.

— Et le bébé ?

— Avec Susie.

— Ta maman ne va pas bien, aujourd'hui ?

— Elle s'est cachée sous le lit et ne veut plus sortir. Elle dit qu'elle a peur du vent, qu'elle ne supporte plus de l'entendre...

Tommy contempla son bol vide puis leva les yeux vers moi.

— Tu crois qu'elle est folle, Mattie ? Tu crois qu'on va la mettre à l'asile ?

Emmie Hubbard était certainement folle, et je ne doutais pas qu'un jour elle finirait à l'asile du comté. Deux ou trois fois, déjà, on avait failli l'emmener. Mais je ne pouvais pas l'avouer à Tommy. Il n'avait que douze ans. Tout en cherchant une réponse qui ne soit pas un mensonge, ni tout à fait la vérité, je songeai que la vraie folie ne ressemblait guère à l'image qu'en donnaient les romans. Rien à voir avec l'impérieuse et inquiétante miss Havisham trônant dans les ruines de son manoir. Ni avec *Jane Eyre*, où la première épouse de Rochester tape sur le plancher du grenier en effrayant les domestiques par ses cris. Lorsqu'on perdait la tête, il n'y avait ni châteaux, ni toiles d'araignées, ni candélabres en argent. Seulement des draps sales, du lait rance, des crottes de chien sur le plancher. Et puis Emmie, terrée sous son lit, pleurant et chantant à la fois pendant que ses gosses tentaient de faire de la soupe avec des pommes de terre germées.

— Tu sais, Tom, dis-je enfin, moi aussi ça m'est arrivé de vouloir me cacher sous mon lit.

— Quand ça ? Je t'imagine mal à plat ventre sous un lit, Matt.

— Fin février. Il était tombé un mètre vingt de neige en deux jours, tu te souviens ? Alors qu'il y en avait déjà un mètre. La neige arrivait jusque sous le porche et bloquait la porte d'entrée. On ne pouvait pas non plus ouvrir celle de la remise. Papa avait dû sortir par la fenêtre de la cuisine.

Le vent hurlait sans relâche, et je n'avais qu'une envie : me glisser sous un meuble et ne jamais ressortir. Presque tout le monde a ce genre d'envie un jour ou l'autre. La seule différence avec ta maman, c'est qu'elle le fait vraiment. Je passerai chez elle en partant à l'école. Je vais voir s'il me reste un bocal de compote et un peu de sucre d'érable. Tu crois que ça lui ferait plaisir ?

— Bien sûr que oui. Merci, Mattie.

J'envoyai Tommy et Jenny à l'école en espérant que la mère de Weaver m'aurait devancée chez les Hubbard. Elle s'y entendait mieux que moi pour faire sortir Emmie de sa cachette. Je finis la vaisselle, contemplant par la fenêtre les branches nues des arbres et la terre brune, à la recherche d'une touche de jaune entre les dernières plaques de givre. Des primevères en mars sont la promesse d'un printemps précoce. J'étais lasse du froid et de la neige, lasse de la pluie et de la boue qui leur avaient succédé.

On appelle « saison des privations » cette partie de l'année où la cave est presque vide et le potager pas encore planté. Jusque-là, quand arrivait mars, il nous restait toujours assez d'argent pour acheter de la viande, de la farine, des pommes de terre, tout ce dont nous pouvions avoir besoin. À la fin du mois de novembre, papa s'engageait comme bûcheron à Indian Lake ou Raquette Lake. Il partait sitôt les foins rentrés, et tout l'hiver il transportait les troncs des arbres abattus pendant l'été. Il conduisait les attelages d'immenses traîneaux dont le chargement atteignait la hauteur d'un homme debout sur les épaules d'un autre. Lorsqu'il descendait la montagne par les routes verglacées, papa se fiait au poids des rondins et à son expérience pour éviter que le traîneau ne verse et dévale la pente, écrasant tout sur son passage.

En mars, les routes détrempées par la fonte des neiges devenaient impraticables pour le transport du bois. À la fin du mois, nous guettions chaque jour le retour de notre père. Nous ne savions jamais quand ni comment il reviendrait. À l'arrière d'une charrette, avec un peu de chance. Sinon, à pied.

Nous, les filles, nous courions toutes à sa rencontre. Lawton suivait de loin. Maman avait beau s'efforcer de rester sous le porche sans rien laisser paraître de son émotion, c'était plus fort qu'elle. Au premier sourire de papa, elle s'élançait vers lui dans l'allée, pleurant de joie qu'il rentre sain et sauf. Il lui prenait le visage dans ses mains et, la tenant à bout de bras, lui essuyait ses larmes de ses pouces crasseux. Nous aurions voulu le toucher, lui sauter au cou, mais il nous en empêchait.

— Ne m'approchez pas, je suis couvert de vermine, disait-il.

Il se déshabillait dans la remise, puis aspergeait de pétrole ses vêtements pour y mettre le feu. Il se versait également du pétrole dans les cheveux, et Lawton détachait les lentes mortes au peigne fin.

Pendant ce temps-là, maman faisait bouillir de l'eau, assez pour remplir notre grand tub en aluminium. Papa prenait un bain au milieu de la cuisine, son premier depuis des mois. Lorsque sa grande toilette était enfin terminée, un festin nous attendait. Jambon en sauce. Purée de pommes de terre ruisselante de beurre. Derniers épis de maïs et haricots. Petits pains encore chauds. Et en dessert une tourte aux myrtilles, gardées tout spécialement pour l'occasion. Ensuite venait l'heure des cadeaux, un pour chacun de nous. Il n'y avait pas de magasins dans les bois, mais les colporteurs ne manquaient jamais de faire la tournée des camps de bûcherons en fin de saison, au moment de la paye. Ce pouvait être un canif pour Lawton, des rubans ou des bonbons pour nous, les filles. Et pour maman, une douzaine de boutons en verroterie et un coupon de tissu afin qu'elle se taille une nouvelle robe. De la satinette blanc crème comme un œuf de rouge-gorge, ou un écossais dans les tons fauves. Un velours de coton vert émeraude, ou une étoffe tissée jaune canari. Un jour, il lui avait même offert de la faille de soie d'un rouge aussi vif que celui des canneberges. Maman l'avait portée à sa joue en regardant papa droit dans les yeux, et elle n'y avait plus touché des mois durant, incapable d'y donner un coup de ciseaux. Ces soirs-là, installés au salon dans la lumière rougeoyante du poêle, nous écoutions papa faire le récit de son séjour en mangeant les caramels et les chocolats qu'il nous avait rapportés. Il exhibait ses nouvelles cicatrices et nous racontait les frasques des bûcherons, la méchanceté du patron, la nourriture infecte, les tours qu'ils jouaient au cuisinier et au malheureux marmiton. Ces soirées où papa rentrait des grands bois éclipsaient même la nuit de Noël.

Cette année, il n'était pas parti. Il avait refusé de nous laisser seuls. Sans son salaire de bûcheron, il avait fallu se serrer la ceinture. Plusieurs fois au cours de l'hiver, il avait découpé de la glace à Fourth Lake, mais c'était moins bien payé que le transport des bois de grume et, de toute façon, l'argent en question avait servi à payer la taxe foncière. Tout en essuyant la vaisselle, j'espérais que cette mauvaise passe qui se prolongerait encore quelques semaines, jusqu'à ce que papa ait de nouveau du lait et du beurre à vendre, l'inciterait à m'écouter et à accepter ma proposition.

Enfin, j'entendis ses pas dans la remise. Il apparut à la porte de la cuisine, un petit paquet grognant et reniflant dans les bras.

— Cette satanée truie a dévoré quatre de ses porcelets. Il ne reste que cet avorton. Je vais le mettre ici avec Barney. La chaleur lui fera du bien. Seigneur, ce chien empeste ! Qu'est-ce qu'il a encore mangé ?

— Il a dû trouver quelque chose dans le jardin. Tiens, papa.

Je posai sur la table son bol de bouillie de maïs, j'y ajoutai le lait coupé d'eau et priai le ciel pour que mon père n'en réclame pas davantage.

Il s'attabla, l'air ombrageux, calculant sans doute combien d'argent la mort des porcelets venait de lui faire perdre. De la tête, il désigna mon dictionnaire resté ouvert sur la table.

— Ce livre a coûté un dollar à ta mère, pas moins, et d'occasion, encore... Elle qui ne dépensait jamais un sou pour elle-même, il a fallu qu'elle gaspille un dollar pour ça. Range-le avant qu'il ne soit taché de graisse.

J'emportai le dictionnaire au salon et servis à papa une tasse de thé brûlant. Bien fort et bien sucré, comme il l'aimait. Je m'assis en face de lui et jetai un coup d'œil autour de moi. Aux rideaux à carreaux rouges et blancs, qui avaient besoin d'être lavés. Aux images jaunies, punaisées sur les murs, que maman avait découpées dans les almanachs achetés chez Becker's, le magasin de semences et d'aliments pour bétail. Aux assiettes ébréchées et aux compotiers ocre rangés dans le vaisselier au-dessus de l'évier. Au lino craquelé et à notre poêle noir. À Barney en train de lécher consciencieusement le porcelet. J'inspectai toute la pièce du regard, plutôt deux fois qu'une, préparant ce que j'allais dire. Alors que je rassemblais tout mon courage pour ouvrir la bouche, papa prit la parole :

— Demain, je fais du sirop d'érable. La sève coule à flots. J'en ai déjà près de cent gallons. Si on tarde plus longtemps, elle sera fichue. Il fait trop chaud pour la saison. Tu resteras ici pour m'aider à la faire bouillir. Tes sœurs aussi.

— C'est impossible, papa. Je prendrai du retard si je manque la classe toute une journée, et mes examens approchent.

— Les vaches ne se nourrissent pas de livres, Mattie. Il me faut du foin. J'ai utilisé presque toutes les réserves de l'été dernier. Fred Becker ne fait pas crédit, et je dois vendre du sirop d'érable pour le payer.

Je m'apprêtais à protester, mais papa leva les yeux de son bol et je ravalai mes récriminations. Il s'essuya la bouche sur sa manche.

— Tu devrais déjà t'estimer heureuse d'aller en classe cette année. C'est uniquement parce que ta mère tenait à ce que tu décroches ton diplôme…

Comme chaque fois qu'il était en colère, son accent français ressortait.

— L'an prochain, c'est terminé. Je ne peux pas faire tourner cette ferme à moi tout seul.

Je fixais la table. J'en voulais à mon père de me garder à la maison une journée entière, mais il avait raison : il ne pouvait s'occuper seul d'une ferme de trente hectares. Soudain, j'aurais voulu être encore en hiver, qu'il neige jour et nuit, qu'il n'y ait ni labours ni semailles, rien que de longues soirées passées à lire ou à écrire dans mon cahier de composition anglaise sans que papa puisse y trouver à redire. « Irascible », me dis-je. « Coléreux, irritable, hargneux ». Tout le portrait de mon père. Inutile de tenter de l'amadouer avec du thé bien sucré. Autant essayer d'attendrir un rocher. Je pris une profonde inspiration et me jetai à l'eau.

— Papa, j'ai quelque chose à te demander...

J'avais beau m'efforcer de le contenir, l'espoir montait en moi comme la sève de nos érables.

— Mmm ?

Entre deux bouchées, il haussa le sourcil.

— Je ne pourrais pas travailler dans un hôtel, cet été ? Au Glenmore, par exemple ? Abby est assez grande pour faire la cuisine et s'occuper de tout le monde. Je lui ai posé la question, et elle a répondu qu'elle saurait se débrouiller, alors j'ai pensé que...

— Non.

— Mais papa...

— Inutile d'aller chercher du travail ailleurs. Il y en a bien assez ici.

De nouveau son accent français ressortait.

Pourquoi avoir pris la peine de lui en parler ? J'étais sûre qu'il refuserait. Je contemplai mes mains – rouges, crevassées, des mains de vieille femme – et je vis ce qui m'attendait : un été entier à trimer sans gagner un sou. Faire la cuisine, le ménage, la lessive, la couture, traire les vaches, baratter la crème, saler le beurre, fabriquer du savon, labourer, planter, sarcler, désherber, moissonner, rentrer les foins, battre le blé, mettre fruits et légumes en conserve : tout ce qui incombait à l'aînée d'une famille de quatre filles dont la mère était morte, et dont le frère, parti sur un coup de tête piloter des bateaux le long du canal Érié, refusait de revenir travailler à la ferme comme il aurait dû.

Ma détermination me rendit téméraire.

31

— C'est bien payé, papa, insistai-je. Je pourrais garder un peu d'argent de poche et te donner le reste. Je sais que tu en as besoin.

— Tu n'iras pas travailler seule dans un hôtel. Ce n'est pas convenable.

— Mais justement, je ne serai pas seule ! Ada Bouchard, Frances Hill et Janes Miley vont toutes les trois au Glenmore. Et les Morrison, qui dirigent l'hôtel, sont des gens très bien. Ralph Simms y va aussi. Et Mike Bouchard. Et même Weaver !

— Weaver Smith n'est pas une référence.

— Papa, je t'en supplie..., murmurai-je.

— Non, Mattie. Il n'en est pas question. On rencontre toutes sortes d'individus, dans ces hôtels pour touristes.

Par « individus », il fallait comprendre « hommes ». Papa me mettait sans cesse en garde contre les bûcherons, les trappeurs, les guides et les arpenteurs. Contre les chasseurs venus de New York ou de Montréal. Contre les comédiens des troupes de théâtre d'Utica, les artistes de cirque d'Albany et les prédicateurs qu'ils amenaient dans leur sillage. « Les hommes ne pensent qu'à une chose, Mathilda », répétait-il. La seule fois où je lui avais demandé laquelle, il m'avait giflée, et conseillé de garder mes insolences pour moi.

Ce n'étaient pas vraiment ces « individus » qui inquiétaient papa. Il s'en servait comme d'un prétexte. Il connaissait les gérants de tous les hôtels et savait que, pour la plupart, leurs établissements avaient bonne réputation. Il redoutait surtout de voir partir un autre membre de la famille. J'aurais voulu discuter, tenter de le raisonner. Mais son visage s'était crispé, et un tic nerveux faisait tressaillir sa joue. Lawton avait le don de réveiller ce tic. La dernière fois, papa l'avait menacé de sa serpe et Lawton s'était enfui, nous laissant des mois durant sans nouvelles. Jusqu'à l'arrivée d'une carte postée d'Albany.

Je rangeai la vaisselle en silence et je partis chez les Hubbard. Mes pieds pesaient aussi lourd que deux blocs de glace. Il fallait que je gagne de l'argent. Par tous les moyens. J'avais un plan. Enfin, plus un rêve qu'un plan, et le Glenmore n'en représentait qu'une partie. Mais je ne me faisais guère d'illusions. Si papa refusait de me laisser travailler au Glenmore, qui se trouvait seulement à une ou deux lieues de chez nous par la route, comment réagirait-il quand je lui parlerais d'aller à New York ?

a.bé.cé.daire

Si le printemps avait un goût, il aurait la saveur des pousses de fougère. Vertes, fraîches et croquantes. Riches en sels minéraux, comme la terre qui les nourrit. Lumineuses, comme le soleil qui les fait germer. Weaver et moi, nous étions censés les cueillir. Nous comptions en remplir deux seaux – un que nous nous partagerions, l'autre que nous vendrions au cuisinier de l'hôtel d'Eagle Bay –, mais j'étais trop occupée à m'en régaler. C'était plus fort que moi. J'avais faim de verdure après des mois de vieilles pommes de terre et de haricots en conserve.

— Foijis... Choi...sis un mot, Weaver, articulai-je laborieusement, la bouche pleine.

— Les cochons de ma mère sont mieux élevés que toi. Pourquoi ne finis-tu pas de manger avant de parler ?

J'obtempérai. Mais seulement après avoir croqué quelques pousses de plus et m'être béatement pourléché les babines en roulant les yeux d'aise. Un vrai délice. Papa et Amy les aiment poêlées au beurre, avec du sel et du poivre, mais je les préfère nature, fraîchement cueillies.

— Choisis un mot, Weaver, répétai-je. Le gagnant fait la lecture, le perdant termine la cueillette.

— Vous n'allez pas recommencer vos pitreries, tous les deux ! s'exclama Minnie.

Elle était assise près de nous sur un rocher, énorme et grincheuse depuis sa grossesse.

— Ce ne sont pas des pitreries, madame Compeau. On se bat en duel, rectifia Weaver. L'heure est grave, et nous aimerions un peu de silence de la part des témoins.

— Alors, passez-moi un des seaux. Je meurs de faim.

— Ah non ! protesta Weaver. Vous mangez tout ce qu'on cueille !

Elle me regarda avec un air de chien battu.

— S'il te plaît, Mattie…

Je hochai la tête.

— Le docteur Wallace t'a conseillé de prendre de l'exercice, Min. Il a dit que ça te ferait du bien. Descends et cueille tes fougères toi-même.

— Mais j'ai déjà pris de l'exercice, Matt. J'ai grimpé jusqu'ici depuis le lac. Je me sens si fatiguée…

— Si vous n'y voyez pas d'objection, Minnie, le duel va commencer, maugréa Weaver.

La jeune femme descendit pesamment de son rocher, avec force soupirs et grognements, puis s'accroupit parmi les fougères. Elle en cassait les pousses l'une après l'autre et les engloutissait à toute vitesse, se les fourrant dans la bouche sans même prendre le temps de les savourer. À l'observer, j'avais l'étrange impression que si je l'approchais, elle me montrerait les dents. Normalement, elle ne raffolait pas des pousses de fougère, mais c'était avant qu'elle attende un bébé et se mette à dévorer tout ce qui lui tombait sous la main. Un jour, à l'en croire, elle avait même sucé en cachette un clou et un morceau de charbon.

Weaver ouvrit au hasard le livre qu'il tenait à la main. Ses yeux s'arrêtèrent sur un mot.

— « Inique » ! lança-t-il, refermant le livre d'un coup sec.

Nous nous plaçâmes dos à dos, le pouce droit replié, l'index et le majeur tendus en guise de pistolets.

— À mort, mademoiselle Gokey, dit-il avec solennité.

— À mort, monsieur Smith.

— Minnie, à votre commandement.

— Non, c'est ridicule !

35

— Allons, Minnie...

— En place, soupira-t-elle.

Nous nous éloignâmes l'un de l'autre, comptant nos pas. À dix, nous nous fîmes face.

— Armez...

Elle bâilla ostensiblement.

— C'est un duel à mort, Minnie, au cas où vous l'auriez oublié. Vous pourriez faire un effort, déclara Weaver.

Minnie leva les yeux au ciel.

— Armez ! cria-t-elle.

Nous prîmes position.

— Feu !

— « Injuste » ! hurla Weaver.

— « Inéquitable » ! répliquai-je.

— « Odieux » !

— « Immérité » !

— « Arbitraire » !

— « Partial » !

— « Mauvais » !

— « Abusif » !

— « Infâme » !

— « Infâme » ? Nom d'un chien, Weaver ! Euh... une minute... j'en ai un sur le bout de la langue...

— Trop tard, Matt. Tu es morte, annonça Minnie.

Weaver souffla sur le bout de ses doigts avec un sourire triomphant.

— À toi de finir la cueillette, me dit-il.

Il roula sa veste en coussin et s'assit pour lire *Le Comte de Monte-Cristo*, repliant sous lui ses longues jambes d'échassier. Remplir un seul seau prenait du temps, alors deux... Minnie avait déjà regagné son rocher en se dandinant. Elle ne me serait d'aucun secours. J'aurais dû y réfléchir à deux fois avant de proposer un duel de mots à Weaver. Il en sortait toujours vainqueur.

La cueillette des pousses de fougère n'était pas notre unique source de revenus. Nous ramassions aussi des fraises des bois, des myrtilles, de la gomme d'épicéa. Nous récoltions dix cents par-ci, vingt-cinq par-là. Du temps où un sachet de pièces en chocolat et un rouleau de réglisse

36

suffisaient à mon bonheur, vingt-cinq cents représentaient une fortune, mais dorénavant j'avais besoin d'argent. De beaucoup d'argent. À ce qu'on disait, la vie était chère à New York. En novembre, j'avais réussi à économiser cinq dollars, soit un dollar et quatre-vingt-dix cents de moins que le prix du billet de train pour la gare de Grand Central à Manhattan. Mlle Wilcox avait présenté un de mes poèmes à un concours organisé par l'*Utica Observer*. Mon nom était paru dans le journal, à côté de mon poème, et j'avais gagné cinq dollars.

Je ne les avais pas gardés longtemps. Ils avaient contribué à payer la pierre tombale de maman.

— « Le 24 février 1810, la vigie de Notre-Dame-de-la-Garde signala le trois-mâts *Le Pharaon*, venant de Smyrne, Trieste et Naples. Comme d'habitude, un pilote côtier partit aussitôt du port, rasa le château d'If... », commença Weaver.

Pendant qu'il lisait, je grattais le sol avec une branche, à la recherche des minuscules pousses vertes qui pointaient entre les feuilles en décomposition, chacune enroulée sur elle-même comme la crosse d'un violon. Elles se plaisent dans les terrains humides, ombragés et, quoique frêles, font preuve d'une force étonnante. J'en ai vu certaines capables de soulever de lourdes pierres dans leur hâte de grandir. C'était un bon coin, sur une colline couverte de pins et d'érables à cinq cents mètres à l'ouest de chez Weaver. Personne d'autre que nous n'en connaissait l'existence. Il y avait assez de pousses pour remplir deux seaux, et autant le lendemain. Nous ne les ramassions jamais toutes. Nous en laissions beaucoup croître en paix.

Alors que j'avais rempli seulement le fond de mon seau, les aventures maritimes de Dantès et Danglars éclipsèrent la cueillette au point que j'en oubliai les pousses de fougère, mes soucis d'argent et tout ce qui m'entourait pour m'abandonner comme souvent au pouvoir des mots.

— « ... Laissons Danglars, aux prises avec le génie de la haine, essayer de souffler contre son camarade quelque maligne supposition à l'oreille de l'armateur, et... » Dis donc, Matt, continue la cueillette ! Mattie, tu m'entends ?

— Comment ?

Captivée, le seau à mes pieds, j'écoutais les mots et les phrases se muer au fil des pages en sentiments, en voix, en lieux, en personnages.

— Tu es censée remplir le seau, pas rester plantée là, l'air dans les nuages.

— D'accord, soupirai-je.

Weaver referma le livre.

— C'est bon. Je viens t'aider, sinon on n'y arrivera jamais. Aide-moi à me relever.

Je lui tendis le bras et il se redressa, manquant me faire perdre l'équilibre. Je connais Weaver depuis plus de dix ans. C'est mon meilleur ami. Avec Minnie. Mais chaque fois que je lui serre la main, je ne peux retenir un sourire. J'ai la peau blanche, presque diaphane, alors que la sienne est aussi brune que le tabac. Pourtant, entre Weaver et moi, il y a davantage de points communs que de différences. Nous avons tous les deux la paume des mains rose. Tous les deux les yeux noisette. Et à l'intérieur, nous nous ressemblons comme deux gouttes d'eau : il partage ma passion pour les mots et n'aime rien tant que se plonger dans un livre.

Weaver était le seul garçon noir d'Eagle Bay. Et aussi d'Inlet, de Big Moose Lake, de Big Moose Station, de Minnowbrook, de Clearwater, de Moulin, de McKeever et d'Old Forge. Peut-être même le seul de tout le nord de l'État de New York. Je n'en avais jamais rencontré d'autre. Quelques années plus tôt, des Noirs étaient bien venus construire la ligne de chemin de fer qui relie Mohawk à Malone et continue jusqu'à Montréal. Ils logeaient au Buckley, l'hôtel de Big Moose Station, une bourgade à l'ouest de Big Moose Lake, mais ils étaient repartis sitôt le dernier tour de vis donné. L'un d'eux avait raconté à mon père que, le samedi soir, Big Moose Station n'avait rien à envier au Bowery, quartier le plus malfamé de New York. Il prétendait que même si les mouches noires, le whisky de Jerry Buckley et ces brutes de bûcherons n'avaient pas encore eu sa peau, il ne survivrait pas longtemps à la cuisine de Mme Buckley et préférait s'en aller avant qu'il ne soit trop tard.

Weaver et sa mère avaient fui le Mississippi après que le père de Weaver eut été tué sous leurs yeux par trois Blancs, simplement parce qu'il n'était pas descendu du trottoir pour les laisser passer. Elle en avait conclu que plus elle et Weaver iraient vers le nord, mieux ce serait. « La chaleur rend les Blancs méchants », expliqua-t-elle à Weaver, et comme elle avait entendu parler des forêts du nord de l'État de New York, une région apparemment aussi froide que sûre, elle décida de s'y installer avec son fils. Ils vivaient à un kilomètre et demi de notre ferme, sur Uncas Road, juste au sud de chez les Hubbard, dans une vieille cabane en rondins abandonnée des années plus tôt.

La mère de Weaver était blanchisseuse. Elle travaillait pour les hôtels et les camps de bûcherons. L'été, elle lavait les draps et le linge de table et, le reste du temps, des chemises, pantalons et caleçons longs qui avaient souvent été portés plusieurs mois d'affilée. Elle les mettait à bouillir dans une immense lessiveuse au milieu de son jardin. Elle lavait également les bûcherons, qu'elle obligeait à monter dans un tub en aluminium et à se récurer des pieds à la tête avant d'enfiler leurs vêtements propres. Quand une équipe entière débarquait, mieux valait ne pas se trouver dans le sens du vent. « Aujourd'hui, la mère de Weaver fait de la soupe aux caleçons », plaisantait Lawton.

Elle élevait aussi des poulets. Une pleine basse-cour. Durant les mois d'été, elle en faisait frire quatre ou cinq chaque soir, confectionnait tartes et gâteaux, et le lendemain elle emportait le tout dans sa carriole jusqu'à la gare d'Eagle Bay, à l'heure où arrivaient les trains. Entre le conducteur de la locomotive, les mécaniciens et les touristes affamés, elle vendait tout ce qu'elle avait préparé. Chaque sou gagné allait dans une vieille boîte à cigares cachée sous son lit. Si elle travaillait aussi dur, c'était pour pouvoir envoyer Weaver à l'université. À la Columbia University de New York. Mlle Wilcox, notre institutrice, l'avait encouragé à poser sa candidature. Il avait décroché une bourse et comptait étudier l'histoire et les sciences politiques avant de faire son droit. Il était le premier affranchi de sa famille. Ses grands-parents étaient esclaves, comme ses parents à leur naissance, même si Abraham Lincoln avait aboli l'esclavage durant leur prime enfance.

Weaver répétait que la liberté, comme le liniment Sloan, ne tenait pas toutes ses promesses. Selon lui, elle se résumait surtout à pouvoir choisir entre les tâches les plus ingrates dans les camps de bûcherons, les hôtels et les tanneries. Aussi longtemps que ses semblables n'auraient pas accès à tous les emplois sans discrimination, qu'ils n'auraient pas le droit de s'exprimer, d'écrire des livres et de les publier, que les Blancs pourraient les lyncher en toute impunité, aucun Noir ne serait vraiment libre.

Parfois je tremblais pour Weaver. Comme dans le Mississippi, nos forêts abritaient des paysans arriérés – des ignorants et des bons à rien toujours prêts à rejeter sur un bouc émissaire la responsabilité de leur existence sordide – et Weaver n'était pas du genre à descendre du trottoir ni à se découvrir sur leur passage. Il se bagarrait avec tous ceux qui le traitaient de sale nègre, et ne craignait rien ni personne. « Rampe devant les gens, Matt, et on te traitera comme un chien. Défends ton honneur comme un homme, et on te considérera comme tel », assurait-il. Facile à dire pour lui, mais comment pouvait-on se défendre comme un homme quand on était une fille ?

— *Le Comte de Monte-Cristo* a tout l'air d'être un roman captivant, hein, Mattie ? Et on n'en est qu'au deuxième chapitre !

— Entièrement d'accord, acquiesçai-je en me penchant sur une magnifique touffe de fougère.

— As-tu écrit d'autres nouvelles, Matt ? s'enquit Minnie.

— Je n'ai pas le temps. Ni de papier, d'ailleurs. J'ai rempli toutes les pages de mon cahier de composition. Mais je lis beaucoup. Et j'apprends toujours un mot par jour.

— Tu ne devrais pas te contenter de les collectionner. Tu devrais t'en servir pour écrire. Ils sont là pour ça, répondit Weaver.

— Je viens de t'expliquer que ça m'était impossible. Es-tu sourd ? De toute façon, je ne vois pas ce que je

40

pourrais écrire d'intéressant à Eagle Bay. Peut-être à Paris, où vit M. Doumasse...

— « Du-mas ».

— Quoi ?

— « Du-mas », pas « Doumasse ». Moi qui te croyais à moitié française !

— ... là où vit M. « Du-mas », au pays des rois et des mousquetaires, mais pas ici, répliquai-je, plus sèchement que je ne l'aurais voulu. Ici, il n'y a que la fabrication du sirop d'érable, la traite des vaches et la cueillette des pousses de fougère. Qui veux-tu que ça intéresse ?

— Inutile de crier comme une harpie, grogna Minnie.

— Mais je ne crie pas ! m'écriai-je.

— Aucune des nouvelles que Mlle Wilcox a envoyées à New York ne parlait de rois ni de mousquetaires, reprit Weaver. Et pourtant, celle sur le Noël solitaire de l'ermite Alvah Dunning est la meilleure que j'aie jamais lue.

— Avec celle où le vieux Sam Dunnigan enveloppe sa nièce morte dans un drap et la garde tout l'hiver dans sa glacière jusqu'à ce qu'on puisse l'enterrer, renchérit Minnie.

— Sans oublier celle où Otis Arnold tue un homme d'un coup de fusil et se noie dans Nick's Lake avant que le shérif ne le poursuive dans les bois, ajouta Weaver.

Je haussai les épaules et continuai de retourner les feuilles mortes.

— Et le Glenmore ? interrogea Minnie.

— Je ne pourrai pas y aller.

— Et pour New York, tu as du nouveau ? demanda Weaver.

— Non.

— Mlle Wilcox n'a toujours pas de réponse ? insista-t-il.

— Non.

Il souleva lui aussi quelques feuilles.

— Cette lettre va arriver, Matt, j'en suis sûr. En attendant, tu peux toujours continuer à écrire. Rien ne t'en empêche si tu en as vraiment envie.

— Tu en parles à ton aise, Weaver, rétorquai-je. Toi, ta mère te laisse tranquille. Que ferais-tu si tu devais t'occuper de trois sœurs, d'un père, et de cette satanée ferme qui donne du travail à n'en plus finir ? Je voudrais t'y voir. Tu crois que tu trouverais le temps d'écrire des nouvelles ?

Ma gorge se serra, mais je ravalai ma salive. Je ne pleurais pas souvent. Papa avait la gifle facile et peu de patience pour les bouderies et les larmes.

Weaver soutint mon regard.

— Le travail n'y est pour rien, Matt, tu le sais bien. Pas plus que le manque de temps. Tu as toujours eu des journées bien remplies. C'est cette maudite promesse. Ta mère n'aurait jamais dû t'obliger à la faire. Elle n'en avait pas le droit.

Contrairement à Minnie, Weaver ne sait pas s'arrêter à temps. On aurait dit un taon bourdonnant autour de moi, cherchant un endroit particulièrement vulnérable où piquer de toutes ses forces pour me faire mal.

— Elle était mourante. Tu aurais fait la même chose à ma place, murmurai-je, la tête basse.

J'avais les larmes aux yeux et je ne voulais pas que Weaver le voie.

— Dieu lui a pris sa vie, mais elle t'a pris la tienne.

— Ferme-la, Weaver ! Tu parles sans savoir !

J'éclatai en sanglots.

— Tu ne pourrais pas te taire, Weaver Smith ? Regarde ce que tu as fait. Tu devrais lui demander pardon, le sermonna Minnie.

— Je n'ai rien à me faire pardonner. C'est la vérité.

— Peut-être, mais toutes les vérités ne sont pas bonnes à dire, rappela Minnie.

Il y eut un long silence, seulement ponctué par le bruit sourd des pousses de fougère tombant dans nos seaux métalliques.

Quelques mois plus tôt, Weaver avait pris une initiative – dans mon intérêt, selon lui, mais j'en voyais surtout les effets négatifs. Il avait récupéré mon cahier de composition, que j'avais jeté dans les bois de l'autre côté de la voie de chemin de fer, et l'avait donné à Mlle Wilcox.

C'était le cahier dans lequel j'écrivais mes nouvelles et mes poèmes. Je ne les avais montrés qu'à trois personnes : ma mère, Minnie et Weaver. Maman s'était déclarée émue aux larmes et Minnie les avait trouvés très réussis. Pour Weaver ils étaient excellents, et il m'avait conseillé de les montrer à Mlle Parrish, notre institutrice d'alors, avant l'arrivée de Mlle Wilcox. D'après lui, elle saurait ce qu'il fallait en faire. Peut-être les envoyer à une revue.

Je ne voulais pas en entendre parler, mais comme il revenait sans cesse à la charge, j'avais fini par céder. Je ne sais ce que j'espérais. Quelques compliments, sans doute. Et quelques encouragements. Je n'y étais pas du tout. Mlle Parrish me prit à part un jour après la classe. Elle m'annonça qu'elle avait lu mes nouvelles, et qu'elle les trouvait déprimantes et morbides. La littérature était censée élever l'esprit, m'expliqua-t-elle, et une jeune fille comme moi devait choisir des sujets plus gais et plus édifiants que la solitude d'un ermite ou la mort d'un enfant.

— Regardez autour de vous, Mathilda. Les arbres, les lacs, les montagnes... La magnificence de la nature. Elle devrait inspirer la joie et l'émerveillement. L'admiration. Le respect. De nobles pensées et des paroles lyriques.

J'avais regardé autour de moi. J'avais vu tout ce dont elle parlait, et bien plus encore. Un ourson offrant son museau aux giboulées torrentielles de mars ; la lune argentée de l'hiver, si haute et d'une blancheur aveuglante ; la splendeur cramoisie d'une futaie d'érables en automne, et le calme indicible d'un lac de montagne à l'aube. J'avais vu et aimé tout cela, mais j'avais également perçu la face sombre du monde : les silhouettes efflanquées des cerfs affamés en hiver, la fureur cinglante du blizzard, les ténèbres qui rôdent toujours sous les pins, même par les journées les plus ensoleillées.

— Je ne dis pas cela pour vous décourager, ma chère, avait ajouté Mlle Parrish. Pourquoi ne choisiriez-vous pas un autre thème ? Quelque chose d'un peu moins ingrat... Le printemps, par exemple. Il y a tant à écrire sur le printemps. Les feuilles vert tendre, les jolies violettes, le retour du rouge-gorge...

Je n'avais pas répondu. J'avais repris mon cahier de composition et j'étais partie, des larmes de dépit dans les yeux. Weaver m'attendait devant l'école. Il me demanda ce qu'avait dit Mlle Parrish, mais je restai muette. J'attendis que nous soyons sortis du bourg et je lançai mon cahier dans les bois. Weaver s'empressa d'aller le chercher. Je lui criai qu'il n'avait pas le droit. Je ne voulais plus voir ce cahier. Puisque je l'avais jeté, répliqua Weaver, il ne m'appartenait plus. Il était à lui, désormais, et il pouvait en faire ce qui lui plaisait.

Fin renard, il le garda précieusement, attendant son heure. Sur ces entrefaites, la mère de Mlle Parrish était tombée malade, sa fille était partie la soigner à Boonville, et Mlle Wilcox, qui louait l'ancienne pension Foster, à Inlet, fut nommée pour la remplacer. Sans même m'en parler, Weaver donna mon cahier à Mlle Wilcox. Après avoir lu mes nouvelles, elle m'assura que j'avais un don.

— Un vrai don, Mattie. Un don rare, avait-elle insisté.

Et depuis, à cause d'elle et de Weaver, je rêvais à des choses qui n'étaient pas pour moi. Ce qu'ils appelaient tous les deux « un don » me faisait plutôt l'effet d'un fardeau.

— Mattie...

Weaver continuait à lancer des pousses de fougère dans son seau.

Je fis la sourde oreille. Je ne pris même pas la peine de me redresser, ni de le regarder. Je m'efforçais d'oublier ce qu'il venait de me dire.

— Quel est ton mot du jour, Mattie ?

J'eus un geste d'agacement.

— Allons, c'est quoi ?

— « Abécédaire », marmonnai-je.

— Qu'est-ce que ça veut dire, au juste ?

— Elle n'a pas envie de te parler, Weaver. Et moi non plus.

— Silence, Minnie.

Weaver s'approcha de moi, me prit mon seau des mains. Je fus bien obligée de le regarder. Et je lus dans ses yeux qu'il me demandait pardon, même si sa bouche refusait de le faire.

— Alors, qu'est-ce que c'est ?

— Un livre dans lequel on apprend l'alphabet.

— Emploie-le dans une phrase.

— Weaver Smith devrait éviter de jouer les avocats à tort et à travers, retourner à son abécédaire et reconnaître que Mathilda Gokey est imbattable aux duels de mots.

Weaver sourit. Il posa les deux seaux.

— Un partout, dit-il.

MATTIE, QU'EST-CE QUE TU FABRIQUES ?

C'est Mme Hennessey. Elle m'a fait si peur que j'ai presque décollé du sol. Je referme précipitamment la porte de la cave en bredouillant une vague réponse :

— Rien, madame. Je... Je voulais juste...

— La crème glacée est prête ?

— Presque, madame.

— Assez de « madame ». Et que je ne te revoie pas quitter ta chaise avant d'avoir fini !

La cuisinière est irritable. Encore plus que d'habitude. Nous le sommes tous. Les clients comme le personnel. Irritables et tristes. Sauf la vieille Mme Ellis qui, elle, ne décolère pas et réclame un rabais sous prétexte que ce cadavre dans le salon lui gâche sa journée.

En retournant vers la sorbetière, je sens dans ma poche le poids des lettres de Grace Brown. Pourquoi a-t-il fallu que Mme Hennessey regagne la cuisine à cet instant précis ? Deux secondes de plus, et j'aurais eu le temps de descendre à la cave jusqu'à l'imposante chaudière à charbon. Le Glenmore est un hôtel moderne où l'on s'éclaire et cuisine au gaz, mais la chaudière qui fournit toute l'eau chaude de l'établissement fonctionne encore au charbon. Les lettres auraient brûlé en un éclair. J'en aurais été débarrassée.

Or, depuis que Grace Brown me les a confiées, c'est mon vœu le plus cher. Elle me les a données hier sous le porche, où je lui servais un verre de limonade. Je l'avais prise en pitié : je voyais bien qu'elle venait de pleurer. Et je savais pourquoi. Elle s'était disputée avec son compagnon pendant le déjeuner. À propos d'une chapelle. Elle souhaitait en chercher une, alors que lui voulait faire une promenade en barque.

Elle a d'abord refusé la limonade, avouant qu'elle ne pourrait la payer, mais j'ai répondu que je la lui offrais, certaine que Mme Morrison n'y verrait que du feu. J'allais retourner à l'intérieur quand elle m'a priée d'attendre. Elle a ouvert la valise de son ami et en a tiré une liasse de lettres. De son sac à main elle en a sorti quelques autres, a dénoué le ruban qui les retenait, les a attachées toutes ensemble, puis m'a demandé de les brûler.

Cette requête m'a laissée sans voix. Les clients ont souvent d'étranges exigences. Des omelettes préparées avec deux œufs et demi. Pas deux ni trois : non, deux et demi. Du sirop d'érable sur leurs pommes de terre au four. Des muffins aux myrtilles sans myrtilles. De la truite au dîner à condition qu'elle n'ait pas le goût de poisson. Je m'exécute chaque fois avec le sourire, mais personne ne m'avait encore demandé de brûler des lettres, et je m'imaginais mal expliquant la situation à Mme Hennessey.

« C'est impossible, mademoiselle... »

Elle m'a prise par le bras.

« S'il vous plaît, brûlez ces lettres, a-t-elle répété dans un souffle. Promettez-moi que vous le ferez. Personne ne doit jamais les lire. Je vous en supplie ! »

Elle me les a mises de force dans les mains, avec un air si égaré que j'ai pris peur et me suis empressée d'acquiescer.

« Bien sûr, mademoiselle. Je m'en occupe tout de suite. »

Au même instant, son ami – qu'il se prénomme Carl ou Chester – l'a appelée depuis la pelouse :

« Tu viens, Billy ? J'ai une barque ! »

J'ai fourré les lettres dans ma poche et oublié leur existence jusqu'à ce que je monte changer de tablier un peu plus tard. Je les ai glissées sous mon matelas, préférant attendre un peu pour les brûler, au cas où Grace Brown changerait d'avis et me les réclamerait. Les clients sont parfois imprévisibles. Ils vous reprochent de leur apporter l'entremets au caramel qu'ils ont commandé, car ils voudraient à présent celui au chocolat. Et ils ont beau vous prier de bien amidonner leurs chemises, c'est toujours à vous qu'ils s'en prennent s'ils les trouvent trop raides. Je n'avais aucune envie que Grace Brown aille se plaindre à Mme Morrison que j'avais brûlé sa correspondance de ma propre initiative. Hélas, Grace n'a pas eu le temps de changer d'avis ni de se plaindre. Et elle ne risque plus de le faire.

J'ai couru récupérer ses lettres à l'étage dès qu'on a ramené son cadavre et, depuis, je guette le moment où Mme Hennessey aura le dos tourné. Il est presque dix-sept heures. Dans une heure on servira le dîner, et je sais que, même si l'occasion se présente, je n'aurai plus le temps de descendre à la cave.

La porte de la salle à manger s'ouvre brusquement et Frannie Hill fait son entrée, un plateau vide sur l'épaule.

— Seigneur ! Je ne comprends pas comment des gens tranquillement assis sur leur séant le temps d'une conférence sur les châteaux français peuvent être aussi affamés ! Ce n'est jamais qu'une suite de vieilles illustrations ennuyeuses qui défilent dans une lanterne, assorties de commentaires à n'en plus finir.

— J'avais mis au moins six douzaines de cookies sur ce plateau. Ils ont tout mangé ? interroge Mme Hennessey.

— Et bu le contenu de deux cafetières, d'un pichet de limonade et d'une théière. Ce qui ne les empêche pas d'en redemander !

— C'est nerveux, conclut Mme Hennessey. Dès qu'on s'inquiète, on mange trop.

— Méfie-toi de Table Six, Matt. Ça le reprend, me chuchote Fran avant de s'éloigner.

C'est ainsi que nous surnommons M. Maxwell, qui réserve systématiquement la table six parce qu'elle se trouve dans un recoin sombre de la salle à manger. Il a du mal à tenir ses mains en place, et pas seulement ses mains.

On rouvre la porte à la volée. C'est Ada.

— Quelqu'un du journal de Boonville est là. Mme Morrison m'a demandé de lui porter du café et des sandwichs.

Weaver surgit derrière Ada.

— M. Morrison m'a dit de vous prévenir qu'il annulait le feu de camp de ce soir et que vous n'aviez plus besoin de préparer des rafraîchissements. Il a aussi annulé l'excursion de demain matin à Dart's Lake, donc pas de pique-nique à emballer. Par contre, il souhaite organiser demain après-midi une dégustation de crème glacée pour les enfants, et il faudra prévoir des sandwichs pour les sauveteurs qui reviendront ce soir après avoir sondé le lac.

De la main, Mme Hennessey s'éponge le front. Elle met de l'eau à bouillir et ouvre une boîte de conserve sur le plan de travail près du fourneau.

— Weaver, je t'avais prié de me monter du café, ce matin. Il n'y a donc personne qui m'écoute ?

— J'y vais ! dis-je à la cantonade.

Le grand sac en toile de jute rempli de grains de café se trouve à la cave.

Mme Hennessey fronce les sourcils.

— Tu cherches vraiment tous les moyens de descendre à la cave, aujourd'hui ! Qu'as-tu encore derrière la tête ?

— Peut-être que Royal Loomis y est caché, suggère Fran avec un sourire candide.

— Et qu'il attend un baiser derrière le coffre à charbon, glousse Ada.

— Tout en se grattant le crâne et en se demandant qui a bien pu éteindre la lumière, ajoute Weaver.

J'ai les joues en feu.

— Tu restes finir la crème glacée, Mattie. Quant à toi, Weaver, file me chercher ce café.

Je jette un coup d'œil sous le couvercle de la sorbetière. Je suis loin du compte. J'ai pourtant tourné la manivelle à m'en décrocher le bras. Weaver a déjà préparé plusieurs litres de glace à la fraise, et Fran la même quantité de glace à la vanille. L'activité incessante qui régnait déjà dans la cuisine, avec l'hôtel au complet et tous les chalets occupés, s'est encore accrue dans les heures ayant suivi la découverte du corps de Grace Brown. Mme Morrison nous a informés que demain le shérif en personne viendrait de Herkimer, accompagné du médecin légiste. Et qu'il y aurait sûrement des journalistes de la presse locale. Bien décidée à ce que le Glenmore fasse honneur à sa réputation, Mme Hennessey a prévu assez de fournées de pain et de brioches pour nourrir tous les habitants du comté. Plus une douzaine de tartes, six énormes gâteaux à la crème et deux flans au riz.

Weaver disparaît à la cave. Au même instant, des coups de fusil retentissent près du lac, trois d'affilée.

Ada et Frannie s'approchent de moi.

— S'il était encore vivant, on l'aurait déjà retrouvé. Ou bien il aurait regagné la rive d'une façon ou d'une autre. Le bruit des détonations porte loin.

Fran exprime tout haut ce que nous pensons tout bas.

— J'ai vérifié dans le registre, murmure Ada. Elle n'avait pas le même nom que lui. Ils voyageaient ensemble, mais je crois qu'ils n'étaient pas mariés.

— Je vous parie qu'ils venaient justement ici pour se marier à l'insu de leur famille, dis-je. C'est moi qui les ai servis au déjeuner. Je les ai entendus parler d'une chapelle.

— C'est vrai, Matt ? s'enquiert Ada.

— Bien sûr que oui...

Après tout, se disputer, c'est se parler. Enfin, plus ou moins.

— Peut-être que Carl Grahm ne convenait pas au père de Grace Brown. Ou qu'il n'était pas assez riche. Ou que Grace Brown avait déjà un fiancé, mais qu'elle aimait Carl Grahm. Alors ils se sont enfuis dans nos forêts pour se marier...

— ... et ils ont commencé par louer une barque pour faire une promenade en amoureux et se jurer fidélité sur le lac, enchaîne Ada avec envie.

— Peut-être que Carl Grahm s'est penché pour cueillir des nénuphars à Grace, suggère Frannie.

— Et que la barque a chaviré. Ils sont tombés à l'eau, Carl a tenté de sauver Grace, mais en vain. Elle a glissé entre ses bras…

— Comme c'est triste, Mattie ! Tellement triste et romantique ! s'écrie Ada.

— Alors Carl s'est noyé lui aussi. Il a préféré se laisser couler plutôt que de vivre sans Grace. Et les voilà maintenant réunis à jamais. Des amants maudits, comme Roméo et Juliette.

— Réunis à jamais…, répète Frannie après moi.

— Oui, tout au fond de Big Moose Lake. Raides morts, coupe Mme Hennessey.

Elle a l'ouïe aussi fine qu'un lièvre et vous surprend toujours au moment où vous vous y attendez le moins.

— Que cela te serve de leçon, Frances Hill, ajoute-t-elle. Les filles qui vont retrouver les garçons en cachette finissent toujours par avoir des ennuis, tu m'entends ?

Fran ouvre de grands yeux innocents.

— Je ne vois absolument pas de quoi vous parlez, madame Hennessey.

Elle est si bonne comédienne qu'elle devrait faire du théâtre.

— Et moi je suis sûre que tu vois très bien, au contraire. Où étais-tu avant-hier soir, vers minuit ?

— Ici, évidemment. Endormie dans mon lit.

— Tu ne serais pas plutôt allée retrouver Ed Compeau au Waldheim, par hasard ?

Frannie est percée à jour. Elle devient rouge cerise. Je m'attends que Mme Hennessey la réprimande sévèrement. Au lieu de quoi, prenant Frannie par le menton, elle déclare :

— Si un garçon veut te fréquenter, tu lui dis de le faire dans les règles ou pas du tout. C'est compris ?

— Oui, madame, bredouille Fran.

À son expression et à celle d'Ada, je devine qu'elles sont aussi troublées que moi de voir notre cuisinière se montrer presque maternelle. Je suis encore plus émue quand elle écrase furtivement une larme en se dirigeant vers l'escalier de la cave.

— Weaver ! aboie-t-elle. Tu me rapportes ce café ou tu le fais pousser ? Dépêche-toi !

Je contemple la mince bague en or à ma main gauche, son opale ébréchée et ses deux grenats sans éclat. Je ne l'ai jamais trouvée très jolie, mais je me sens soudain si heureuse que Royal me l'ait offerte. Heureuse aussi qu'il vienne toujours me chercher à la porte de la cuisine du Glenmore, au vu et au su de tout le monde.

Je me réinstalle devant la sorbetière et, tout en tournant la manivelle, j'embellis la tragique histoire d'amour de Grace Brown et de Carl Grahm. Je la récris dans ma tête. Ils étaient amoureux. Voilà pourquoi ils sont venus ici. Ils ont fui ensemble, mais sans se cacher, quoi qu'en pense Mme Hennessey. Je vois Carl Grahm sourire et se pencher pour cueillir des nénuphars ; je vois la barque chavirer et les efforts désespérés de Carl pour sauver la femme qu'il aime. J'ai déjà oublié les yeux rougis de Grace, ses mains tremblantes tandis qu'elle me confiait ses lettres. Je ne me demande plus ce que contiennent ces dernières, ni pourquoi elles sont adressées à Chester Gillette et non à Carl Grahm. Je commence à penser que je n'ai peut-être jamais entendu Grace Brown appeler Carl Grahm « Chester », que c'était seulement un effet de mon imagination.

L'histoire se clôt sur l'inhumation de Grace et de Carl côte à côte dans un élégant cimetière d'Albany, et sur les larmes de leurs parents, inconsolables d'avoir fait obstacle à l'amour du jeune couple. Je suis satisfaite du résultat. C'est une première pour moi, une nouvelle où tous les fils s'entrelacent pour former une trame cohérente, et qui me laisse apaisée plutôt que bouleversée. Avec un dénouement heureux en prime – du moins autant qu'il est possible après la mort de l'héroïne, et sans doute celle du héros. Une de ces nouvelles dont j'ai dit un jour à Mlle Wilcox que c'étaient des leurres. Une nouvelle comme j'avais juré que jamais, au grand jamais, je n'en écrirais.

anti.phrase

Ni l'imposant tombereau de foin, ni les souches du pré le plus au nord, ni même les rochers de celui en contrebas, rien dans toute notre ferme ne se montrait aussi rétif, rebelle et récalcitrant qu'Aimable, notre mulet. Je me trouvais au milieu de notre champ de maïs et tentais désespérément de lui faire tirer la charrue.

— Hue, Aimable ! Hue ! m'écriais-je en lui cinglant les flancs avec les rênes.

Peine perdue.

— Allez, viens, Aimable... viens, supplia Beth, un morceau de sucre d'érable à la main.

— Par ici, mon vieux ! appela Tommy Hubbard, agitant un chapeau de paille usagé.

Aimable adorait manger les chapeaux de paille.

— Bouge ton gros derrière, sale bête ! aboya Lou en donnant des coups secs sur sa bride.

L'animal n'avança pas d'un pouce. Planté là, il se contentait de tendre le cou pour essayer de mordre Lou.

Il faisait anormalement chaud et sec en ce début d'avril, et je me sentais sale, épuisée, ruisselante de sueur. Les bras endoloris et les mains couvertes d'ampoules à force de pousser la charrue, j'étais hors de moi. Une fois de plus, papa m'avait gardée à la ferme alors que j'aurais tant voulu aller en classe. J'attendais une lettre qui, si toutefois elle arrivait un jour, serait adressée à Mlle Wilcox, et je ne pensais qu'à cela. J'avais plaidé ma cause auprès de mon père. J'avais invoqué le fait que les examens approchaient, que je devais réviser mon algèbre, qu'avec Mlle Wilcox nous entamions l'étude du *Paradis perdu* de Milton, une œuvre difficile, et que je prendrais du retard si je m'absentais toute une journée. En pure perte. Après avoir surveillé les caprices du temps – pas de brouillard en février, pas d'orages en mars, vent du sud le vendredi saint –, papa semblait convaincu que cette douceur printanière allait se maintenir.

La plupart des fermiers plantaient leur maïs fin mai, à l'approche de la fête nationale du Memorial Day, mais mon père voulait en avoir terminé mi-mai au plus tard et commencer à labourer sans attendre. Notre région n'est à l'abri des gelées que trois à quatre mois par an, or il faut du temps au maïs pour arriver à maturité. Papa s'efforçait d'accroître notre troupeau de vaches laitières. Il souhaitait garder tous nos veaux au lieu de les vendre, ce qui supposait de pouvoir les nourrir, et donc de récolter assez de maïs. Ce jour-là, je devais labourer un hectare et je n'en étais qu'au tiers de ma tâche lorsque Aimable avait décidé de se reposer. Si je ne finissais pas le travail, j'aurais des comptes à rendre à papa. Les labours incombaient d'ordinaire à Lawton, mais il n'était plus là. Papa s'en serait sûrement chargé s'il n'avait dû rester auprès de notre vache Daisy, qui était en train de vêler. Voilà comment j'avais hérité de cette corvée.

Je me baissai pour ramasser une pierre. Je m'apprêtais à la lancer sur l'arrière-train d'Aimable quand j'entendis une voix derrière moi.

— Si tu lui jettes ça, tu vas l'effrayer. Il risque de s'enfuir. En t'entraînant, toi et la charrue, à l'autre bout du champ et par-dessus la clôture.

Je me retournai. Debout en lisière de nos terres, un jeune homme blond m'observait. Il était plus grand que dans mes souvenirs. Bien bâti et séduisant. Le plus séduisant des quatre fils Loomis. Il portait une roue de charrette sur l'épaule. Son bras dépassait des rayons.

— Bonjour, Royal, dis-je.

Je m'efforçais de ne pas le dévisager. De ne pas fixer trop longtemps ses cheveux blonds comme les blés ni ses yeux – Minnie prétendait qu'ils étaient noisette, mais je les trouvais aussi dorés que le miel de sarrasin – ni la tache de rousseur au ras de sa lèvre supérieure.

— Bonjour, Mattie.

L'exploitation des Loomis jouxtait la nôtre. Elle était beaucoup plus vaste. Quarante-cinq hectares. Elle comptait aussi plus de marécages. M. Loomis et ses fils avaient défriché une vingtaine d'hectares, contre une douzaine seulement chez nous. Débarrassées des souches et des rochers, nos meilleures terres servaient aux cultures. Fourrage et maïs pour le bétail, plus des pommes de terre – destinées à notre consommation personnelle et à la vente. Dans les parcelles encore encombrées de souches calcinées ou pourries, comme dans les zones marécageuses ou caillouteuses, papa mettait les vaches à paître. Les sols les plus ingrats étaient plantés de sarrasin, qui pousse à peu près n'importe où. Papa espérait défricher encore deux ou trois hectares pendant l'été, mais sans Lawton ce serait impossible.

Royal posa successivement les yeux sur Aimable et sur moi. Il laissa glisser à terre sa roue de charrette et me prit les rênes des mains.

— Je m'en occupe. Hue, animal ! cria-t-il, fouettant l'échine d'Aimable deux fois plus fort que moi.

Le mulet repartit. Au trot, et sous les hourras de Tommy, Beth et Lou. Je me sentis bête comme mes pieds.

Chez les Loomis, Royal était le cadet. Il avait deux frères plus jeunes que lui. Daniel, l'aîné de la fratrie, venait de se fiancer à Belinda Becker de la famille Becker d'Old Forge, propriétaire du magasin de semences et d'aliments pour bétail. Joli prénom, Belinda. Fondant comme une meringue, sucré comme du sirop d'érable cristallisé sur la neige. Rien à voir avec « Matt » : mon diminutif a quelque chose de terne, rêche, compact.

Tout le monde ne parlait que des fiançailles de Dan et de Belinda. Ils semblaient faits l'un pour l'autre, lui si débrouillard et elle avec la promesse d'une belle dot. À en croire ma tante Josie, il aurait dû y avoir un second couple de fiancés. Elle prétendait que Royal fréquentait Martha Miller, dont le père est le pasteur d'Inlet, mais qu'il aurait rompu avec elle. Nul ne savait pourquoi. Toujours selon tante Josie, c'était parce que la famille de Martha ressemblait aux diamants de Herkimer : de vulgaires cristaux qui ont l'apparence des diamants, mais ne valent pas un clou. M. Miller avait beau posséder deux magnifiques chevaux gris et Martha porter de jolies robes, ils étaient endettés. Je ne voyais pas le rapport avec d'éventuelles fiançailles, mais ma tante en savait sûrement plus long que moi. De santé fragile, elle n'a d'autre distraction que d'échanger les derniers potins. Elle se jette sur la moindre rumeur comme un ours sur une truite saumonée.

Royal et Dan n'avaient qu'un an d'écart. Âgés respectivement de dix-huit et dix-neuf ans, ils se posaient sans cesse en rivaux. Qu'il s'agisse de jouer au base-ball, de cueillir des myrtilles ou de casser du bois, c'était toujours à qui surpasserait l'autre. Je les avais peu vus durant l'année écoulée. Je les croisais surtout lorsqu'ils emmenaient Lawton à la pêche, et naguère nous allions en classe tous ensemble, mais ni Dan ni Royal ne s'étaient attardés sur les bancs de l'école. Aucun d'eux n'aimait vraiment l'étude.

Je regardai Royal tracer un sillon et repartir en sens inverse.

— Merci, Royal. Je vais continuer.

— C'est bon. Je peux terminer. Tu ne veux pas plutôt ramasser les cailloux derrière moi ?

Je m'exécutai et le suivis lentement, mettant racines et pierres dans un seau que je vidais au bout du champ. Quelques sillons plus loin, Royal se tourna vers moi :

— Tu t'en sors ?

— Très bien, répondis-je.

J'avais à peine fini ma phrase que je trébuchai et lâchai mon seau. Royal s'arrêta, attendit que je me relève, puis se remit en route. Il labourait si vite que j'avais du mal à ne pas me laisser distancer. Ses sillons étaient droits et profonds. Beaucoup plus que les miens. À côté de lui, je me sentais maladroite. Et les joues en feu. *Malécarlate ?*

— C'est de la bonne terre. Bien brune et fertile.

Je contemplai le sol à mes pieds, aussi noir que le marc de café.

— Certes, acquiesçai-je.

— Belle récolte en perspective. Au fait, pourquoi avoir appelé ce mulet « Aimable » ? Pas vraiment le nom qui lui convient.

— C'était par antiphrase, expliquai-je, heureuse de pouvoir placer mon mot du jour.

— Paranti… quoi ?

— Par antiphrase. C'est le fait d'employer un terme dans un sens contraire à son sens véritable. Comme quand on surnomme un gringalet « Hercule ». Ça vient du grec et du latin. Et c'est mon mot du jour. Chaque matin, j'en choisis un dans le dictionnaire, je l'apprends par cœur et j'essaie de l'utiliser dans une phrase. Ça me permet d'enrichir mon vocabulaire. En ce moment, je lis *Jane Eyre* et je n'ai pratiquement pas besoin d'ouvrir le dictionnaire. Mais il est difficile de glisser « antiphrase » dans la conversation. Ta question sur le nom de notre mulet est tombée à pic ! Exactement l'occasion qu'il me…

Royal me jeta un coup d'œil par-dessus son épaule – un coup d'œil agacé, condescendant – et j'eus l'impression d'être le plus grand moulin à paroles de tout le comté de Herkimer. Je me tus aussitôt, cherchant ce qu'une fille comme Belinda Becker pouvait bien raconter aux garçons pour capter leur attention. Je connaissais quantité de mots – beaucoup plus que Belinda, toujours en train de glousser, de pousser des « Oh ! » et des « Ah ! », de répéter les dernières expressions à la mode comme « petit ami » ou « complètement fauché » – mais apparemment, ce n'étaient pas les bons. Pendant quelque temps, je ne quittai pas des yeux les sillons, spectacle si monotone que je me surpris à fixer le postérieur de Royal. Je n'avais jamais vraiment prêté attention à cette partie de l'anatomie masculine. Celui de papa était aussi plat qu'une galette. Aux taquineries de maman, il répondait que c'était la faute des patrons de la compagnie forestière s'il n'avait plus que la peau sur les os. Je trouvai celui de Royal très agréable à regarder. Rond et ferme comme deux miches de pain. Au même instant, Royal se retourna et je rougis de confusion. Je me demandai ce que Jane Eyre aurait fait à ma place, puis je me rappelai qu'elle était anglaise et très bien élevée. Jamais elle ne se serait permis de poser les yeux sur le postérieur de Rochester.

— Où est ton père, au fait ? s'enquit Royal.

— Avec Daisy. Qui est en train de vêler. Et avec Abby. Qui ne l'est pas. En train de vêler, je veux dire.

J'aurais voulu me coller du sparadrap sur la bouche.

Royal me posa d'autres questions. Quels engrais papa utilisait-il ? Combien d'hectares voulait-il défricher ? Allait-il planter des pommes de terre ce printemps ? Semer du sarrasin ? N'avait-il pas du mal à s'occuper seul de la ferme ?

— Il n'est pas seul. Je suis là, répliquai-je.

— Mais tu vas encore en classe, non ? Pourquoi continuer, d'ailleurs ? L'école, c'est pour les gosses, alors que toi, tu as déjà, quoi... quinze ans ?

— Seize.

— Où est passé Lawton ? Toujours pas revenu ?

— Tu comptes écrire un article dans le journal, Royal ? ironisa Lou.

Royal ne trouva pas ça drôle. Moi, si. Ensuite, il garda le silence. Deux heures plus tard, il avait entièrement labouré le champ. Une fois tout le monde assis pour se reposer, je donnai à Royal une part de quatre-quarts, puis je lui servis un verre du mélange d'eau et de cidre au gingembre que je conservais dans une cruche en grès. Je partageai le reste du gâteau avec Tommy, Lou et Beth.

Royal regarda Tommy dévorer sa part.

— Toujours aussi affamés, les Hubbard, pas vrai ? Impossible de les rassasier, on dirait. Pourquoi es-tu là, Tom ?

Tom contempla sa part de gâteau, qui s'effritait en grosses miettes jaunes dans ses mains sales.

— Peut-être parce que j'aime bien aider Mattie. Et son père aussi.

— Pourquoi n'aides-tu pas plutôt ta mère à labourer ?

— On n'a pas de charrue.

Tommy rougit jusqu'aux oreilles.

— De toute façon, vous n'avez pas vraiment besoin d'une charrue. Ta mère trouve toujours quelqu'un pour lui labourer son champ, hein, Tom ?

— Sapristi, Royal, en quoi le champ d'Emmie t'intéresse-t-il ? dis-je.

Je n'aimais pas son regard sévère, ni l'air malheureux et traqué de Tommy. Les fils Loomis cherchaient toujours querelle aux enfants Hubbard, telle une meute de chiens coursant les opossums. Combien de fois Lawton ne s'était-il pas interposé entre les deux plus jeunes et Tommy !

Royal mordit dans sa part de gâteau avec un haussement d'épaules.

— Très bon, apprécia-t-il.

J'allais préciser qu'Abby l'avait fait, mais les yeux dorés de Royal étaient posés sur moi, pas sur le gâteau, et ils avaient perdu leur sévérité, alors je me ravisai.

Royal me dévisagea avec insistance, la tête légèrement inclinée. Durant une fraction de seconde, j'eus l'étrange impression qu'il allait m'ouvrir la bouche pour vérifier l'état de mes dents, ou me soulever le pied pour inspecter ma semelle. J'entendis quelqu'un appeler : c'était papa qui nous faisait signe devant l'étable. Il vint s'asseoir parmi nous. Je lui donnai mon verre.

— Daisy a mis bas un veau mâle, annonça-t-il d'une voix lasse, et il sourit.

Papa était si beau quand il souriait, avec ses yeux de la couleur des bleuets et ses dents étincelantes. Cela lui arrivait rarement, désormais, et ce fut comme une embellie après la pluie. Comme si maman allait nous rejoindre après avoir étendu le linge. Comme si Lawton pouvait sortir des bois d'une minute à l'autre, sa canne à pêche sur l'épaule.

Beth, Lou et Tommy filèrent voir le petit veau. Papa vida son verre, que je remplis de nouveau. Coupée de cidre, l'eau est plus digeste quand on a chaud et soif.

À la vue de Royal, de sa chemise trempée de sueur, de mes mains pleines de terre et d'Aimable dételé, mon père devina ce qui s'était passé.

— Je te remercie, dit-il à Royal. Les labours, c'est le travail d'un fils. Pas celui d'une fille. Je croyais pouvoir compter sur le mien.

— Papa…, murmurai-je.

— Je ne comprends vraiment pas pourquoi il est parti, répondit Royal. Rien ne pourrait m'arracher à une terre comme celle-là.

Je me hérissai à ces mots. Moi aussi j'en voulais à Lawton, mais Royal ne faisait pas partie de la famille. Il n'avait pas à critiquer mon frère. Le problème, c'est que moi non plus, je ne comprenais pas pourquoi Lawton était parti. Je savais qu'ils s'étaient disputés, papa et lui. Je les avais vus se battre dans la grange. D'abord à coups de poing, et puis papa avait pris sa serpe. Alors Lawton s'était précipité dans la maison, avait fourré ses affaires dans un vieux sac en toile de jute et s'en était allé. J'avais couru derrière lui. Lou aussi, mais papa nous avait bloqué le passage sur l'escalier du porche.

« Laissez-le ! » avait-il ordonné.

J'avais plaidé la cause de Lawton.

« Enfin, papa, il ne peut pas partir comme ça ! On est en plein hiver ! Où va-t-il aller ?

— Laissez-le, je vous dis ! Rentrez à la maison, et en vitesse ! »

Il avait refermé la porte sur nous et donné un tour de clé, comme s'il redoutait que nous partions nous aussi. Après cet épisode, il avait tellement changé que nous nous demandions si nous n'avions pas perdu notre père en plus de notre mère et de notre frère. Quelques jours plus tard, je l'avais interrogé sur la cause de la dispute. Il n'avait pas répondu, et la colère qui brillait dans ses yeux m'avait dissuadée d'insister.

Papa et Royal parlèrent un moment des cultures, du prix du lait, de la construction d'un nouvel hôtel en bordure de Fourth Lake ou sur la colline dominant Moose Lake, de sa capacité d'accueil, des besoins en crème et en beurre qui allaient exploser l'été suivant, et de l'absurdité de faire venir en train depuis Remsen du lait tout juste bon à nourrir les cochons alors qu'on en trouvait du frais sur place.

Enfin, Royal reprit sa roue de charrette, expliquant qu'il devait aller chez George Burnap. La jante de métal se détachait, et M. Burnap était le forgeron le plus proche. Après le départ de Royal, je m'attendais à subir un sermon pour m'être assise à côté de lui et lui avoir servi à boire, mais non. Papa se contenta d'attraper Aimable par la bride et de partir vers la grange en demandant au mulet de lui expliquer pourquoi Frank Loomis avait quatre fils dignes de ce nom, et lui aucun.

so.po.ri.fique

— Au panthéon des grands écrivains, de ces voix qui traversent les siècles, Milton ne cède la place qu'à Shakespeare...

Mlle Wilcox arpentait inlassablement la salle de classe, martelant le plancher de ses bottines.

— ... Bien sûr, on peut répliquer que John Donne mérite lui aussi...

— Pssst, Mattie ! Regarde !

Je me détournai du livre que je partageais avec Weaver pour jeter un coup d'œil vers la table à ma gauche. Jim et Will Loomis avaient attaché une araignée à un fil. Ils la laissaient aller et venir au bout de sa laisse improvisée en gloussant comme des idiots. Les frères Loomis étaient spécialistes du dressage d'insectes. D'abord, Jim tirait de l'ourlet de sa chemise un fil avec lequel il faisait méticuleusement un minuscule nœud coulant. Ensuite, Will attrapait une araignée ou une mouche pendant que Mlle Wilcox avait le dos tourné. Il était encore plus rapide que Renfield dans *Dracula* de Bram Stoker, même si, fort heureusement, il ne mangeait pas ses proies. Il les gardait au creux de sa main et les secouait pour les étourdir. Puis il tenait l'insecte le temps que Jim lui passe le nœud coulant autour de la tête. Dès que la malheureuse créature reprenait ses esprits, elle devenait l'attraction vedette du cirque Loomis

Brothers, lequel pouvait également avoir à l'affiche, selon la saison, une grenouille géante à trois pattes, une écrevisse à demi morte, un geai tombé du nid ou un écureuil infirme.

Je levai les yeux au ciel. À seize ans, j'avais largement dépassé l'âge de fréquenter l'école communale d'Inlet. La scolarité n'est plus obligatoire après quatorze ans, et la plupart des élèves ne vont même pas jusque-là. Mais Mlle Parrish, notre ancienne institutrice, avait parlé de Weaver et de moi à Mlle Wilcox avant de partir. Elle nous jugeait capables de décrocher notre diplôme de fin d'études secondaires et avait regretté qu'il nous soit impossible de le préparer. L'unique lycée de la région se trouvait dans la ville d'Old Forge, située à plus de quatre lieues au sud d'Eagle Bay. Trop loin pour y aller chaque jour, surtout en hiver. Il aurait fallu prendre pension dans une famille durant la semaine, ce que ni Weaver ni moi ne pouvions nous permettre. Mlle Wilcox avait promis de nous préparer aux différentes épreuves si nous étions intéressés, et elle avait tenu parole. Elle enseignait auparavant à New York dans une institution privée pour jeunes filles, et c'était un véritable puits de science.

En novembre, elle nous avait rendu visite à la ferme pour convaincre mes parents que je pouvais obtenir mon diplôme. Maman nous avait tous obligés à prendre un bain avant son arrivée – même papa. Abby avait été chargée de confectionner du pain d'épices et moi de coiffer mes sœurs. Maman n'étant pas en état de se lever ce jour-là, Mlle Wilcox avait dû monter la voir dans sa chambre. Je ne saurai jamais ce que lui a dit mon institutrice mais, après son départ, maman a décrété que j'aurais mon diplôme, contre l'avis de papa qui voulait me faire quitter l'école.

Weaver et moi avions passé presque toute l'année à préparer nos examens terminaux. Nous nous étions inscrits aux épreuves les plus difficiles : composition anglaise, littérature, histoire et sciences naturelles, sans oublier les mathématiques – ma bête noire. Mlle Wilcox m'aidait de son mieux en algèbre, mais sans enthousiasme. Weaver, en revanche, y excellait. Parfois, notre institutrice lui confiait

63

carrément le livre du maître. Dès qu'il avait résolu un problème, il nous l'expliquait à toutes les deux.

La sélection était particulièrement rude pour entrer à Columbia University, et Weaver devait obtenir au moins B+ à tous ses examens pour avoir une chance d'y être admis. Il travaillait d'arrache-pied, et moi aussi, mais en me débattant avec *Le Paradis perdu* de Milton, ce jour-là, je me demandais à quoi bon m'obstiner. Weaver avait reçu sa lettre d'acceptation en janvier et, alors que nous entrions dans la deuxième semaine d'avril, la mienne n'était toujours pas arrivée.

Jim Loomis se pencha vers moi et me jeta l'araignée au visage. Je sursautai, puis écartai l'insecte d'un geste rageur, ce qui amusa beaucoup Jim.

— Tu ne perds rien pour attendre, lui soufflai-je.

J'eus le plus grand mal à me concentrer sur *Le Paradis perdu*. Mon mot du jour, « soporifique » – c'est-à-dire « qui provoque le sommeil » –, reflétait parfaitement la monotonie de cet interminable poème. D'après Mlle Wilcox, Milton souhaitait nous donner un aperçu de l'enfer, et il y parvenait à merveille. À ceci près que pour nous l'enfer n'avait rien à voir avec les « chaînes adamantines », le « soufre brûlant » ou les « ténèbres visibles » évoqués par le poète. L'enfer, c'était prendre conscience que nous n'avions pas dépassé le vers 325 du premier livre et qu'il restait encore onze livres. « Une torture sans fin », aucun doute là-dessus. J'avais beau adorer mon école et aimer la lecture au point de dévorer tous les ouvrages qui me tombaient sous la main, John Milton représentait vraiment une épreuve. Qu'est-ce que Mlle Wilcox pouvait bien lui trouver ? Son Satan n'effrayait personne : avec toutes ses vociférations, ses plaintes et ses discours pontifiants, il ressemblait davantage au prince des mécontents qu'à celui des enfers.

Fisole, Valdarno, Vallombrosa… Où diantre se situaient ces villes ? Satan n'aurait-il pas pu visiter celles du nord de l'État de New York ? Old Forge, par exemple, ou même Eagle Bay. Et pourquoi ne parlait-il pas comme tout le monde, en lâchant de temps à autre un « sapristi ! » ou un

« bon sang ! » ? Pourquoi ne mentionnait-on jamais le comté de Herkimer dans les livres ? Pourquoi donnait-on toujours la préférence à d'autres vies, à d'autres lieux ?

Prenez French Louis Seymour de West Canada Creek, capable de survivre seul dans une nature sauvage et hostile, ou Alfred G. Vanderbilt de New York et de Raquette Lake, riche comme Crésus et voyageant dans son propre wagon Pullman, ou encore Emmie Hubbard d'Uncas Road, qui peignait sous l'empire de l'alcool de magnifiques tableaux qu'elle brûlait dans son poêle sitôt dégrisée : ils m'intéressaient dix fois plus que le Satan de Milton, les héroïnes de Jane Austen aux amours contrariées, ou encore ce narrateur d'un conte d'Edgar Poe qui avait eu l'idée saugrenue d'enterrer un cadavre sous le plancher de sa maison.

— Et pourquoi lisons-nous Shakespeare, Milton ou Donne ? Quelqu'un d'autre que Mathilda Gokey, cette fois. Monsieur Bouchard ? interrogea Mlle Wilcox.

Mike Bouchard rougit jusqu'aux oreilles.

— Je ne sais pas, mademoiselle.

— Foin de la prudence, monsieur Bouchard ! Risquez une réponse !

— On les lit parce qu'on est obligés ?

— Non, monsieur Bouchard, parce que ce sont des classiques. Et qu'il faut avoir une parfaite connaissance des classiques pour comprendre les œuvres plus récentes, ainsi que pour améliorer la qualité de nos propre écrits. Appréhender la littérature, monsieur Bouchard, c'est comme édifier une maison : on ne construit pas directement le second étage, on commence par les fondations...

Mlle Wilcox vient de New York. Dans nos forêts, on ne construit jamais de maison à deux étages, sauf si l'on est aussi riche que les Becker, ou propriétaire de trois scieries comme mon oncle Vernon.

— ... Milton aurait-il existé sans Homère, monsieur James Loomis ? Et Mary Shelley sans Milton, monsieur William Loomis ? Car sans Milton, jamais le monstre de Victor Frankenstein n'aurait pu voir le jour...

À la mention de « Frankenstein », les frères Loomis dressèrent l'oreille. De surprise, Jim lâcha sa nouvelle araignée apprivoisée. Elle disparut sous la table, entraînant sa laisse derrière elle. Depuis novembre, Mlle Wilcox promettait de nous faire étudier *Frankenstein* en fin d'année scolaire, à condition que tout le monde – c'est-à-dire surtout Jim et Will – fasse des efforts. Il lui avait suffi de prononcer ce mot magique pour qu'aussitôt les deux frères deviennent sages comme des images. L'idée que l'on puisse redonner vie à un cadavre les fascinait. Ils parlaient sans cesse de tuer des grenouilles et des crapauds à seule fin de pouvoir les ressusciter.

— ... Nous lisons les classiques pour nous sentir inspirés par la pensée de ces esprits d'exception, poursuivit notre institutrice, qu'un tintement sonore interrompit soudain.

Elle avait encore fait tomber ses bracelets. Abby se pencha pour les lui ramasser. Mlle Wilcox s'agitait souvent quand elle parlait, enlevant sa bague, la remettant, cassant nerveusement un bâton de craie, glissant ses bracelets d'un poignet sur l'autre. Rien à voir avec Mlle Parrish, notre ancienne institutrice. Mlle Wilcox avait des cheveux bouclés aux reflets auburn et les yeux d'un vert que, sans en avoir jamais vu, j'imaginais être celui des émeraudes. Elle portait des bijoux en or et des vêtements d'une élégance raffinée : jupes en fin drap de laine, vestes cintrées et gansées de soie. Sa présence semblait totalement incongrue dans notre modeste salle de classe avec son poêle rouillé, ses murs de planches et son planisphère jauni. Comme l'aurait été celle d'une pierre précieuse dans une vieille boîte en carton.

Après nous avoir infligé la lecture de quelques pages supplémentaires du *Paradis perdu*, Mlle Wilcox acheva enfin son cours et nous libéra. Jim et Will Loomis s'élancèrent au-dehors, giflant Tommy Hubbard au passage en s'écriant :

— Hubbard, Hubbard, toujours à danser devant le placard !

Avec Mary Higby, je rassemblai les six livres que se partageaient les douze élèves de notre école. Abby essuya le tableau et Lou rangea les ardoises qui nous avaient servi pour l'arithmétique en début de journée.

Je posai les livres en pile sur le bureau et j'allais partir quand Mlle Wilcox me dit :

— Mattie, reste un peu, veux-tu ?

En classe, elle nous donnait à tous du « mademoiselle » et du « monsieur », mais, les cours terminés, elle nous appelait par nos prénoms et nous tutoyait. Je prévins Weaver et mes sœurs que je les rattraperais. Je m'attendais qu'elle me prête un nouveau livre, mais non. Dès que nous fûmes seules, elle ouvrit le tiroir de son bureau, brandit une grande enveloppe et me la tendit. Elle était de couleur bistre. À mon nom. Tapé à la machine sur une étiquette, au lieu d'être seulement manuscrit. Il y avait aussi l'adresse de l'expéditeur, et à sa vue j'eus la gorge sèche.

— Tiens, Mattie. Prends.

Je secouai la tête.

— Allons, espèce de peureuse !

Mlle Wilcox me souriait, mais sa voix tremblait.

Je saisis l'enveloppe. Mlle Wilcox sortit un étui laqué de son sac à main, en tira une cigarette et l'alluma. Devant mes sœurs et moi, tante Josie avait qualifié notre institutrice de femme dangereuse. À cause de sa conduite sportive au volant de sa voiture, selon Beth, mais je savais que c'était surtout parce qu'elle fumait et avait les cheveux courts.

Je contemplai la lettre, essayant de trouver le courage de l'ouvrir. De nouveau, j'entendis tinter les bracelets de Mlle Wilcox. Debout près de son bureau, elle se frottait nerveusement le coude.

— Enfin, Mattie ! Pour l'amour du ciel, ouvre-moi cette lettre !

Je pris une profonde inspiration et déchirai l'enveloppe. Elle contenait une simple feuille de papier fixée par un trombone à mon vieux cahier de composition anglaise.

Chère Mademoiselle Gokey,
J'ai le grand plaisir de vous informer que vous êtes admise
à Barnard College...

— Mattie ?

En outre, je suis heureuse de vous attribuer une bourse
Hayes couvrant la totalité de vos frais de scolarité en
première année, à la condition que vous obteniez votre
diplôme de fin d'études secondaires. Cette bourse est
renouvelable chaque année, dès lors que votre conduite et
l'ensemble de vos résultats restent irréprochables...

— Mattie !

... Bien que vous ayez des lacunes dans certaines disci-
plines – notamment en langues étrangères, en mathéma-
tiques et en chimie –, vos talents littéraires compensent
amplement ces insuffisances. Les cours débuteront le lundi
3 septembre. Vous devrez vous présenter à notre bureau
d'accueil le samedi 1er septembre, et pouvez d'ici-là
adresser toute requête concernant votre hébergement à
Mlle Jane Bromwell, responsable de notre service de loge-
ment. Meilleurs souhaits de réussite,

Laura Drake Gill, doyenne de Barnard College.

— Bon sang, Mattie, que dit cette lettre ?
Je fixais mon institutrice, à peine capable de reprendre
mon souffle, et encore moins d'articuler un son. « Cette
lettre dit que Barnard College veut bien de moi, pensais-je.
Moi, Mattie Gokey d'Uncas Road à Eagle Bay. » Elle dit
que la doyenne en personne apprécie mes nouvelles, qu'elle
ne les trouve ni morbides ni déprimantes, et que je suivrai
les cours de vrais professeurs en toge noire, couverts de
diplômes prestigieux. Elle dit que je suis intelligente, même
si je ne sais pas me faire obéir de notre mulet ni saler la
viande de porc. Et que, si je le veux bien, je peux devenir

quelqu'un. Pas seulement une fille de ferme ignare aux chaussures crottées.

— Elle dit que je suis acceptée, lâchai-je enfin. Et qu'on m'accorde une bourse. Qui couvrira tous mes frais de scolarité. À condition que j'obtienne mon diplôme.

Mlle Wilcox poussa un hourra, puis me serra un long moment dans ses bras. De toutes ses forces. Elle me prit par les épaules, m'embrassa sur les deux joues, et je vis des larmes briller dans ses yeux. Je ne comprenais pas pourquoi mon admission à Barnard College lui tenait tant à cœur, mais sa joie me faisait plaisir.

— Je savais que tu y arriverais, Mattie ! Je savais que Laura Gill reconnaîtrait ton talent. Les nouvelles **que** tu as envoyées étaient excellentes. Je te l'avais bien dit, **non** ?

Elle virevolta, tira longuement sur sa cigarette, souffla un nuage de fumée.

— Tu te rends compte ? lança-t-elle dans un éclat de rire. Tu vas devenir étudiante ! Aller à l'université, comme Weaver ! Dès cet automne ! Et à New York, par-dessus le marché !

À peine eut-elle prononcé ces mots, évoquant mon rêve au grand jour et lui donnant corps, que tout cela me parut irréalisable. Jamais mon père ne me laisserait partir. Je n'avais pas d'argent, ni la moindre perspective d'en gagner. Et j'avais fait une promesse qui, même si je possédais tout l'or du monde, me retiendrait ici.

En cas de besoin, papa vend quelques veaux pour l'abattage. Lorsqu'il les emmène, les vaches meuglent si fort que je ne supporte pas de rester dans l'étable. Je cours jusqu'au champ de maïs en me bouchant les oreilles. Si vous avez déjà entendu une vache pleurer son veau, alors vous savez quel déchirement on éprouve de se voir arracher quelque chose de tout neuf et de tout beau dont on n'a pas eu le loisir de profiter. Voilà ce que je ressentais à présent, et mes émotions se lisaient sûrement sur mon visage car le sourire de Mlle Wilcox s'effaça soudain.

— Tu ne devais pas travailler cet été ? au Glenmore ? s'enquit-elle.

Je hochai la tête.

— Papa me l'a interdit.

— Ne t'inquiète pas. Ma sœur Annabelle t'offrira le gîte et le couvert en échange d'un peu de ménage. Elle vit seule dans sa maison de Murray Hill et aura largement la place de t'accueillir. Avec ta bourse, voilà qui règle la question des frais de scolarité, du logement et des repas. Pour tes achats de livres et de vêtements, tu pourras toujours trouver du travail. À mi-temps. Comme secrétaire, par exemple. Ou comme caissière dans un grand magasin. Beaucoup d'étudiantes se débrouillent ainsi.

« Parce qu'elles sont dans leur élément », me dis-je. Des filles en en chemisier blanc et en jupe de twill, capables de se servir d'une machine à écrire ou d'une caisse enregistreuse. Pas des filles de la campagne avec un vieux tablier et des chaussures qui prennent l'eau.

— Peut-être..., murmurai-je.

— Et ton père ? Il ne peut vraiment pas t'aider ?

— Non, mademoiselle.

— Mattie, tu l'as prévenu, n'est-ce pas ?

— Non, mademoiselle, pas encore.

Mlle Wilcox se redressa avec détermination. Elle écrasa sa cigarette sous le bureau et fit disparaître le mégot dans son sac à main. Elle ne se laissait jamais prendre en défaut – qualité inattendue chez une institutrice.

— Je lui parlerai, Mattie. Je lui annoncerai la nouvelle moi-même, si tu veux.

J'éclatai de rire à ces mots, mais d'un rire amer, sans joie.

— Non, mademoiselle, surtout pas. À moins que vous ne sachiez comment éviter un coup de serpe.

dé.cer.ve.ler

— Bonjour Mattie !

M. Eckler me saluait depuis la proue de son bateau.

— J'ai quelque chose pour toi ! Un nouveau livre. Je viens de le recevoir. Écrit par une certaine Edith Wharton. *Chez les heureux du monde*, il s'appelle. Je l'ai rangé derrière le café en grains, à la lettre « W ». Tu ne peux pas le manquer.

— Merci, monsieur Eckler ! Vous l'avez lu ? demandai-je, enthousiaste à l'idée de découvrir un nouveau roman.

— Absolument. De la première à la dernière page.

— De quoi parle-t-il ?

— Difficile à dire. D'une fille de la ville au cœur volage qui ne sait pas si elle préfère tenir ou courir. Je ne comprends pas le titre. Tout le monde est malheureux, dans ce roman.

La bibliothèque itinérante de la ligne Fulton se résume à une minuscule cabine – un grand placard, en vérité – dans la cale du bateau-épicerie de Charlie Eckler. Rien à voir avec celle d'Old Forge, mais elle réserve parfois de bonnes surprises. M. Eckler y stocke ses marchandises, et lorsqu'il finit par déplacer un baril de thé ou un sac de farine de maïs, on peut y trouver des trésors. De temps à autre, la bibliothèque centrale de Herkimer envoie quelques nouveautés. C'est un réel plaisir d'être le premier lecteur d'un livre. Alors que ses pages sont encore immaculées, que personne n'a cassé la reliure. Qu'il sent bon l'encre, plutôt que le parfum à la violette de Mme Higby, le poulet frit de la mère de Weaver ou le liniment de tante Josie.

Véritable épicerie flottante, le bateau dessert tous les hôtels le long de la ligne Fulton. C'est le seul magasin, flottant ou non, à des kilomètres à la ronde. Chaque matin, à l'aube, M. Eckler quitte Old Forge et traverse First Lake, Second Lake et Third Lake avant de faire le tour de Fourth Lake : il s'arrête devant l'hôtel d'Eagle Bay sur la rive nord, à Inlet, plus à l'est, puis il repart vers Old Forge. Impossible de le rater. On n'a jamais rien vu de pareil sur l'eau – ni sur la terre ferme, d'ailleurs. Le pont disparaît sous les bidons de lait, les cageots de fruits et de légumes, tandis qu'une énorme barrique de vinaigre occupe tout l'arrière. À l'intérieur de la cabine s'alignent des sacs de sucre, d'avoine, de sel, de farine de maïs et de froment ; une corbeille d'œufs ; des bocaux de bonbons ; des pots de miel et des bouteilles de sirop d'érable ; des boîtes métalliques contenant de la cannelle, de la noix muscade, du poivre et du bicarbonate de soude ; un coffret à cigares ; un fût rempli de viande séchée ; trois anciens barils à thé cerclés de plomb et reconvertis en glacières – une pour la viande, une pour le poisson, la dernière pour le beurre et la crème. Une place pour chaque chose et chaque chose à sa place, bien amarrée pour ne pas valser par gros temps. M. Eckler vend aussi des clous, des marteaux, du fil et des aiguilles, des cartes postales et des stylos, un baume pour les mains, des pastilles contre la toux et de l'insecticide.

Une fois à bord, je descendis dans la cale. *Chez les heureux du monde* se trouvait bien à la lettre W, mais glissé à côté de *Walden, ou la Vie dans les bois*. M. Eckler a tendance à mélanger les auteurs et les titres. Après avoir signé le registre posé sur un tonneau de mélasse, je déplaçai un carton d'œufs, un bocal de billes et un cageot de dattes, sans toutefois trouver d'autre roman à lire. Je n'oubliai pas de prendre le sac de farine de maïs dont nous avions besoin. J'aurais préféré acheter de la farine de froment

72

ou d'avoine, mais celle de maïs était meilleur marché et durait plus longtemps. J'avais pour consigne d'en rapporter un sac de cinq kilos. Celui de vingt-cinq kilos, malgré son prix plus élevé à l'achat, revenait moins cher au kilo, et j'en avais fait la remarque à papa. « Seuls les riches peuvent se permettre ce genre d'économies », m'avait-il répondu.

Alors que je remontais sur le pont, quelque chose attira mon regard : une pile de cahiers de composition. Ravissants, avec une couverture cartonnée aux marbrures chamarrées, et même un marque-page. Posant le roman d'Edith Wharton et mon sac de farine de maïs, j'en ouvris un. Ses pages étaient lisses et blanches. Comme j'aurais plaisir à écrire sur du papier de cette qualité ! Mon vieux cahier avait des pages rêches, imprimées d'épaisses lignes bleues, et d'une fabrication si grossière qu'on voyait les fibres de bois.

De retour sur le pont, j'aperçus Royal Loomis à bord. Il réglait deux bâtonnets de cannelle, cinq kilos de farine, une boîte de poudre dentifrice et un sachet de clous. Les sourcils froncés à la vue du total affiché sur la caisse, il recompta deux fois sa monnaie tout en mâchonnant un cure-dents.

— Bonjour, Royal.

— Bonjour, Mattie.

Je tendis à M. Eckler les cinquante cents donnés par mon père pour payer la farine de maïs.

— Combien ? demandai-je, brandissant le magnifique cahier de composition.

Grâce aux pousses de fougères que Weaver et moi avions vendues à l'hôtel d'Eagle Bay et à la gomme d'épicéa que nous avait achetée le magasin O'Hara d'Inlet, je disposais de soixante cents. J'aurais dû remettre cette somme à mon père, je le savais. Telle était bien mon intention au départ. Simplement, je n'en avais pas eu l'occasion.

— Ces cahiers-là ? Ils valent très cher, Mattie. C'est qu'ils sont faits en Italie. Je suis obligé d'en demander quarante-cinq cents pièce. Si tu peux patienter, j'en recevrai à quinze cents pièce la semaine prochaine.

Quarante-cinq cents, c'était beaucoup, mais je ne voulais pas d'un cahier à quinze cents. Pas après avoir vu les autres. J'avais à nouveau l'inspiration. Des idées de nouvelles et de romans par centaines. Je me mordillais l'intérieur de la joue en réfléchissant. On me ferait certainement beaucoup écrire à Barnard College – en admettant que j'y aille –, et il valait sans doute mieux que je m'entraîne à l'avance. D'ailleurs, Weaver ne m'avait-il pas recommandé de me servir de mes mots du jour au lieu de me contenter de les collectionner ? Je sentais qu'ils jailliraient spontanément sur ce papier superbe, et quand j'aurais terminé, je pourrais refermer la couverture dessus. Comme celle d'un vrai livre. Taraudée par un sentiment de culpabilité, je sortis à toute vitesse l'argent de ma poche et le donnai à M. Eckler afin de ne plus pouvoir revenir sur ma décision. Stupéfaite de mon audace, je le regardai emballer mon achat, puis attacher le paquet avec de la ficelle. Je le remerciai, mais il ne m'entendit pas : M. Pulling, le chef de gare, lui demandait le prix des oranges.

Au moment où je regagnais le quai, Charlie Eckler m'appela :

— Attends, Mattie !

Je me retournai.

— Quoi donc, monsieur ?

— Dis à ton père que je voudrais lui acheter du lait. Je n'ai pas la place de transporter un seul bidon de plus, et avant même d'arriver à Fourth Lake, je suis à court de lait. Je pourrais lui échanger mes bidons vides contre quatre ou cinq pleins. Je les vendrais sans difficulté sur le chemin du retour.

— Je ferai la commission, monsieur Eckler, mais je sais qu'il a déjà promis du lait au Glenmore, au Higby et au Waldheim. Sans parler de l'hôtel d'Eagle Bay. D'autres établissements lui en ont demandé, mais il n'est pas sûr de pouvoir satisfaire tout le monde.

Charlie Eckler cracha dans le lac une giclée de jus de tabac.

— Il a combien de vaches, maintenant ?

— Vingt.

— Seulement ? Alors que son exploitation fait, quoi... une bonne trentaine d'hectares ? Il pourrait en mettre deux fois plus à paître.

— Il n'a débroussaillé qu'une quinzaine d'hectares, dont une bonne partie est en culture.

— Que fait-il du reste ? Quinze hectares de bois, ça ne lui rapporte rien. Et il paye quand même des impôts. Sur une terre qu'il n'utilise pas ! Il devrait en faire des pâturages, au lieu de la laisser en friche. Et augmenter son troupeau.

— Il a bien l'intention de défricher. Enfin, il en *avait* l'intention. Mais... depuis le départ de Lawton..., c'est difficile, murmurai-je, consciente que Royal était tout ouïe.

M. Eckler hocha la tête, l'air gêné. Comme tout le monde, il savait que Lawton était parti. Il m'avait demandé pourquoi, mais je n'avais rien trouvé à lui répondre. Pas plus qu'à Weaver ni à Minnie, ni à tous ceux qui m'avaient posé la question. Maman était partie parce qu'elle était morte : cela, je pouvais l'expliquer aux gens. Et puis mon frère était parti, lui aussi. Ce frère qui avait un jour dépensé tout l'argent qu'il venait de gagner en vendant de l'appât aux pêcheurs pour m'offrir un cahier de composition et un crayon, parce qu'il m'avait surprise en larmes dans la grange après que papa me les eut refusés. Lawton était parti, et je ne savais même pas pourquoi.

— En tout cas, Matt, fais bien la commission à ton père. Et toi aussi, Royal, parles-en au tien. Tout à l'heure, j'ai vu des bûcherons déboiser pour permettre la construction de deux hôtels au bord de Third Lake. Ici même, il y a Lon Wood qui construit sur ses terres, sans compter le Meeker et le Fairview qui s'agrandissent. De nouveaux touristes arrivent tous les jours, et l'été n'est même pas commencé. Si l'un de vous peut me trouver du lait, je le vends sans problème.

— J'en parlerai à mon père, monsieur.

Sans plus attendre, je pris le chemin du retour. L'école avait fermé ses portes depuis plus d'une heure. Mes sœurs approchaient sûrement de la ferme. Il y avait les vaches à traire, l'étable à curer, les cochons et les poules à nourrir, le dîner à préparer. J'entendis un bruit de pas sur le quai derrière moi.

— Tu veux que je te ramène, Matt ? lança une voix à ma hauteur.

C'était Royal.

— Qui ? Moi ?

— Je ne connais pas d'autre Matt.

— Alors, volontiers, dis-je avec gratitude.

Mon sac de farine était lourd, et je serais beaucoup plus vite rentrée en carriole.

Je posai le sac à l'arrière, grimpai à l'avant et m'installai à côté de Royal sur le banc de bois. Dans nos forêts, tout le monde se déplace en carriole. Enfin, tous ceux qui ont une once de bon sens. Certains propriétaires d'hôtels nouvellement construits arrivent en cabriolet, mais ils ont tôt fait d'y renoncer. Nos carrioles sont réduites à leur plus simple expression : quelques planches fixées sur deux essieux, un ou deux bancs, parfois des ridelles. Plus c'est simple, mieux ça marche. Les planches ont du jeu, ce qui évite de cracher ses dents au moindre cahot sur les routes défoncées.

— Hue ! cria Royal à ses chevaux.

Il leur fit manœuvrer avec adresse la carriole grinçante dans l'allée de l'hôtel, évitant une voiture à cheval qui transportait un couple de touristes assis sous une capote à franges. À peine débarqués du *Clearwater*, ils partaient déjà pour Big Moose Lake. Deux nouveaux chevaux bais tiraient la carriole de Royal. Selon papa, M. Loomis les avait achetés pour une bouchée de pain à un fermier des environs d'Old Forge dont l'exploitation venait d'être saisie par la banque. Ils hennirent et renâclèrent à la vue de l'autre voiture, mais Royal sut les calmer.

De la main, il salua M. Satterlee, le percepteur, qui se rendait à l'hôtel et répondit à son salut sans même esquisser un sourire.

— Je parie qu'il revient de chez les Hubbard, commenta Royal. Ils ont dû hypothéquer leurs terres. Encore cette bonne à rien d'Emmie qui n'a pas payé ses impôts.

76

Je m'étonnai de sa sévérité. Ce n'était pas la première fois.

— Qu'as-tu donc contre les Hubbard ? Ce sont de braves gens. Ils ne font de mal à personne.

Pour toute réponse, j'obtins un reniflement méprisant. Royal garda le silence tandis que nous longions l'interminable allée de l'hôtel, entre le potager fraîchement fumé et le champ de pommes de terre labouré avec soin. Nous dépassâmes la gare, traversant les voies, puis la route – étroit chemin de terre qui reliait Old Forge à Inlet. Voilà à quoi se résumait Eagle Bay : un hôtel surplombant une anse en bordure de Fourth Lake, une gare, deux voies de chemin de fer et un chemin de terre. Ce n'était pas une ville. Ni même un village. Une destination tout au plus. Sauf pour ceux qui y avaient toujours vécu.

Alors qu'il dirigeait l'attelage vers Uncas Road, Royal se tourna brusquement vers moi :

— Tu joues toujours à ce fameux jeu ?

— Quel jeu ?

— Ton drôle de jeu. Tu sais bien, celui où on s'amuse avec des mots...

— Ce n'est pas un jeu, objectai-je.

Présenté de la sorte, le fait de chercher un mot du jour semblait ridicule et puéril.

— Vraiment, tu apprends chaque jour un mot nouveau dans le dictionnaire ?

— Vraiment.

— Et aujourd'hui, c'était lequel ?

— « Décerveler ».

— Ça veut dire quoi, au juste ?

— Enlever la cervelle. Priver d'intelligence et de raison. Rendre stupide.

— Hum... Tu savais la définition par cœur, non ? Pour une fille, tu es sacrément futée.

« Sacrément futée »... Royal s'exprime aussi mal que tous les garçons d'ici. Il dit « visiter quelqu'un » au lieu de « rendre visite », et il avale les voyelles, ce qui donne « ch'minée » ou « à c't'heure ». Maman nous retournait une gifle quand nous mangions nos voyelles. Elle nous reprochait de parler comme des bouseux.

Royal confond également « moi aussi » et « moi non plus ». « Moi aussi », répondait-il à Lawton qui se plaignait de n'avoir rien pêché. Plus d'une fois j'avais tenté de lui expliquer la différence, en pure perte. Au moins ne disait-il pas « j'avons » au lieu de « j'ai », et il ne roulait pas les *r*. C'était déjà ça.

De la tête, il désigna le livre sur mes genoux.

— Qu'est-ce que tu as là ?

— Un roman. *Chez les heureux du monde.*

Il hocha la tête.

— Tous ces mots, toutes ces histoires…, marmonna-t-il en s'engageant sur Uncas Road. Je ne comprends pas ce que tu leur trouves de si intéressant. Une perte de temps, si tu veux mon avis.

— Justement, je ne te l'ai pas demandé.

Ou bien Royal ne m'avait pas entendue, ou bien il en fallait davantage pour le désarçonner. Quoi qu'il en soit, il continua comme si de rien n'était.

— Bien sûr, il faut savoir lire et écrire pour pouvoir se débrouiller dans la vie, mais à part ça, les mots ne sont jamais que des mots. Ils n'ont rien de passionnant, contrairement à la chasse ou à la pêche.

— Qu'en sais-tu, Royal ? Tu n'ouvres jamais un livre. Il n'y a pas plus passionnant que la lecture.

Il changea son cure-dents de côté.

— Ah bon ?

— Parfaitement, répondis-je d'un ton catégorique.

Je croyais avoir eu le dernier mot.

— Hum…

Royal fit claquer les rênes. Un coup sec.

— Hue ! s'écria-t-il.

À tue-tête. Les chevaux s'ébrouèrent tandis qu'il leur lâchait la bride. La carriole s'ébranla et prit de la vitesse.

Je contemplai l'attelage, ces jeunes chevaux vigoureux et imprévisibles, puis la chaussée jonchée de pierres, parsemée de nids-de-poule et d'ornières.

— On est si pressés, Royal ? demandai-je.

Il me dévisagea. Il avait beau prendre l'air sérieux, ses yeux étincelaient de malice.

— C'est la première fois que je sors ces chevaux. Je ne sais pas trop de quoi ils sont capables. Voyons un peu ce qu'ils ont dans le ventre... Allez, hue !

Ensemble, ils s'élancèrent au galop ; leurs sabots résonnèrent sur la terre sèche. Le roman d'Edith Wharton glissa et tomba à mes pieds avec un bruit sourd, ainsi que mon nouveau cahier de composition.

— Arrête, Royal ! protestai-je, cramponnée à la planche devant moi.

La carriole cahotait si violemment sur les ornières que l'un de nous allait sûrement être éjecté. Mais au lieu de réduire l'allure, Royal se mit debout sur le banc pour mieux aiguillonner son attelage à coups de rênes.

— Ralentis ! Immédiatement !

Il ne m'entendait pas, trop occupé à crier et à rire.

— Arrête, Royal ! Je t'en supplie !

Au même instant, la carriole roula dans un trou particulièrement profond. Je fus projetée en arrière, ma tête heurta le banc et je n'évitai la chute qu'en m'agrippant à la jambe de Royal. J'entrevis un tourbillon de couleurs sur le bas-côté : le bleu de la salopette de Lou, le jaune de la robe de Beth. Elles pourront prévenir papa, pensai-je aussitôt. Quand Royal nous aura tués tous les deux, au moins pourront-elles raconter à papa ce qui s'est passé.

Nous prîmes le virage si brutalement que les roues décollèrent du sol à droite, puis retombèrent avec fracas. Je parvins à me redresser, me tenant toujours d'une main à la jambe de Royal, de l'autre à l'avant de la carriole. Le vent me dénoua les cheveux et me fit monter les larmes aux yeux. Derrière nous un nuage de poussière s'élevait sur la route. Après quelques minutes qui me parurent des heures, Royal finit par remettre l'attelage au trot, puis au pas. Il se rassit. Les chevaux tiraient sur les rênes, s'ébrouaient et secouaient la tête, impatients de recommencer. Royal leur parla d'une voix douce, faisant claquer sa langue pour les apaiser.

— Oh ! là, là ! J'ai bien cru qu'on allait se retrouver au fossé ! avoua-t-il.

Soudain il me toucha. Il se pencha et posa la main sur ma poitrine. La paume contre ma cage thoracique, le pouce et les doigts glissés sous mon sein. Durant la fraction de seconde qui s'écoula avant que je me dégage, je sentis mon cœur battre à se rompre. Royal, près d'exploser, s'esclaffa :

— J'aimerais bien voir un livre qui fait autant d'effet.

Les mains tremblantes, je ramassai mes affaires. La couverture du roman d'Edith Wharton était tachée, la reliure écornée. J'aurais voulu lancer à Royal une réplique cinglante, voler au secours de mes livres bien-aimés, lui expliquer la différence entre passion et terreur, mais la colère me rendait muette. Tandis que je tentais de reprendre mon souffle, chaque goulée d'air m'apportait l'odeur de Royal : une senteur de peau tiédie par le soleil, de terre labourée, de chevaux. J'avais beau fermer les yeux, je le revoyais debout sur le banc de la carriole, hurlant de rire. Si grand et fort alors que sa silhouette se détachait sur le bleu du ciel. Insouciant. Téméraire. D'une beauté sans défaut.

Je me souvins de mon mot du jour. Et je m'interrogeai. Une fille pouvait-elle être décervelée ? par un garçon ? Au point d'en perdre la raison ?

HAMLET RECOMMENCE À BAVER. Des filets de salive argentée pendent de ses babines. Il gémit, grogne, laisse échapper un rot sonore et prolongé. C'est le client le plus déplaisant de l'hôtel, après celui de la table six. Je lui lance une des crêpes soufflées de l'assiette que j'ai dans les mains, et il n'en fait qu'une bouchée. À chaque repas il engloutit un poulet rôti, un steak saignant et une douzaine de crêpes. Si on l'écoutait, il en mangerait dix douzaines.

Hamlet est le chien de maître Phillip Preston Palmer, avocat à Metuchen dans le New Jersey. J'ai fait sa connaissance il y a deux semaines, peu après son arrivée. Il a pénétré d'un bond dans la salle à manger et m'a fait battre en retraite vers un coin de la pièce, essayant de s'emparer du plat de bacon que j'apportais. Enfin, Hamlet. Pas M. Palmer.

« Il ne vous fera aucun mal, mon chou ! s'était écrié M. Palmer depuis le salon. Il s'appelle Hamlet. Savez-vous pourquoi ?

— Non, monsieur. Je n'en ai pas la moindre idée », avais-je répondu pour ne pas lui gâcher son plaisir.

Les touristes viennent au Glenmore pour se distraire.

« Mais parce que c'est un grand danois ! Ha ! Ha ! Ha ! Vous avez compris ? »

J'aurais aimé pouvoir dire à M. Palmer que c'était une très vieille blague, pas spécialement drôle de surcroît, au lieu de quoi je m'étais exclamée :

« Bien sûr, monsieur. Quel humour ! »

J'avais appris deux ou trois choses durant mon séjour au Glenmore : quand dire la vérité et quand la garder pour soi, par exemple. Mes sourires et mes compliments m'ont valu les bonnes grâces de M. Palmer, ainsi qu'un dollar supplémentaire par semaine pour nourrir Hamlet et le promener. Dans les bois. Le plus loin possible de l'hôtel, car cette sale bête produit autant d'excréments qu'un cheval de trait.

D'ordinaire, c'est sans enthousiasme que je lui fais faire sa promenade du soir, mais aujourd'hui je m'en réjouis. Malgré mes efforts, je n'ai pas pu descendre à la cave de toute la soirée et les lettres de Grace Brown sont toujours dans ma poche. J'ai cependant trouvé le moyen de m'en débarrasser, avec l'aide de Hamlet.

Je finis de le nourrir et je rapporte l'assiette à la cuisine. Voilà plus d'une heure que les clients ont dîné. Il fait presque nuit. Il n'y a personne sauf Bill, occupé à faire la vaisselle, et Henry, l'aide-cuisinier, qui tient un couteau à désosser d'une main et fouille dans un tiroir de l'autre.

— Hamlet vous adresse ses compliments, Henry.

En réalité, Henry s'appelle « Heinrich ». Il est allemand, et il est arrivé au Glenmore la même semaine que moi.

— Faire crêpes pour chien... C'est pour ça que je suis venu en Amérique ? marmonne-t-il. Mattie, vous n'avez pas vu ma pierre à aiguiser ?

— Non, Henry, je regrette.

Je ne m'attarde pas. Je lui ai déjà répété cent fois qu'aiguiser un couteau la nuit porte malheur. Et comme il ne me croit pas, j'ai caché la pierre à aiguiser. Le sort s'acharne suffisamment sur nous ces derniers temps sans que Henry en rajoute.

— En route, Hamlet.

Les oreilles noires du grand chien se dressent. Il agite la queue. Je dénoue sa laisse attachée à la poignée d'un bidon de lait vide. Tandis que nous contournons l'hôtel, Hamlet va lever la patte sur une colonne du porche.

— Non ! dis-je, furieuse.

Je tire sur sa laisse, mais il ne bouge pas avant d'avoir copieusement arrosé la colonne. Je regarde autour de moi avec appréhension, espérant que Mme Morrison n'a rien vu. Ni Mme Hennessey. Par chance, nous sommes seuls.

— Allons-y, Hamlet. Et maintenant, tu m'obéis !

Il part au petit trot. Nous traversons la pelouse devant l'hôtel et descendons vers le lac. Je jette un coup d'œil derrière moi. Toutes les fenêtres du Glenmore sont éclairées. Il y a du monde sous le porche. Les cigares des hommes rougeoient dans la nuit comme des lucioles. Toutes de blanc vêtues, les femmes ressemblent à des fantômes.

Nous gagnons le rivage.

— Stop, Hamlet.

Il attend patiemment que j'aie ramassé une poignée de cailloux.

— Allez, on continue !

Je l'emmène sur le ponton. Il fait quelques pas. Ses griffes cliquettent sur le bois quand soudain il s'arc-boute. Il n'aime pas sentir les planches osciller sous lui au rythme des ondulations du lac.

— Courage, Hamlet. Tout va bien. Voyons s'il n'y aurait pas un ou deux huards que tu pourrais effaroucher en aboyant. Viens, Hamlet... Bon chien...

J'ai beau le supplier, il fait la sourde oreille, donc je joue ma carte maîtresse : je sors une crêpe froide de ma poche et il me suit sans hésiter.

Le paquet de lettres bat contre ma jambe à chaque pas, insistant, me rappelant à l'ordre. Heureusement, j'en serai bientôt débarrassée. Trois mètres seulement me séparent de l'extrémité du ponton. Je n'aurai qu'à dénouer le ruban autour des lettres, glisser quelques cailloux dans l'une des enveloppes, rattacher le ruban et jeter le tout dans les eaux du lac. Pas exactement ce que m'a demandé Grace Brown, mais il faudra s'en contenter. Au pied du ponton, le lac atteint quatre mètres de profondeur – plus encore en son milieu – et j'ai de la force dans les bras. Personne ne retrouvera jamais ces lettres.

Enfin, je touche au but. Je lâche la laisse de Hamlet et je pose le pied dessus pour qu'il ne s'échappe pas. Alors que je sors le paquet de lettres de ma poche, une voix s'élève subitement dans l'obscurité.

— Tu vas te baigner, Matt ?

De frayeur, je pousse un cri et fais tomber mes cailloux. À ma droite, assis au bord du ponton, je vois Weaver, encore dans sa veste noire de serveur, le pantalon retroussé jusqu'aux genoux.

— Royal sait qu'il a un rival ? ironise-t-il, désignant Hamlet de la tête.

— Très drôle, Weaver ! J'ai cru mourir de peur !

— Désolé.

— Que fais-tu là ?

Mais je connais déjà la réponse. Weaver vient désormais se recueillir ici chaque soir. J'aurais dû m'en souvenir.

— Je regardais la barque. Celle dans laquelle le jeune couple est parti sur le lac. Le *Zilpha* l'a remorquée jusqu'ici.

— Où est-elle ?

— Là-bas.

Il indique l'autre extrémité du ponton. Une barque y est bel et bien amarrée. Ses coussins ont disparu et les dames de nage sont vides.

— Je suis allé au salon, après le dîner. Pour voir Grace Brown.

Il scrute le lac. Puis il ferme les yeux. Lorsqu'il les rouvre, ses joues ruissellent de larmes.

— Ne pleure pas, Weaver.

Je le réconforte à voix basse, lui tapote l'épaule. Sa main vient se poser sur la mienne.

— Je hais cet endroit, Mattie. Il est porteur de mort.

ex.sangue

Souvent, je me demandais ce qui arriverait si les personnages d'un roman pouvaient modifier leur destin. Que serait-il advenu d'Elinor Dashwood, l'héroïne de Jane Austen, si elle avait été riche ? Peut-être aurait-elle laissé M. Ferrars à ses hésitations pour partir en voyage. Et pourquoi Catherine Earnshaw n'aurait-elle pas épousé Heathcliff au début des *Hauts de Hurlevent*, épargnant des souffrances à tout le monde ? Pourquoi, dans *La Lettre écarlate*, Hester Prynne et Dimmesdale n'auraient-ils pas pris le bateau pour échapper à Roger Chillingworth ? Je compatissais parfois aux déboires de ces personnages, consciente qu'ils seraient à jamais prisonniers de leur histoire, mais s'ils avaient pu me parler, sans doute m'auraient-ils conseillé de garder pour moi ma pitié et ma condescendance, car je n'étais pas plus libre qu'eux.

Du moins était-ce l'impression que j'avais à la mi-avril. Alors qu'une semaine s'était écoulée depuis l'arrivée de la lettre de Barnard College, je ne voyais toujours pas comment je pourrais aller y étudier. Il m'aurait fallu récolter des tonnes de pousses de fougère et toute une charrette de gomme d'épicéa pour gagner de quoi acheter mon billet de train, mes livres, peut-être une veste et une jupe. Si seulement je pouvais élever des poulets et les faire frire pour les touristes comme la mère de Weaver, me répétais-je. Ou bien garder pour moi l'argent rapporté par la vente des œufs, comme le mari de Minnie le lui permet.

Au-dessus de moi tournoyait un geai dont les vociférations m'arrachèrent à mes réflexions. Levant les yeux, je découvris que j'avais dépassé l'allée conduisant à Cliff House au bord de Fourth Lake, et que j'approchais de la route qui mène chez mon amie Minnie Simms. C'est-à-dire Minnie Compeau, désormais. J'oubliais toujours qu'elle était mariée. J'arrangeai le bouquet de violettes que je tenais à la main. Je l'avais cueilli spécialement pour Minnie. Dans l'espoir de lui remonter le moral. Son bébé naîtrait dans moins d'un mois, et elle était fatiguée, larmoyante. Pratiquement exsangue.

« Exsangue », mon mot du jour, veut dire avoir mauvaise mine, être d'une pâleur maladive. Mais aussi se sentir affaibli, vidé de sa force et de sa substance. Il vient du latin *sanguis* et signifie littéralement : « Qui a perdu beaucoup de sang. »

Au détour de la route – simple chemin de terre remblayé par endroits à l'aide de bois de grume pour le rendre praticable –, la maison de Minnie apparut. C'était une cabane en rondins à une seule pièce, aussi basse et trapue qu'un crapaud. Jim, le mari de Minnie, avait abattu lui-même les arbres ayant servi à la construire. Mon amie rêvait d'une maison de bardeaux blanche et rouge, mais ils manquaient d'argent. Des planches posées en enfilade sur le sol boueux tenaient lieu d'allée. Des souches calcinées parsemaient le jardin, noires comme les chicots d'un vieillard. Jim avait défriché un lopin derrière la maison pour y planter un potager, clôturé un pré pour leurs vaches et leurs moutons. Leurs terres étaient situées sur la rive nord de Fourth Lake, et ils espéraient prendre des touristes en pension dès qu'ils auraient déboisé davantage et construit une demeure plus spacieuse.

Jim disait souvent que nous étions tous assis sur une véritable mine d'or, que n'importe quel homme doté de muscles et d'un minimum d'ambition pouvait faire fortune. Mon père et M. Loomis tenaient exactement le même langage. Tout cela parce que Mme Collis P. Huntington, dont le mari était propriétaire du Pine Knot Hotel à Raquette Lake, avait une santé fragile et un postérieur plus délicat encore.

Autrefois, tout New-Yorkais se rendant à Fourth Lake prenait à la gare de Grand Central le train pour Utica, où il changeait pour rejoindre Old Forge. Là, l'attendait un vapeur qui remontait le chapelet de lacs de la ligne Fulton avant d'arriver à Fourth Lake. S'il voulait pousser plus loin son voyage, il devait affronter un long trajet en carriole jusqu'à Raquette Lake ou marcher jusqu'à Big Moose. Tout changea le jour où M. Huntington décida de faire venir son épouse dans son nouvel hôtel. Elle trouva le voyage si éprouvant qu'elle conseilla à son mari de construire une ligne de chemin de fer entre Eagle Bay et Pine Knot, faute de quoi il devrait se passer d'elle chaque été.

M. Huntington était un grand expert en chemins de fer : il avait construit celui qui reliait La Nouvelle-Orléans à San Francisco. Il avait aussi des amis fortunés qui possédaient plusieurs hôtels près du sien et appuyèrent son projet. Ensemble ils obtinrent l'autorisation de l'État en promettant que le chemin de fer apporterait la prospérité et sortirait notre région rurale de la misère. Et voilà six ans, le premier train y avait roulé. Papa nous emmena le voir en carriole. Abby pleura quand il arriva, et Lawton quand il repartit. Peu de temps après, on prolongea la voie ferrée reliant Mohawk et Malone au nord d'Old Forge. Les ouvriers ouvrirent des routes à travers la forêt pour faciliter le transport des rails et des traverses. Elles permirent ensuite à des hommes comme M. Sperry de construire des hôtels dans les bois. Les touristes affluèrent, et soudain Eagle Bay, Inlet et Big Moose Lake ne furent plus seulement des repaires de bûcherons et de fermiers, mais des lieux de villégiature à la mode pour les citadins souhaitant fuir le bruit et la chaleur des grandes villes.

L'hôtel d'Eagle Bay, comme le Glenmore, avait le chauffage central, l'eau chaude, le télégraphe, voire le téléphone. Il en coûtait de douze à vingt-cinq dollars par semaine pour y séjourner. Les clients mangeaient de la bisque de homard, sablaient le champagne, dansaient au son des valses jouées par un orchestre, mais nous n'avions toujours pas d'école à Eagle Bay. Ni de bureau de poste, ni d'épicerie, ni même d'église. Le chemin de fer avait certes apporté la prospérité, mais elle ne durait pas. Après la fête du Labour Day, le premier lundi de septembre, elle faisait ses valises et repartait avec les derniers touristes, nous abandonnant à notre sort. Il ne nous restait plus qu'à espérer avoir gagné assez d'argent de mai à août en vendant du lait ou du poulet frit, et en faisant le service ou la lessive dans les hôtels, pour pouvoir nourrir nos bêtes et nous-mêmes durant l'interminable hiver.

Alors que je tournais dans l'allée de Minnie, je vérifiai que la lettre de Barnard College était toujours au fond de ma poche. Je l'avais apportée pour la faire lire à mon amie. Je l'avais déjà montrée à Weaver, qui avait déclaré que je devais aller là-bas en septembre coûte que coûte. Il m'adjurait de gravir toutes les montagnes, de braver toutes les difficultés, de vaincre tous les obstacles, de faire l'impossible. Je le soupçonnais de se croire encore dans *Le Comte de Monte-Cristo*.

Je voulais savoir ce que Minnie pensait de Barnard College, car elle était intelligente. Elle avait taillé elle-même sa robe de mariée dans celle d'une tante, et je l'avais vue remettre au goût du jour un vieux manteau de laine informe. S'il existait un moyen de faire surgir comme par magie un billet de train pour New York, elle le trouverait. Je voulais aussi l'interroger sur les promesses, lui demander si, à son avis, on était obligé de tenir à la lettre toutes celles qu'on faisait, ou bien si l'on pouvait s'accorder quelques libertés.

J'avais tant de choses à dire à Minnie. Je comptais même lui raconter ma promenade en carriole avec Royal, mais je ne lui parlai de rien du tout ce jour-là, car à peine m'étais-je engagée sur les planches de l'allée que j'entendis un hurlement. Un horrible cri de peur et de douleur. Il provenait de l'intérieur de la maison. J'en lâchai mon bouquet de violettes.

— Minnie ! Que se passe-t-il ?

Une longue plainte sourde me répondit. Quelqu'un allait l'assassiner, j'en étais sûre. Je courus sous le porche, empoignai une bûche sur le tas de bois et me ruai à l'intérieur, prête à assommer l'intrus.

— Pose cette bûche, petite sotte ! ordonna une voix de femme derrière moi.

Avant même que je tourne la tête pour découvrir qui avait parlé, un nouveau cri perçant retentit. Je regardai au fond de la pièce et aperçus mon amie. Étendue sur son lit, trempée de sueur, elle s'agitait en tous sens et s'arc-boutait en hurlant.

— Qu'y a-t-il, Min ? Que t'arrive-t-il ?

— Rien de grave. Elle est en travail, lança la voix derrière moi.

Je fis volte-face et vis une robuste matrone blonde qui faisait bouillir des chiffons dans une lessiveuse. Mme Crego. La sage-femme.

« *En travail... Le bébé !* » Minnie allait avoir son bébé.

— Mais, elle... elle ne devait pas accoucher maintenant, bredouillai-je. Elle n'en est qu'à huit mois de grossesse. Il reste encore un mois. C'est le docteur Wallace qui l'a dit.

— Eh bien le docteur Wallace est encore plus sot que toi !

— Tu fais du feu, Matt ? articula une voix rauque.

Je me retournai. Minnie me dévisageait en riant, et je me rendis compte que je brandissais toujours ma bûche. Mais le rire de Minnie s'interrompit aussi vite qu'il était venu, elle recommença à geindre, et la crainte se lut de nouveau sur son visage. Elle tentait de lutter, serrant les draps dans ses poings, les yeux écarquillés par la peur.

— Oh, Mattie, je ne vais pas en sortir entière, gémit-elle.

Je me mis à pleurer avec elle jusqu'à ce que Mme Crego se fâche, nous traitant toutes les deux de créatures stupides et empotées. Elle posa la lessiveuse près du lit, à côté d'un tabouret, m'ôta la bûche des mains, puis me poussa vers Minnie.

— Puisque tu es là, autant te rendre utile, décréta-t-elle. Allez, essayons de la faire asseoir.

Malheureusement, Minnie ne voulut rien entendre. Elle déclara qu'elle n'y arriverait pas. Mme Crego grimpa derrière elle, la fit pivoter tandis que je la tirais vers moi et, à nous deux, nous réussîmes à l'installer au bord du lit. Sa robe était remontée sur ses hanches, mais elle s'en moquait. Elle, si pudique qu'elle refusait de se déshabiller en ma présence lorsqu'elle venait dormir chez nous.

Mme Crego descendit du lit et s'accroupit devant Minnie. Elle lui écarta les genoux, jeta un coup d'œil, hocha la tête.

— Ce bébé ne sait pas ce qu'il veut. D'abord il décide de venir en avance, et maintenant il ne vient plus du tout.

Je m'efforçai de détourner le regard des traînées cramoisies sur les cuisses de Minnie. Et du lit taché de sang. Mme Crego essora un chiffon fumant et l'appliqua sur les reins de Minnie, ce qui parut la soulager. La sage-femme me chargea de maintenir le chiffon en place tandis qu'elle allait fouiller dans son panier. Elle en tira des plantes médicinales, une racine de gingembre et un pot de graisse de poulet.

— J'allais au bout de la route rendre visite à Arlene Tanney, qui doit accoucher dans une semaine, et j'ai décidé d'en profiter pour prendre des nouvelles de ton amie. Même si elle n'est pas ma patiente... Je l'ai trouvée sur les marches du porche, à bout de forces. Elle m'a dit qu'elle avait des douleurs depuis deux jours. Qu'elle en avait parlé au docteur, mais qu'il lui avait répondu de ne pas s'inquiéter. Quel idiot ! Je voudrais bien l'y voir, ne pas s'inquiéter après deux jours de contractions. Elle a de la chance que je sois passée. Et encore plus que tu sois venue toi aussi. On ne sera pas trop de deux pour sortir ce bébé de là.

— Mais... madame Crego, je ne peux pas vous aider... Je... Je ne sais pas ce qu'il faut faire.

— Il va pourtant bien falloir. On n'a personne d'autre sous la main. Tu as déjà aidé ton père pour les vêlages, non ? C'est la même chose. Enfin, presque.

« Sûrement pas », pensai-je. J'aimais nos vaches, mais je tenais cent fois plus à Minnie.

Les six heures suivantes furent les plus longues de mon existence. Mme Crego ne me laissa pas une minute de répit. J'allumai du feu dans la cheminée pour réchauffer la maison. Je frictionnai le dos de Minnie, ses jambes et ses pieds. Assise sur le tabouret, Mme Crego massait le ventre de mon amie, appuyait dessus, y posait l'oreille. Il était si volumineux que j'ouvrais des yeux effarés. Je me demandais comment ce qu'il contenait réussirait à sortir. Nous donnâmes de l'huile de ricin à Minnie pour accélérer les contractions. Elle la vomit aussitôt. Nous l'aidâmes à se lever et à marcher dans la pièce. Puis à se rasseoir. Nous la fîmes s'agenouiller, s'accroupir, s'allonger. Mme Crego l'obligea à mâcher un peu de gingembre. Elle le vomit aussi. Je lui caressai la tête, et lui chantai « Rentre à la maison, Bill Bailey » en remplaçant Bill Bailey par Jim Compeau, ce qui la fit rire entre deux gémissements.

Au début de l'après-midi, Mme Crego alla chercher une nouvelle plante médicinale dans son panier. Des clous de girofle. Elle les mit à infuser et Minnie but sans vomir une grande tasse de cette tisane. Les contractions s'intensifièrent. Minnie souffrait le martyre. Soudain, elle eut envie de pousser, mais Mme Crego s'y opposa. Ce fut elle qui poussa sur l'énorme ventre de Minnie et le frotta, le tapota, le pétrit jusqu'à en être hors d'haleine, le visage dégoulinant de sueur. De nouveau, elle écarta les genoux de Minnie pour l'examiner.

— Vas-tu sortir, sacré bonhomme ! cria-t-elle, renversant le tabouret.

Minnie s'affaissa contre moi, et nous sanglotâmes de désespoir. Je la pris dans mes bras, la berçai comme un bébé. Elle leva la tête, me regarda bien en face et déclara :

— S'il te plaît, Mattie, dis à Jim que je l'aimais.

— Pas question de lui répéter pareilles niaiseries. Tu le lui diras toi-même quand le bébé sera là.

— Il ne veut pas sortir, Mattie.

— Chut... Bien sûr qu'il va sortir. Il prend son temps, voilà tout.

Je recommençai à chanter « Rentre à la maison, Bill Bailey », mais le cœur n'y était plus. Je ne quittais pas des yeux Mme Crego. Elle refit chauffer de l'eau. Elle y plongea les mains, les savonna, ainsi que ses poignets et ses avant-bras, puis les enduisit de graisse de poulet. Mon estomac se noua. Pour empêcher Minnie de suivre ces préparatifs, je lui suggérai de fermer les yeux et lui frictionnai doucement les tempes sans cesser de chanter. Je crois qu'elle s'endormit quelques instants. À moins qu'elle n'ait perdu connaissance.

Mme Crego remit le tabouret d'aplomb et s'assit dessus. Elle plaça les paumes sur le ventre de Minnie, le palpa longuement. En silence. Comme si elle écoutait avec ses mains. Soudain elle fronça les sourcils, et pour la première fois son regard trahissait une certaine inquiétude.

— Le bébé va sortir ? lançai-je.

— Les bébés.

— Quoi ?

— Il y en a deux. Le premier se présente par les pieds. Je vais essayer de l'aider à se retourner. Tiens-la bien, Mattie.

Je glissai mes bras sous ceux de Minnie. Elle cligna des yeux.

— Que se passe-t-il, Mattie ? murmura-t-elle.

Quelle frayeur il y avait dans sa voix…

— Tout va bien, Min, tout va bien.

Rien n'était moins vrai.

Mme Crego posa la main gauche sur le ventre de Minnie. Sa main droite disparut sous la robe de mon amie. De nouveau Minnie s'arc-bouta et hurla. J'étais certaine que Mme Crego allait la tuer. Je lui immobilisai les bras et, ma tête appuyée sur son dos, je priai pour que ses souffrances prennent fin.

Je n'imaginais pas qu'une femme en couches pût avoir aussi mal. Pas le moins du monde. On nous envoyait toujours chez tante Josie dès que maman entrait en travail. Nous y passions la nuit et, à notre retour, nous trouvions maman souriante avec un nouveau bébé dans les bras.

J'ai lu quantité de livres, mais aucun ne disait la vérité sur la naissance des bébés. Pas ceux de Dickens, en tout cas. La mère d'Oliver Twist meurt en le mettant au monde, un point c'est tout. Ni ceux des sœurs Brontë. Catherine Earnshaw accouche d'une fille, sans plus de détails. Il n'est question ni de sang, ni de sueur, ni de douleurs, ni de peur, ni de mauvaises odeurs.

Les écrivains sont de sacrés menteurs. Tous, sans exception.

— Il s'est retourné ! s'écria soudain Mme Crego.

Je risquai un coup d'œil dans sa direction. Elle avait une main sur chaque genou de Minnie ; la droite était couverte de sang. Les hurlements de mon amie avaient fait place à de brèves plaintes répétées, pareilles à celles d'un animal blessé.

— Allez, ma fille, pousse ! commanda Mme Crego.

Je lâchai les bras de Minnie. Elle referma ses mains sur les miennes, les serrant à me les broyer, et poussa de toutes ses forces. Je la sentais cramponnée à moi, tendue par l'effort, je sentais ses os craquer sous la pression, et je n'en revenais pas. Jamais je n'aurais cru que Minnie Simms, qui ne pouvait même pas soulever la grande poêle du fourneau où nous faisions bouillir du sirop d'érable pour fabriquer du sucre dans la neige – du moins pas quand elle avait Jim Compeau sous la main –, était si forte.

Elle grognait en poussant, puis reniflait.

— Tu fais autant de bruit qu'un cochon, Min, chuchotai-je.

Prise d'un fou rire incoercible, elle s'affala contre moi, mais pas pour longtemps, car aussitôt Mme Crego me traita de tous les noms, me fit taire et demanda à Minnie de se remettre à pousser.

Enfin, accompagné par un son qui tenait à la fois du cri, du gémissement et du grondement, et qui avait l'air de jaillir des entrailles de la terre au lieu de celles de mon amie, un bébé apparut. Mme Crego encourageait Minnie tout en aidant le nouveau-né à sortir :

— Le voilà ! Continue, Minnie, pousse ! Bravo, ma fille !

Minuscule, tout bleu, enduit de sang et d'une substance blanche qui ressemblait à du saindoux, il me parut plutôt répugnant. J'éclatai de rire, heureuse de le voir en dépit de

93

son apparence, mais, deux secondes plus tard, Mme Crego me le tendit et je fondis en larmes, émue de tenir dans mes bras le bébé de ma meilleure amie. Il pleurait, lui aussi. Il braillait à tue-tête.

Le second bébé, une fille, arriva beaucoup plus discrètement. Une membrane lui recouvrait le visage. La sage-femme l'enleva aussitôt et la jeta dans les flammes.

— Pour empêcher le diable de la prendre, expliqua-t-elle.

Je ne voyais pas ce qu'il en aurait fait. Mme Crego noua l'épais cordon grisâtre attaché au ventre des bébés et le coupa, ce qui me leva le cœur. Quand elle prit du fil et une aiguille pour recoudre Minnie, je crus m'évanouir, mais elle m'en empêcha. Son ton autoritaire me tira de mon hébétude. Après avoir fait la toilette de Minnie et celle des bébés, nous trouvâmes des draps propres et fîmes tremper ceux qui étaient tachés de sang. Mme Crego prépara pour Minnie une infusion de houblon, de chardon et de graines de fenouil pour favoriser la montée de lait. Elle me dit de m'asseoir et de souffler un peu, ce que je fis. Je fermai les yeux pour me reposer une minute, mais je dus m'assoupir, car, en les rouvrant, je vis Minnie allaiter un des bébés. Du fourneau me parvint une bonne odeur de petits pains chauds et de soupe en train de mijoter.

Mme Crego me donna une tasse de thé bien fort et porta la main à mon front. Elle s'esclaffa.

— Tu as encore plus mauvaise mine que Minnie !

Minnie se mit à rire elle aussi. Pas moi.

— Je ne me marierai jamais, décrétai-je.

— Ah bon ?

— Non. Jamais de la vie.

— On en reparlera, ironisa Mme Crego.

Son visage s'adoucit.

— Les douleurs s'arrêtent, tu sais, Mattie. Et on les oublie. Un jour, Minnie ne s'en souviendra même plus.

— Elle, peut-être pas, mais moi, si.

Des pas résonnèrent sous le porche et Jim fit son entrée, réclamant son dîner. Il se tut dès qu'il nous vit, Mme Crego et moi, et sa femme au lit avec deux bébés près d'elle.

— Vous avez un fils. Et aussi une fille, lui annonça la sage-femme.

— Min ? murmura-t-il, dévisageant son épouse.

Il attendait qu'elle confirme la nouvelle. Minnie était incapable d'articuler une parole. Elle se contenta de lui tendre un des bébés. Le visage de mon amie et celui de son mari trahissaient une émotion si intense, si troublante que je détournai le regard. Elle ne m'était pas destinée.

Tandis que je m'agitais sur ma chaise, me sentant de trop, j'entendis le bruissement de la lettre dans ma poche. Moi qui étais si impatiente de parler à Minnie de Barnard College, cette nouvelle me semblait à présent dérisoire.

Je fixai le fond de ma tasse, me demandant ce qu'on ressentait dans la situation de Minnie. Avec quelqu'un qui vous aimait comme Jim l'aimait. Et deux petites vies toutes neuves dont vous aviez la responsabilité.

Était-ce là ce à quoi il fallait aspirer, ou valait-il mieux préférer les mots et les livres ? Mlle Wilcox avait des livres, mais pas de famille. Minnie avait une famille, désormais, mais ces deux bébés allaient l'empêcher de lire pendant bien longtemps. Certains, comme tante Josie ou l'ermite Alvah Dunning, n'avaient ni amour ni livres. Je ne connaissais personne qui eût les deux.

plain.tif

— Voilà donc où passe l'argent que je te donne ? Dans des cahiers pour écrire des comptines ?

Réveillée en sursaut par cette voix que déformait la colère, je me demandai pendant quelques secondes où je me trouvais. Alors que mes yeux s'habituaient à la lumière de la lampe, je vis mon nouveau cahier de composition sous ma main, à côté du dictionnaire ouvert à la page de mon mot du jour, et je compris que la soirée était très avancée, que j'avais dû m'endormir à la table de la cuisine.

— Je te parle, Mattie !

Je me redressai.

— Quel argent, papa ? marmonnai-je en clignant des yeux.

Il avait l'air furieux et son haleine empestait l'alcool. Le cerveau encore embrumé par le sommeil, je me souvins que dans l'après-midi papa était parti à Old Forge vendre son sirop d'érable. Il en avait une cinquantaine de litres. Nous avions fait bouillir près de deux cents litres de sève pour les obtenir. Lors de ces voyages, mon père avait coutume d'aller au saloon s'offrir un ou deux whiskys avec l'argent qu'il venait de gagner, en bavardant avec les habitués. D'ordinaire, il ne rentrait pas avant minuit. J'aurais dû être couchée depuis longtemps.

— L'argent des provisions ! Les cinquante cents que je t'avais confiés pour acheter un sac de farine de maïs ! C'est à ça qu'ils ont servi ?

Avant que j'aie pu lui répondre, il saisit mon nouveau cahier de composition et arracha le poème que j'avais commencé.

— « ... un huard répète son cri plaintif, et, dans les branches des pins, le vent soupire... », lut-il.

Il le roula en boule, ouvrit la porte du four et le jeta sur les charbons incandescents.

— Arrête, papa, je t'en supplie ! Je n'ai pas payé ce cahier avec l'argent des provisions. Je te le jure ! La farine de maïs est à la cave. Depuis deux jours. Tu peux aller voir, implorai-je, tendant la main vers mon cahier.

— Avec quel argent, alors ? interrogea-t-il, maintenant le cahier hors de ma portée.

Je ravalai ma salive.

— Celui qu'on a gagné en récoltant des pousses de fougère et de la gomme d'épicéa, Weaver et moi. On a tout vendu. J'en ai obtenu soixante cents.

La joue de papa tressaillit sous l'effet de son tic nerveux. Il reprit la parole d'une voix sourde :

— Tu veux dire qu'on mange cette maudite bouillie tous les jours que Dieu fait, et que pendant ce temps-là tu avais soixante cents en poche ?

Il y eut un claquement sec, retentissant. Des étincelles fusèrent dans mon crâne, et je me retrouvai par terre sans savoir comment j'étais arrivée là. Jusqu'à ce que je reconnaisse le goût du sang dans ma bouche et que, reprenant mes esprits, je voie papa au-dessus de moi, la main levée.

Il écarquilla les yeux et laissa retomber son bras. Je me remis debout, laborieusement. Je tenais à peine sur mes jambes. J'étais tombée sur la hanche, où je sentais une douleur lancinante. Je m'appuyai à la table de la cuisine, essuyai le sang qui coulait de ma bouche. Incapable de croiser le regard de mon père, je contemplai la table. Dessus, il y avait un reçu, et de l'argent : un billet sale, tout froissé. Dix dollars. Pour cinquante litres de sirop d'érable. Je savais que mon père espérait en tirer vingt dollars.

Je le regardai alors. Il paraissait las. Épuisé. Vieux et usé.

— Mattie... Je te demande pardon... Je ne voulais pas..., souffla-t-il, me prenant par le bras.

Je me dégageai.

— Ce n'est rien, papa. Va te coucher. Demain, on a le champ du haut à labourer.

SEULEMENT VÊTUE DE MES DESSOUS, je m'apprête à me coucher. Mon caraco me colle à la peau. On dirait un chiffon trempé. La chaleur est si étouffante sous les combles du Glenmore que j'ai du mal à respirer. Mais sans doute faut-il s'en féliciter, quand on partage un dortoir avec sept autres filles qui ont elles aussi servi le dîner, fait la vaisselle et le ménage en pleine canicule de juillet, sans avoir pu prendre de bain ni aller nager dans le lac depuis trois jours.

Mme Hennessey fait son entrée. Elle inspecte la pièce, distribue les remontrances, demande à telle d'entre nous de ranger ses chaussures sous son lit et à telle autre de ramasser sa jupe en tas sur le sol, tout en se frayant un passage vers le milieu du dortoir.

Je suspends mon corsage et ma jupe à une patère près de mon lit, retire les épingles du chignon qu'Ada m'a fait ce matin – très sophistiqué, il a meilleure allure sur les illustrations du *Ladies' Home Journal* que sur moi. Puis j'enlève mes bas et les pose à l'air sur l'appui de fenêtre.

— Frances Hill, tu me cires ces chaussures demain, compris ? Quant à toi, Mary Anne Sweeney, fais disparaître ce magazine...

Je m'étends sur le vieux lit en fer forgé que je partage avec Ada, à même la courtepointe aux tons passés. Je voudrais prier, mais je n'y arrive pas. Les mots ne veulent pas venir.

— Maintenant, écoutez-moi toutes. Je vous conseille de vous endormir au plus vite. Pas de lecture ni de bavardages. Demain, je vous réveille tôt. À cinq heures et demie précises. Inutile de gémir. Des gens vont arriver de partout, des personnalités, et je veux que vous soyez impeccables. Ni messes basses, ni commérages, ni chamailleries. Entendu, Ada ?

— Oui, madame Hennessey.

— Toi aussi, Lizzie ?

— Oui, madame Hennessey.

— Mme Morrison doit pouvoir compter sur vous. Dormez bien, et n'oubliez pas cette malheureuse, au salon, dans vos prières.

Je ne vois pas comment je pourrais à la fois prier pour Grace Brown et bien dormir. De mon point de vue, c'est incompatible. Ada, assise par terre, se relève. Je sens le matelas se creuser. Ada tapote son oreiller, cherche la meilleure position. Elle se couche en chien de fusil, puis s'étend sur le dos avant de se tourner vers moi.

— Je ne peux pas dormir, Matt, murmure-t-elle.

— Moi non plus.

— À mon avis, Grace Brown n'était pas beaucoup plus vieille que nous. Tu crois vraiment que son compagnon est encore en vie ?

— C'est possible. On n'a pas retrouvé son corps, dis-je d'un ton que je voudrais optimiste.

— M. Sperry continue les recherches, avec M. Morrison et les autres. Je les ai vus repartir dans les bois après le dîner. Avec des lanternes.

Nous nous taisons toutes les deux pendant quelques minutes. Je me couche sur le côté et glisse la main sous l'oreiller. Mes doigts rencontrent le paquet de lettres.

— Ada ?

— Hmmm ?

— Quand on fait une promesse à quelqu'un, on est obligé de la tenir ?

— Maman dit que oui.

— Même si la personne à qui on l'a faite est morte ?

— À plus forte raison. Sur son lit de mort, mon oncle Ed avait fait promettre à ma tante May de ne jamais décrocher sa photo du mur, même si elle se remariait. Eh bien, elle s'est effectivement remariée, et oncle Lyman, son nouveau mari, n'avait pas très envie qu'Ed surveille tous leurs faits et gestes. Il n'empêche que May a refusé de trahir sa promesse. Alors oncle Lyman a acheté un peu de tissu noir et l'a collé sur la photo d'oncle Ed. Comme un bandeau. May n'y voit pas d'inconvénient, puisque Ed ne l'avait pas interdit. Mais on n'a pas le droit de trahir une promesse faite à un mourant. Sinon, il revient vous tourmenter. Pourquoi me poses-tu la question ?

Ada me dévisage de ses immenses yeux noirs et je frissonne soudain, malgré la chaleur accablante de la pièce. Je m'allonge sur le dos et fixe le plafond.

— Pour rien, dis-je.

Urie le Hittite, satyre puant, phacochère

Saint Jean-Baptiste avait l'air bien poussiéreux. Même pour un homme ayant passé toute sa vie à se promener dans le désert.

— Fais-y attention, Mattie ! Tu sais que je tiens à ces figurines comme à la prunelle de mes yeux !

— Oui, tante Josie, répondis-je, époussetant délicatement le visage en porcelaine du saint.

— Commence par l'étagère du haut et continue jusqu'à celle du bas. Cela t'évitera…

— … d'avoir à enlever deux fois la poussière.

— L'insolence est un vilain défaut chez une jeune fille.

— Oui, tante Josie, dis-je docilement.

Je ne tenais pas à la mettre en colère. Pas ce jour-là. Au contraire, il fallait qu'elle soit de bonne humeur, car j'avais enfin découvert un moyen d'aller à Barnard College – sans rien devoir à mon père, ni me faire embaucher au Glenmore.

Tante Josie avait de l'argent. Beaucoup d'argent. Oncle Vernon, son mari, gagnait fort bien sa vie grâce à ses scieries. Avec un peu de chance, espérais-je, peut-être ma tante me consentirait-elle un prêt modeste.

Je faisais le ménage chez elle, comme chaque mercredi après la classe. Et, comme chaque mercredi, elle était assise dans son fauteuil près de la fenêtre. Mon oncle et ma tante habitent la plus belle demeure d'Inlet – une maison de bardeaux à deux étages, jaune d'or avec des huisseries vert sombre. Ils sont sans enfants, mais ma tante possède quelque deux cents figurines. Elle se prétend incapable de travailler à cause de ses rhumatismes qui lui causent d'atroces douleurs articulaires. Papa dit que lui aussi aurait des douleurs articulaires s'il était enrobé d'une telle masse de graisse. Tante Josie est vraiment obèse.

Papa ne l'aime pas, et il n'appréciait pas que j'aille faire le ménage chez elle. Selon lui, je n'étais pas une esclave – ce qui, dans sa bouche, ne manquait pas de sel –, mais ni lui ni moi n'y pouvions grand-chose. J'avais commencé à aider ma tante pour faire plaisir à ma mère – tante Josie n'allait pas bien et maman s'inquiétait pour elle – et je pouvais difficilement cesser du jour au lendemain après la mort de maman. Je savais que maman n'aurait pas été d'accord.

Tante Josie non plus n'aime pas mon père. Elle ne l'a jamais trouvé assez bien pour ma mère. Josie et maman ont passé leur enfance dans une grande maison d'Old Forge. Josie a épousé un homme riche, et elle espérait que ma mère en ferait autant. Sa sœur était trop distinguée à ses yeux pour vivre dans une ferme, et elle ne se privait pas de le lui répéter. Elles s'étaient même brouillées une fois à ce sujet, à l'époque où maman attendait Beth. Elles prenaient le thé dans la cuisine de tante Josie, et j'étais au salon. Au lieu d'épousseter, j'avais suivi leur conversation.

« Cette immense exploitation, Ellen... Et tout ce travail, se lamentait ma tante. Sept bébés... dont trois déjà morts et enterrés, parce qu'ils étaient trop fragiles, comme toi, d'ailleurs... et voilà que tu en attends un autre. Où as-tu donc la tête ? Tu n'es pas une fille de ferme, tu sais. Tu vas te détruire la santé.

— Que veux-tu que je fasse, Josie ?

— Dis-lui non, pour l'amour du ciel ! Il n'a pas à t'obliger. »

Un long silence glacial avait suivi. Puis maman avait repris la parole.

« Il ne m'oblige à rien du tout. »

Et j'avais failli recevoir la porte du salon en pleine figure quand maman avait fait irruption dans la pièce pour me ramener à la maison, sans même me laisser finir d'épousseter. Les deux sœurs étaient restées en froid durant des semaines. Lorsqu'elles avaient fini par se réconcilier, tante Josie n'avait plus jamais critiqué mon père.

Si fatigante, voire exaspérante, que pût se montrer ma tante, j'avais surtout pitié d'elle. Si elle croyait que rien ne comptait davantage dans l'existence que les figurines sur ses étagères, le sucre blanc pour son thé et la dentelle de ses dessous, c'était parce que, contrairement à mon père et à ma mère, elle et oncle Vernon faisaient chambre à part, qu'il ne l'embrassait jamais sur la bouche dès qu'il se croyait seul avec elle, pas plus qu'il ne lui chantait ces chansons sentimentales qui vous arrachent des larmes.

Je replaçai saint Jean-Baptiste et pris le Christ au jardin de Gethsémani. C'était une figurine de qualité inférieure. Jésus avait une expression bizarre et le visage verdâtre. On aurait dit qu'il avait un ulcère à l'estomac, et non qu'il s'apprêtait à être crucifié. Après l'avoir serré bien fort pour attirer son attention, je lui adressai une petite prière afin qu'il intercède en ma faveur auprès de ma tante.

Tout en l'astiquant, je me demandais comment on pouvait collectionner de pareilles horreurs. Je préférais de loin faire collection de mots. Ils ne prenaient pas de place, et nul besoin de les épousseter. Même s'il fallait bien admettre que, ce matin-là, je n'avais guère eu de chance avec mon mot du jour. J'étais successivement tombée sur « Urie le Hittite », puis sur « satyre puant » et enfin sur « phacochère ». Écœurée, j'avais refermé le dictionnaire d'un geste rageur.

À côté de Jésus se trouvait une bible miniature sur laquelle était inscrit, en or véritable à quatorze carats : LE MEILLEUR DES LIVRES. Je la pris délicatement et je m'apprêtais à parler de Barnard College à ma tante, mais elle ne m'en laissa pas le loisir.

— Attention à ne pas frotter sur l'or !

— Oui, tante Josie.

— Tu lis toujours la Bible, Mattie ?

— Parfois.

— Tu devrais y consacrer plus de temps, et un peu moins à tous ces romans. Que répondras-tu au Seigneur le jour du Jugement dernier, lorsqu'Il te demandera pourquoi tu délaissais la Bible, hein ?

« Que Ses secrétaires auraient bien fait de prendre quelques leçons d'écriture », expliquai-je en moi-même.

De mon point de vue, la Bible n'était pas le meilleur des livres. Il y avait trop de généalogie, trop de châtiments. Et pas assez d'intrigues. Certaines histoires me plaisaient – comme celles de Job, de l'arche de Noé, ou de Moïse traversant la mer Rouge –, mais ceux qui les avaient écrites auraient pu en tirer un meilleur parti. Par exemple, j'aurais bien aimé savoir comment la femme de Job avait réagi quand Dieu avait anéanti toute sa famille suite à un pari stupide. Ou ce qu'avait ressenti celle de Noé en voyant ses enfants à l'abri avec elle sur l'arche pendant que ceux des autres se noyaient sous ses yeux. Ou encore comment Marie avait supporté que les Romains enfoncent des clous dans les mains de son fils. Les auteurs de la Bible avaient beau être des prophètes ou des saints, cela ne leur aurait été d'aucun secours dans la classe de Mlle Wilcox. Jamais elle ne leur aurait mis la moyenne.

Je reposai la bible miniature et m'attaquai aux sept péchés capitaux : l'orgueil, l'envie, la colère, la luxure, la gourmandise, la paresse et l'avarice. Je dus grimper sur l'escabeau pour les atteindre. Ils étaient alignés sur une étagère au-dessus d'une des deux fenêtres du salon.

Ma tante jeta un coup d'œil à la maison du docteur Wallace sur le trottoir d'en face.

— Tiens, voilà Margaret Pruyn ! C'est la deuxième fois cette semaine qu'elle vient chez le docteur. Elle ne veut pas dire ce qu'elle a, mais ce n'est pas la peine. Je le sais. Elle est maigre comme un clou. Et elle a ce teint cireux. Cancer du sein. J'en suis sûre. Comme ta mère, Dieu ait son âme…

J'entendis un soupir, puis un reniflement, et tante Josie s'essuya les yeux avec son mouchoir.

— Cette pauvre Ellen…, murmura-t-elle dans un sanglot.

J'avais l'habitude de ces épanchements. Ma tante manquait de distractions et cédait souvent à la mélancolie. Je désignai la maison du docteur.

— Regarde, tante Josie. Cette fois, c'est Mme Howard qui entre. Et elle, qu'est-ce qu'elle a ?

Ma tante se moucha bruyamment, toussota et souleva une nouvelle fois le rideau. Son visage s'éclaira.

— Une sciatique. Un nerf pincé entre deux vertèbres. D'après ce qu'elle m'a dit, elle souffre atrocement.

Tante Josie n'aime rien tant qu'une bonne maladie. Elle peut disserter des heures durant sur les signes avant-coureurs et les symptômes, et passe pour experte en matière de catarrhes, d'hémorroïdes, d'escarres, de descente d'utérus, de hernies et d'impétigo.

Elle se tordit soudain le cou.

— Tiens, Alma rentre chez elle.

Alma McIntyre était à la fois la postière et la meilleure amie de ma tante.

— Qui l'accompagne, Mattie ? À qui parle-t-elle ? Elle ne lui tendrait pas quelque chose ?

Je regardai par la fenêtre.

— C'est M. Satterlee. Elle lui remet une enveloppe.

— Ah bon ? Que peut-elle bien contenir ?

Tante Josie frappa au carreau dans l'espoir d'attirer l'attention de Mme McIntyre ou de M. Satterlee, mais ni l'un ni l'autre ne l'entendit.

— On a vu Arn deux fois chez les Hubbard cette semaine, Mattie. Sais-tu pourquoi ?

— Non, ma tante.

— Si tu as du nouveau, n'oublie pas de me prévenir.

— Oui, ma tante.

Je guettai de nouveau le moment où je pourrais aborder le sujet qui me tenait à cœur, mais tante Josie ne m'en donna pas l'occasion.

— Et voilà maintenant Emily Wilcox, lança-t-elle, suivant mon institutrice du regard. Elle ne se prend pas pour rien, celle-là. Jamais elle ne trouvera de mari. Aucun homme ne veut d'une femme trop intelligente.

Tante Josie a dû lire Milton, songeai-je. Il dit exactement la même chose, mais dans une langue plus recherchée.

— Tu sais, Mattie, je suis sûre qu'Emily Wilcox appartient à la famille Iverson Wilcox de New York, mais c'est bizarre, parce que Iverson Wilcox a trois filles : deux mariées et une encore célibataire. C'est Alma qui me l'a dit, et elle sait de quoi elle parle : après tout, son frère était concierge au Sagamore Hotel, du temps où les Wilcox y descendaient chaque été. Or, Annabelle Wilcox est célibataire, ainsi qu'Emily : d'après Alma, toutes ses lettres sont adressées à « Mademoiselle » Wilcox. En plus, elle est institutrice. Donc elle n'a sûrement pas de mari. Elle reçoit du courrier d'une Mme Edward Mayhew – Alma affirme que c'est Charlotte, la troisième sœur, qui de toute évidence est mariée –, mais s'il n'y a en principe qu'une seule célibataire sur les trois, pourquoi sont-elles deux à se faire appeler « mademoiselle » ? Elle reçoit aussi des lettres d'un certain Iverson Junior, qui est évidemment son frère. Et d'un M. Theodore Baxter – je ne sais pas qui c'est. Et même d'un M. John Van Eck de chez Scribner & Sons, une maison d'édition. Quelle idée, pour une jeune femme, de correspondre avec des éditeurs ! Ce sont des gens louches. Crois-moi, Mattie, cette femme est dangereuse.

Tante Josie m'avait assené ces révélations pratiquement d'une seule traite. Papa dit souvent qu'oncle Vernon devrait la faire embaucher à la forge : elle pourrait servir de soufflet. Dès que mon institutrice eut disparu au coin de la rue, tante Josie cessa de la dénigrer et changea de sujet. Pour s'intéresser à moi.

— Il paraît que tu t'es affichée avec Royal Loomis, l'autre jour, déclara-t-elle.

Je poussai un profond soupir, me demandant si tout le comté était au courant. On me parlait encore de cet épisode, surtout Weaver :

« Ça alors, Matt, je savais que tu aimais les bêtes, mais Royal Loomis, tout de même... »

Lou m'avait taquinée, puis avait raconté l'histoire à tous ceux qu'elle connaissait, qui me taquinaient à leur tour. J'essayais de réagir avec bonne humeur, sans grand succès.

N'importe qui d'un peu observateur voyait bien que Royal avait beaucoup de charme et que j'étais très quelconque. Répéter à l'envi que j'avais un faible pour lui me paraissait inutilement cruel. Comme de demander à une fille qui boite quelle robe elle compte mettre pour aller danser.

— Je ne m'« affichais » pas, répliquai-je à ma tante. Le hasard a voulu que Royal et moi soyons sur le bateau-épicerie au même moment, et il m'a raccompagnée à la maison, c'est tout.

Hélas pour moi, un simple trajet en carriole permettait d'alimenter la rumeur. Mais tante Josie ne lâcha pas prise :

— Enfin, Mattie, je sais encore reconnaître quand une jeune fille est amoureuse d'un garçon...

En guise de réponse, je continuai d'épousseter. Elle revint à la charge.

— J'ai un cadeau pour toi, ma chérie. As-tu vu cette jolie nappe que j'ai laissée sur la table de la cuisine ? Je te la donne.

En effet, je l'avais vue. Elle était vieille, jaunie, élimée. Je croyais que tante Josie souhaitait que je la lave, que je la répare ou que je la jette. Il me fallait pourtant remercier chaleureusement, car c'était ce que ma tante attendait de moi. Et maman aussi l'aurait souhaité, si elle avait été là. Alors je m'exécutai.

— Tout le plaisir est pour moi, Mathilda. Je pourrai t'aider à préparer ton trousseau. Après tes fiançailles, naturellement... Et ton oncle Vernon et moi, participerions volontiers à l'achat de ton service en porcelaine et de ton argenterie...

Je fis volte-face, bien déterminée à étouffer dans l'œuf ses projets de fiançailles avant qu'ils n'arrivent aux oreilles d'Alma McIntyre, puis à celles de tous les habitants d'Inlet et d'Eagle Bay, sans oublier Royal Loomis.

— Tu ne crois pas que tu vas un peu vite en besogne, tante Josie ? Royal s'est contenté de me raccompagner chez moi.

— Je comprends tes réticences à monter cette affaire en épingle, Mattie, je t'assure. Tu as la tête sur les épaules, et tu penses sans doute qu'une jeune fille assez quelconque comme toi ne peut pas vraiment espérer attirer l'attention d'un beau garçon comme Royal Loomis. Mais il ne faut pas non plus te montrer trop timide. S'il s'intéresse à toi, tu serais bien inspirée de l'encourager dans cette voie. Ce genre d'occasion risque de ne pas se représenter.

Je me sentis rougir. Je sais que j'ai trop de taches de rousseur, et des cheveux bruns tout raides. Maman disait qu'ils étaient châtains, mais non : ils sont tout bêtement bruns, comme mes yeux. Je sais aussi que j'ai les mains crevassées et pleines de corne, que je suis petite et trapue. Et que je ne ressemble ni à Belinda Becker ni à Martha Miller – blondes, pâles et minces, avec des rubans dans les cheveux. Je sais tout cela, et je n'ai nul besoin de ma tante pour me le rappeler.

— Mattie, ma chérie ! Je ne voulais pas te faire rougir ! Toute cette histoire te cause beaucoup de souci, n'est-ce pas ? Je me rendais bien compte qu'il y avait anguille sous roche. Il ne faut pas être si pudique ! Tout cela doit te sembler très nouveau, et très difficile, surtout maintenant que tu as perdu ta mère. Mais je t'en prie, ma chérie, n'aie aucune gêne. Je connais les devoirs d'une mère envers sa fille, et puisque la tienne n'est plus là, je vais la remplacer. Y a-t-il quelque chose que tu voudrais savoir ? Une question que tu aimerais me poser ?

Je serrai de toutes mes forces la figurine que j'astiquais.

— Oui, tante Josie, il y en a une.

— Je t'écoute, ma chérie.

J'aurais voulu parler lentement, posément, mais les mots jaillirent de ma bouche en un torrent incontrôlable.

— Tante Josie, pourrais-tu... voudrais-tu bien... Je souhaite aller à l'université, tante Josie. Puisque tu es prête à m'aider pour l'achat d'un service en porcelaine et de mon argenterie, accepterais-tu de me donner cette somme pour payer mes livres et mon billet de train ? Je suis reçue. À Barnard College. À New York. J'ai posé ma candidature l'hiver dernier, et mon dossier a été retenu. Je voudrais étudier la littérature, mais je n'ai pas d'argent, et papa refuse de me laisser travailler au Glenmore, alors je me suis dit que peut-être, si toi... et oncle Vernon...

109

Tante Josie avait totalement changé d'expression. Son sourire s'était envolé.

— ... vous ne seriez pas obligés de me donner cet argent si vous... si vous n'en avez pas envie. Vous pourriez me le prêter. Je vous le rembourserais... jusqu'au dernier sou. S'il te plaît, tante Josie...

Je prononçai ces derniers mots dans un murmure.

Ma tante ne répondit pas aussitôt ; elle se contenta de me fixer avec une telle insistance que je compris l'humiliation de Hester Prynne dans *La Lettre écarlate* lorsqu'elle était au pilori.

— Tu es bien comme ton bon à rien de frère, dit-elle enfin. Égoïste et sans cœur. Deux défauts que vous devez tenir des Gokey, car ils ne viennent sûrement pas de chez les Robertson. As-tu perdu la raison ? Abandonner tes sœurs alors qu'elles ont tant besoin de toi ? Et pour aller dans un lieu de perdition comme New York ?

De la tête, elle désigna la figurine que je serrais dans ma main.

— Le péché d'orgueil ! Exactement celui dont tu souffres. Plus on est fier, plus dure sera la chute. Tu as de très grandes ambitions, Mathilda. J'ignore qui te les a fourrées dans le crâne, mais tu ferais bien de les oublier. Et vite !

Le sermon aurait continué sans l'odeur de brûlé qui se répandit soudain. Aussitôt tante Josie se leva de son fauteuil et fila en se dandinant surveiller la tarte qu'elle avait mise au four. Pour une invalide, elle se déplace avec la rapidité du serpent d'eau quand elle le veut bien.

Je restai sur l'escabeau, contemplant la figurine dans ma main. Tu te trompes, tante Josie, pensai-je. Je ne suis pas coupable d'orgueil, mais d'un autre péché. Pire que tous les autres, dont la brûlure est aussi soudaine qu'intense. Celui-là s'installe sans bruit et vous ronge de l'intérieur comme les trichines, ces vers filiformes qui parasitent l'intestin des porcs. C'est le huitième péché capital. Celui que Dieu a oublié.

Le péché d'espoir.

xé.ro.phile

La cuisine de Mme Loomis était si propre et bien rangée qu'elle m'intimidait. Un peu comme Mme Loomis elle-même. Elle portait toujours un tablier d'un blanc immaculé, et rapiéçait ses torchons à vaisselle. Debout dans la pièce avec Lou et Beth, je me confondis en excuses pour Daisy. Elle et son veau avaient défoncé la clôture séparant nos terres de celles de Frank Loomis. Par la fenêtre de la cuisine, je voyais la vache et son petit patauger dans la mare.

— Je suis désolée pour la clôture, madame Loomis. Papa va la réparer. Ce sera fait dans une heure ou deux.

Elle posa la pomme de terre qu'elle épluchait et braqua ses yeux bleu pâle sur moi.

— C'est la deuxième fois en un mois, Mattie.

— Je sais, madame. Je ne comprends pas pourquoi Daisy fait ça. Nous avons une très bonne mare, nous aussi, dis-je, entortillant la corde que j'avais apportée pour ramener notre vache.

— Ton père lui donne de la luzerne ?

— Non, madame.

— Alors, c'est qu'elle est entêtée. Garde-la quelques jours attachée à l'étable et diminue sa ration. Ça lui apprendra.

— Oui, madame...

111

En mon for intérieur, je savais que jamais je n'infligerais pareille punition à Daisy.

— ... Eh bien, je crois que je vais aller la chercher. Venez, Lou et Beth.

À notre arrivée, Mme Loomis sortait du four des cookies à la mélasse. Ils refroidissaient à présent sur le plan de travail, embaumant l'air d'un parfum de gingembre et de clou de girofle. Mes sœurs les dévoraient des yeux. Mme Loomis surprit leur regard. Pinçant encore davantage ses lèvres minces, elle donna un cookie à Lou et Beth pour qu'elles le partagent. À moi, rien. La veille, j'avais vu M. Loomis porter des œufs à Emmie Hubbard. Son geste m'avait paru très généreux, et je ne comprenais pas comment il pouvait supporter une femme aussi avare et mesquine.

« Xérophile », mon mot du jour, signifie « capable de supporter la sécheresse, de vivre sur une terre desséchée ». Dans la cuisine impeccable de Mme Loomis, où il n'y avait ni chien incontinent ni enfant Hubbard couvert de puces, ni photos jaunies découpées dans de vieux almanachs sur les murs, je m'interrogeai : l'adjectif « xérophile » s'appliquait-il seulement aux plantes, ou aussi aux humains ?

— Je vais voir si un des garçons ne pourrait pas vous aider... Will ! Jim ! Royal ! cria Mme Loomis par la fenêtre.

— Pas de problème, on peut se débrouiller seules, répondis-je, me dirigeant vers la porte du fond.

Je longeai la grange en direction de la mare. Lou et Beth me suivaient sans hâte, grignotant délicatement leur moitié de cookie. C'était à qui ferait durer la sienne le plus longtemps. Daisy se trouvait à l'autre bout de la mare, au ras du pré des Loomis. Elle faisait un vacarme épouvantable, meuglant comme si on venait de lui couper les quatre pattes. Et le veau Baldwin – ainsi baptisé par Beth à cause de sa tête aussi allongée et maussade que celle de M. Baldwin, l'entrepreneur de pompes funèbres – n'était pas en reste.

— Par ici, Daisy ! Viens, ma belle ! Allez, viens !

J'agitai les doigts comme pour lui tendre une gâterie.

— Viens ici, ma fille !

Leur cookie mangé, Lou et Beth appelèrent notre vache à leur tour. Entre nos cris et les mugissements de Daisy et de Baldwin, on ne s'entendait plus.

— On dirait la fanfare d'Old Forge ! C'est la même cacophonie.

Je pivotai sur moi-même. Royal était là. Ses manches de chemise retroussées laissaient voir ses bras musclés, déjà hâlés par le soleil. Il avait le teint coloré par l'effort, les joues striées de poussière. Les mains dans les poches, les jambes solidement campées sur le sol, il semblait faire partie du paysage. Autant que les ruisseaux argentés, que les immenses nuages chassés par le vent, que les cerfs dans les bois. Et il était aussi beau qu'eux. J'en eus le souffle coupé. Ses yeux avaient la couleur de l'ambre. Pas celle des noisettes ni du miel de sarrasin comme je l'avais d'abord cru, mais bien celle de l'ambre, chaude et mordorée. Ses cheveux blonds, trop longs, bouclaient au-dessus de ses oreilles et sur sa nuque. Son col de chemise était ouvert, et je ne pouvais détacher les yeux du triangle de peau duvetée qu'il révélait. Royal surprit mon regard et je rougis. Jusqu'aux oreilles.

— Tes livres ne t'ont donc pas appris à sortir une vache d'une mare ? lança-t-il.

— Je n'ai pas besoin d'un livre pour savoir comment m'y prendre, rétorquai-je avant d'appeler Daisy encore plus fort.

Devant l'absence de résultat, je brandis la corde vers elle, ne réussissant qu'à affoler Baldwin. Il s'aventura plus profond dans la mare, où elle le suivit.

Royal s'accroupit pour ramasser quelques cailloux. Il alla ensuite se placer derrière Daisy et visa son arrière-train. Surprise par le premier caillou, elle s'ébranla au second. Elle courut droit vers nous. Lou réussit à l'attraper, et je lui passai le nœud coulant autour du cou en la sermonnant énergiquement. Inutile d'attacher Baldwin. Il emboîterait le pas à sa mère.

Mortifiée, je remerciai Royal.

— Je ne sais pas pourquoi elle vient ici. Elle a une très bonne mare à elle, ajoutai-je.

Royal s'esclaffa.

— Elle ne vient pas pour se baigner ! C'est lui, là-bas, qui l'intéresse !

Il désignait le pré derrière la mare. Je ne compris pas tout de suite, quand soudain je l'aperçus, en lisière du pré, à l'ombre d'une rangée de pins. Le taureau. Énorme, terrifiant, noir comme les ténèbres, il nous fixait. Ses yeux sombres clignèrent, ses naseaux veloutés tressaillirent, et je priai le ciel pour que la clôture du pré soit plus solide que celle qu'avait défoncée Daisy.

— Eh bien, encore merci, Royal. Je crois qu'on ferait mieux d'y aller.

Je m'engageai sur le chemin de terre pour rentrer.

— Je te raccompagne.

— Ne te sens pas obligé.

Il haussa les épaules.

— Ce n'est pas grand-chose.

— Matt, laisse-moi tenir Daisy, supplia Beth.

J'acceptai. Elle entonna une des chansons de bûcherons de papa. Lou marchait près d'elle, ses cheveux courts ébouriffés par le vent, le bas de la salopette de Lawton traînant par terre.

Pendant le trajet, Royal me parla de la ferme. Du maïs que Dan et lui comptaient planter, des agneaux que son père projetait d'acheter. Il discourait tranquillement, sans me laisser aucune chance de l'interrompre. Lorsqu'il finit par reprendre son souffle, je me contentai de lui annoncer mon intention d'aller à l'université. Je lui expliquai que Barnard College avait retenu ma candidature, et que si je trouvais l'argent nécessaire, je partirais.

Il s'arrêta net et fronça les sourcils.

— Pourquoi diable faire une chose pareille ?

— Pour apprendre, Royal. Pour lire beaucoup de livres et voir si, un jour, je ne pourrai pas en écrire un moi-même.

— Je me demande bien pourquoi.

— Parce que, répliquai-je, agacée par sa réaction. De toute façon, qu'est-ce que ça peut te faire ?

Il haussa encore une fois les épaules.

— Rien, sans doute. Je ne comprends pas, c'est tout. Ni pourquoi ton frère est parti, ni pourquoi tu veux partir toi aussi. Ton père est au courant de tes projets ?

— Non, et ne lui en parle surtout pas.

Mes sœurs nous avaient distancés avec notre vache et son veau, et je ne m'étonnai pas de les voir disparaître au détour du chemin, peu avant Uncas Road.

Ce qui me surprit, en revanche, c'est que Royal s'immobilisa soudain et m'embrassa. Sur la bouche. Vite et fort. Je ne protestai pas. Frappée de stupeur, j'en étais bien incapable. Je ne pensais qu'à une chose : normalement, les garçons comme Royal Loomis réservaient leurs baisers à des filles comme Martha Miller. Pas à moi. Il recula d'un pas et me dévisagea. Avec une étrange expression, comme lorsque Lou goûte un plat que j'ai préparé et qu'elle reste dubitative.

De nouveau il m'embrassa, m'attirant à lui, plaquant son corps contre le mien. Le contact, l'odeur et le goût de sa peau me mirent les sens en émoi. J'avais la tête qui tournait. Les mains de Royal sur mes épaules me serraient de plus en plus fort. Elles vinrent se poser sur ma taille. L'une d'elles remonta brusquement et, avant que j'aie compris ce qui m'arrivait, il me pétrissait un sein, tirant dessus comme sur le pis d'une vache.

— Arrête, Royal !

Le visage en feu, je me dégageai.

— Qu'y a-t-il ? Tu les gardes pour quelqu'un d'autre ?

Je baissai les yeux.

— Pour qui, Matt ?

Alors il partit d'un grand éclat de rire et retourna chez lui.

mo.no.chrome

— Non, non, et non, Mattie ! X représente l'inconnue. Si on connaissait sa valeur, crois-tu qu'on l'appellerait X ? Sapristi, tu ne m'aides vraiment pas ! s'exclama Weaver.

Debout au milieu de la route, au bord du désespoir, je fixais l'équation qu'il avait tracée dans la poussière.

— Pour résoudre un polynôme, il suffit de réduire une série de valeurs à quelques-unes seulement. Comme quand on fait bouillir des litres de sève d'érable pour obtenir un peu de sirop. Rien de plus facile, alors ne fais pas ta tête de mule.

— Hi-han ! Hi-han ! Hi-han ! brailla Jim Loomis qui nous dépassa en courant.

— Je ne fais pas ma tête de mule. Pour moi, c'est du chinois, voilà tout !

Du pied, j'effaçai l'équation. Nous venions de passer plusieurs jours sur les polynômes et je n'y comprenais toujours rien, or nous avions un contrôle à la fin de la semaine, un galop d'essai avant l'examen final.

— Je vais rater ce devoir, Weaver, je le sens !

— Bien sûr que non. Calme-toi.

— Mais je ne vois pas comment...

— Tu ne peux pas te taire une minute ?

Il contemplait la route devant lui en se mordillant la lèvre et en donnant des coups de baguette sur le sol.

— Que fais-tu ? m'étonnai-je.

Je changeai mes livres de bras.

— J'essaie de m'identifier à une mule. Si on veut expliquer quelque chose à ces bêtes-là, il faut se mettre à leur portée.

— Merci, Weaver. Merci beaucoup...

Will Loomis fonça vers nous.

— Attention, Mattie ! Voilà Bess ! cria-t-il.

— Qui ça ? Bess comment ?

— Bess Toi-et-ramasse ! lança-t-il, me bousculant et faisant tomber mes livres.

— Sapristi !

Je voulus lui envoyer une gifle, mais il était déjà trop loin. Il s'esclaffa bruyamment tandis que je m'accroupissais pour épousseter mes livres.

— Écoute, Matt, reprit Weaver, faisons un exercice ensemble. Peut-être qu'un exemple concret t'aidera à y voir clair.

Il ouvrit son manuel d'algèbre.

— Tiens, celui-ci.

Je lus :

— « Chaque jour, pendant cinq jours, un homme gagne trois fois le prix de sa pension, puis il se retrouve sans travail durant quatre jours. Sa pension réglée, il lui reste deux billets de dix dollars et quatre pièces de un dollar. Quel est le montant de sa pension, et celui de son salaire ? »

— Parfait. Maintenant, réfléchis. Comment vas-tu t'y prendre pour résoudre ce problème ? Quelle est ton inconnue ?

Je me creusai la tête. Intensément. Longuement. Je pensai à ce malheureux, à son salaire de misère, à son hôtel miteux et à sa vie solitaire.

— Où travaillait-il ? demandai-je enfin.

— Comment ? Quelle importance, Matt ? Contente-toi d'appeler X...

— Sûrement dans une usine...

Je me représentais les vêtements élimés de l'homme, ses chaussures éculées.

117

— ... Une filature, sans doute. À ton avis, pourquoi a-t-il perdu son emploi ?

— Aucune idée. Écoute, essaie juste de...

Je pris Weaver par le bras.

— Il a dû tomber malade. Ou bien les affaires marchaient mal et son patron n'a pas pu le garder. Et s'il a une femme et des enfants qui l'attendent au village ? Ce serait affreux, n'est-ce pas, qu'il se retrouve au chômage avec une famille à nourrir ? Peut-être que sa femme aussi est en mauvaise santé ? Et je te parie qu'il a...

Weaver me foudroya du regard.

— Enfin bon sang, Mattie, c'est de l'algèbre, pas une composition anglaise !

— Pardon, dis-je.

J'avais l'impression d'être un cas désespéré.

Weaver leva les yeux au ciel. Il hocha la tête en poussant un profond soupir. Puis soudain, il claqua des doigts et sourit.

— Tu te souviens de ton mot du jour ? s'écria-t-il.

Il écrivit « monochrome » dans la poussière.

— Oui. Cela signifie « qui est d'une seule couleur ». C'est le contraire de « polychrome ». Quel rapport avec l'algèbre ?

— Admettons que tu n'aies pas de dictionnaire, mais que tu connaisses les préfixes, les suffixes et les radicaux. De la même façon que tu connais la valeur des nombres. Comment t'y prendrais-tu pour découvrir le sens d'un mot ?

— Eh bien, en examinant chacune de ses parties. Dans « monochrome », par exemple, il y a « mono », préfixe tiré du mot grec *monos* qui veut dire « seul ». Et « chrome » vient de *chroma*, c'est-à-dire « couleur », toujours en grec. En ajoutant les deux, on obtient le sens du mot.

— Exactement comme en algèbre, Matt ! Tu ajoutes les différentes parties pour obtenir la solution qui, cette fois, ne sera pas un mot, mais un nombre. Tu combines tes éléments connus avec tes inconnues, tes nombres avec tes X et tes Y, méthodiquement, jusqu'à ce que tu aies toutes tes valeurs. Ensuite, tu les ajoutes ou tu les soustrais selon le type d'équation, et tu te retrouves avec ta valeur finale, l'équivalent du sens.

Weaver traça par terre une nouvelle équation. Je commençais à entrevoir de quoi il parlait.

— Résous-la, ordonna-t-il, me tendant sa baguette.

Je fis quelques erreurs, mais lorsqu'il m'en eut soumis trois de plus, j'avais suffisamment progressé pour ne pas être complètement perdue en m'attablant devant mes devoirs ce soir-là.

— Il te suffit de persévérer. Tu y arriveras, j'en suis sûr, affirma Weaver.

Je secouai la tête en pensant à Barnard College où je rêvais tellement d'aller.

— Persévérer ? Je me demande bien pourquoi. Ça n'en vaut plus la peine.

— Ne dis pas ça, Matt. As-tu parlé à ta tante ? As-tu réussi à lui soutirer quelque chose ?

— Oui, un sermon.

— As-tu mis ton père au courant ?

— Pas encore.

— Pourquoi tardes-tu ? Peut-être te laisserait-il partir. Peut-être même t'aiderait-il.

— Rien à espérer de ce côté-là, Weaver.

— Tu pourrais gagner l'argent nécessaire en cueillant des baies tout l'été.

Je soupirai à la pensée de tous les seaux de mûres et de myrtilles qu'il me faudrait remplir.

Nous poursuivîmes notre route. Nous avions fait la moitié du trajet entre l'école et Eagle Bay. Lou et Beth nous avaient devancés, en compagnie des sœurs Higby. Encore plus loin devant, les frères Loomis jouaient à taper dans une boîte de conserve avec Ralph Simms et Mike Bouchard. Les enfants Hubbard, eux, étaient à la traîne. Mlle Wilcox les gardait parfois après la classe. « Pour une séance de rattrapage », disait-elle. Weaver et moi restions souvent étudier avec elle, et nous savions qu'elle en profitait pour leur donner des sandwiches. Par chance, Jim et Will Loomis ne se doutaient de rien, ce qui leur faisait un sujet de moquerie en moins.

À la sortie du dernier virage avant Eagle Bay, nous vîmes le train de l'après-midi entrer en gare. Il se rendait à Raquette Lake, mais ne repartirait pas avant une demi-heure. Même si nous n'étions qu'en avril, les premiers touristes et propriétaires d'hôtel arrivaient déjà, et il fallait du temps pour les aider à descendre et à décharger leurs bagages – sans parler du courrier, des bûcherons qui reprenaient le chemin des bois, des provisions et du charbon pour les hôtels.

— Tiens, voilà maman et Lincoln, annonça Weaver.

L'énorme locomotive s'immobilisa enfin, cachant l'essentiel de la gare et des voyageurs.

— Allons voir si elle a fini, Matt. Elle nous ramènera peut-être.

Nous traversâmes les voies pour rejoindre la gare, simple bâtisse en planches. Plus modeste que celles de Raquette Lake ou d'Old Forge, qui disposaient d'une buvette, elle avait néanmoins son chef de gare, un poêle pour les mois d'hiver, plusieurs bancs et un véritable guichet à barreaux pour la vente des billets. Nous nous faufilâmes parmi les touristes, les mécaniciens, les employés d'un hôtel et M. Pulling, le chef de gare.

Installée près des voies, la mère de Weaver vendait du poulet, des tartes et des brioches. Lincoln, son bardot, était attelé à la charrette familiale. Il tournait le dos au train afin que la mère de Weaver puisse atteindre facilement les différents mets. Lincoln semblait d'un naturel patient. Jamais Aimable n'aurait accepté de rester aussi longtemps sans bouger. Mais le bardot, hybride du cheval et de l'ânesse, est plus docile que le mulet, hybride de l'âne et de la jument.

— Tu as besoin d'aide, maman ? demanda Weaver.

— Oh oui, mon chéri !

Son visage s'illumina à la vue de son fils. Comme toujours, même si elle l'avait quitté dix minutes auparavant. La mère de Weaver a un prénom. Elle s'appelle Aleeta. Et pour ceux qui ne la connaissent pas, elle est Mme Smith. Mais à Eagle Bay, tout le monde préfère l'appeler « la mère de Weaver », car c'est ce qu'elle est avant tout.

120

— Bonjour, ma petite Mattie ! lança-t-elle avec son accent chantant.

Je la saluai et elle m'offrit une brioche. Sur sa robe bleue en indienne, elle portait un tablier taillé dans un sac en toile de jute. Ses cheveux tressés et relevés en chignon étaient cachés sous un foulard, également en indienne, qu'elle nouait sur sa nuque. Elle avait la même beauté que son fils, des traits bien dessinés et une peau veloutée, à peine ridée. Ses yeux empreints de bonté tranchaient toutefois sur la jeunesse de son visage. Ils reflétaient la sagesse des anciens, comme si elle en avait déjà trop vu en ce bas monde et que rien ne pouvait plus la surprendre.

— Tu aperçois cette dame qui agite le bras à la fenêtre, Weaver ? Porte-lui ça.

Elle tendit à son fils un paquet enveloppé dans du papier journal et en prépara un autre.

— Celui-là est pour le conducteur de la locomotive, Mattie. Va le lui donner, mon cœur.

Je finis ma brioche, posai mes livres dans la charrette et pris le paquet. Je remontai tout le train, intimidée par ses bruits de soufflet, son odeur âcre de charbon et les grands nuages de vapeur tourbillonnante qui s'échappaient d'entre ses roues.

— C'est toi, Mattie Gokey ? gronda une voix caverneuse.

— Oui, monsieur Myers. J'apporte votre dîner.

Hank Myers, le visage écarlate et luisant de sueur, se pencha pour attraper le paquet. Il habitait Inlet. Tout le monde le connaissait. Entre deux gares, il lançait des friandises aux enfants par la vitre. Des bonbons acidulés ou à la menthe, et des chewing-gums.

— Voici l'argent, Mattie. Remercie la mère de Weaver pour moi.

Il me jeta quelques pièces et un bonbon à la menthe. Je fourrai ce dernier dans ma poche pour Beth. Les pièces iraient dans la tirelire de la mère de Weaver. Je savais qu'aussitôt rentrée elle la viderait dans la boîte à cigares qu'elle cachait sous son lit – ses économies pour payer les études de son fils.

Tandis que je repartais vers la charrette des Smith, je croisai un couple de citadins debout près de leurs bagages.

— Enfin, Trudy, un peu de patience ! répétait l'homme avec agacement. Je ne vois de porteur nulle part. Ah ! Voilà un nègre ! Par ici, mon garçon ! J'ai besoin d'aide.

Un peu plus loin sur le quai, Weaver entendit l'homme. Il se retourna aussitôt, l'œil mauvais. Un regard que je connaissais trop bien. Pareil à celui d'un de ces jeunes étalons sauvages qui auraient foncé tête baissée sur le premier obstacle plutôt que de se laisser monter.

J'évitai le couple et je rejoignis Weaver. Je le tirai par la manche pour l'entraîner à l'écart.

— Ne prête pas attention à cet imbécile, chuchotai-je. Laisse-le brailler…

— Alors, négro ! J'ai dit que j'avais besoin d'aide !

Weaver se dégagea. Il fit volte-face avec un large sourire. Un rictus caricatural.

— Mais certainement, missié, bien sûr ! Moi arriver tout de suite ! Immédiatement et sans délai !

— Weaver ! s'écria sa mère.

Elle semblait inquiète.

— Non, Weaver, soufflai-je.

J'ignorais ce qu'il comptait faire, mais je savais d'expérience qu'il n'en sortirait rien de bon.

— Me voilà, missié !

— Porte mes bagages jusqu'à cette charrette, ordonna l'homme, désignant une carriole qui attendait.

— Tout de suite, patron !

Weaver souleva le bagage le plus imposant, une élégante valise en cuir avec des serrures en cuivre étincelant, la hissa à bout de bras et la jeta par terre.

— Eh là ! hurla l'homme.

— Malheur ! Moi bien désolé, missié ! Moi pauvre nègre maladroit ! T'inquiète pas, missié, je m'en occupe tout de suite !

Weaver redressa la valise et donna un coup de pied dedans. Si fort qu'elle alla heurter la façade de la gare et s'ouvrit. Des vêtements s'éparpillèrent sur le quai. Weaver donna un nouveau coup de pied.

— Tout de suite, missié, tout de suite ! Comme si c'était fait, pour sûr ! cria-t-il.

L'homme criait aussi. Sa femme faisait chorus, ainsi que la mère de Weaver. Les autres personnes présentes s'éloignèrent. Weaver tapait toujours dans la valise. Sans relâche, la promenant d'un bout à l'autre du quai. Les mécaniciens sortirent en trombe de la gare où ils étaient allés prendre un café, suivis par M. Pulling. M. Myers descendit du train d'un bond, grommelant et gesticulant. Prise de panique, je pensai au père de Weaver. J'imaginai le spectacle auquel Weaver avait dû assister dans son enfance. Les mains blanches sur la peau noire de son père. Trop de mains blanches. Consciente que les hommes qui accouraient ne feraient qu'envenimer les choses, je m'interposai entre Weaver et la valise juste au moment où il s'apprêtait à y donner un nouveau coup de pied.

— Arrête, Weaver, je t'en supplie, implorai-je.

Et il m'écouta. Il se détourna in extremis. Au lieu de m'atteindre, son coup de pied fut pour un sac postal. Je déglutis à grand-peine. Weaver est mince, mais il a de la force, et il aurait pu me désintégrer la cheville. Je le pris doucement par les poignets, le fis reculer pas à pas. Il avait les bras tout raides et tremblants, la respiration sifflante. Je sentais la colère bouillonner en lui. Et le chagrin aussi. Je le guidai vers la charrette de sa mère avant de ramasser les vêtements de l'homme, les secouant pour enlever la poussière de mon mieux. Je les repliai avec soin, les rangeai dans la valise. Elle était complètement cabossée, mais les serrures marchaient encore. Je la refermai et la rapportai près des autres bagages.

— Regardez-moi ça ! Il ne s'en tirera pas à si bon compte ! Il a abîmé mes affaires ! lança l'homme.

— Il regrette, monsieur. Il ne l'a pas fait exprès.

— Bien sûr que si ! Il devrait au moins payer le nettoyage de mes vêtements ! Et remplacer ma valise ! Il n'y a donc pas de policiers dans ce village ? Ni de shérif ? Je ne veux pas faire d'histoires, mais vraiment, il devrait...

— Non, je vous en prie !

123

C'était la mère de Weaver. L'affolement se lisait dans ses yeux. Elle avait à la main l'argent qu'elle venait de gagner avec son poulet frit.

— Je paierai...

Une voix l'interrompit.

— Vous avez raison, monsieur, mieux vaut ne pas faire d'histoires. Vous devriez partir avant que son père arrive. Ou ses frères. Il en a cinq. Tous plus méchants les uns que les autres.

Royal se tenait au milieu du quai, les bras croisés. Il paraissait immense. Sa chemise mettait sa carrure en valeur, ses manches étaient retroussées sur ses avant-bras musclés. Légèrement en retrait, Jim et Will l'accompagnaient. J'ignorais d'où il venait. Derrière lui, j'aperçus la carriole de son père remplie de bidons. Il devait livrer du lait.

L'homme toisa Royal. Il jeta un coup d'œil à M. Pulling et à M. Myers, impassibles, puis inspecta les voies du regard comme s'il s'attendait à voir le père et les cinq frères de Weaver se ruer sur lui. Il préféra jeter l'éponge.

— Bon ! Eh bien, dans ce cas...

Il empoigna sa valise, prit sa femme par le bras et fonça vers la carriole qui l'attendait. Je le vis glisser quelques pièces au conducteur en désignant les bagages qui restaient.

— Ce garçon finira par s'attirer de graves ennuis, déclara M. Pulling. Tout est arrangé ?

— Absolument, répondit Royal.

Après le départ de M. Pulling, il ajouta :

— Je te ramène, Matt ?

— Non merci, Royal. Il faut que j'aille voir Weaver.

Il haussa les épaules.

Je courus vers la charrette des Smith. La mère de Weaver avait pris son fils à part et lui infligeait le sermon du siècle. Elle était littéralement folle de rage. Ses yeux lançaient des éclairs, elle brandissait l'index vers lui, lui plaquait sa paume sur la poitrine. Même si je ne comprenais pas tout, je l'entendis crier que « les idiots qui se font jeter en prison ne peuvent pas aller à l'université ». Tête basse, Weaver fixait le sol. Il se redressa pour dire quelque chose à sa mère et elle fondit en larmes, sa colère s'échappant aussi vite que l'air d'un pneu qui se dégonfle. Weaver la serra dans ses bras pour la consoler.

De peur de les importuner, je mis l'argent donné par M. Myer dans les affaires d'Aleeta, récupérai mes livres et m'élançai pour rattraper Royal. Il traversait les voies dans sa carriole. Jim et Will étaient à l'arrière, trônant parmi les bidons de lait. Je serais donc en sécurité. Devant ses frères, Royal n'oserait pas m'embrasser, ni avoir le moindre geste déplacé. Je me sentis soulagée. Et vaguement déçue.

— Tu veux toujours me ramener, Royal ?

— Évidemment.

— Tu n'iras pas trop vite ?

— Dépêche-toi plutôt de monter, Matt. Le train va partir et je suis au milieu de la voie.

Je fis le tour de la carriole et grimpai d'un bond. J'étais heureuse de m'asseoir à côté de Royal. Heureuse de rentrer en sa compagnie. Après toutes ces émotions, j'avais besoin de parler à quelqu'un.

— Merci, Royal.

— De quoi ? J'allais chez moi de toute façon.

— D'avoir évité de gros ennuis à Weaver.

— Apparemment, il n'est pas encore tiré d'affaire, répliqua-t-il, jetant un coup d'œil à mon camarade et à sa mère.

— Elle a dû prendre peur à cause de ce qui est arrivé à son père, expliquai-je.

Royal savait dans quelles circonstances était mort le père de Weaver ; tout le monde était au courant.

— Possible, marmonna-t-il, faisant accélérer l'allure à ses chevaux.

— Peut-être que pour son père tout a commencé comme cette histoire de valise…

J'en avais encore l'estomac noué.

— Peut-être…

— Pour quelques mots de trop. Auxquels d'autres se sont ajoutés. Qui se sont transformés en insultes, en menaces, et même pire, jusqu'à ce qu'un homme en meure. Tout ça pour une poignée de mots.

Royal se taisait. Pour réfléchir à mon explication, croyais-je.

— Tu as beau dire que les mots ne sont jamais que des mots, Royal, ils ont plus de pouvoir qu'on ne l'imagine...

Je reçus un coup de coude dans les côtes.

— Hé, Mattie...

Je me retournai avec agacement.

— Quoi donc, Jim ? Que veux-tu ?

— Voilà Simon ! Tu ne lui dis pas bonjour ?

— Qui ça ?

— Simon Tre-tes-fesses, Mattie !

Jim et Will hurlèrent de rire. Royal ne put s'empêcher de sourire. Quant à moi, je n'ouvris plus la bouche du trajet.

Sɪ Mᴍᴇ Hᴇɴɴᴇssᴇʏ ᴍᴇ ᴠᴏɪᴛ, je ne donne pas cher de ma peau. Les cheveux dénoués, je descends le grand escalier dans le vieux peignoir que m'a prêté Ada, comme une cliente de l'hôtel. Le personnel est censé emprunter l'escalier de service, mais, pour y accéder, il m'aurait fallu passer devant la chambre de Mme Hennessey qui a le sommeil léger.

Il est minuit. L'énorme horloge de l'entrée sonne douze coups. Malgré l'obscurité, je n'ose allumer. Par chance, grâce à la pleine lune et aux nombreuses fenêtres du Glenmore, j'y vois assez clair pour ne pas me rompre le cou dans l'escalier.

Le bâtiment principal compte trois étages, plus les combles. Quarante pièces en tout. Quand l'hôtel est complet, comme cette semaine, il abrite plus de cent personnes. Des inconnus qui se croisent, mangent, rient, respirent, dorment et rêvent sous le même toit.

Parfois ils laissent des objets derrière eux. Un flacon de parfum. Un mouchoir fripé. Un bouton de nacre tombé d'une robe et qui a roulé sous un lit. Il leur arrive aussi de laisser des choses invisibles. Un soupir emprisonné dans un coin. Quelques souvenirs entre les plis des rideaux. Un sanglot voletant contre la vitre, tel un oiseau entré par mégarde et qui ne pourrait plus ressortir. Je sens leur

127

présence. Ils s'élancent, se recroquevillent, murmurent doucement.

Au pied de l'escalier, je dresse l'oreille. Je n'entends que le tic-tac de l'horloge. À ma droite se trouve la salle à manger. Déserte et plongée dans la pénombre. Devant moi, par les fenêtres de la véranda, j'aperçois le hangar à bateaux et le lac immobile dont la surface noire scintille au clair de lune. Pourvu que je ne rencontre personne ! Ni Mme Morrison guettant le retour de son mari. Ni M. Sperry faisant sa comptabilité pendant ses insomnies. Ni, Dieu m'en préserve, l'habitué de la table six surgissant d'un recoin sombre comme une horrible araignée.

Dans l'entrée, je passe sous des bois de cerf transformés en lustre, je frôle le portemanteau fait de branches d'arbres et de sabots de cervidés. Alors que je m'engage dans le couloir qui mène au salon, un rai de lumière sur la moquette du couloir me fait sursauter. La mémoire me revient : c'est là que repose Grace Brown. Mme Morrison a laissé une lampe allumée par charité, pour que la jeune morte ne reste pas seule dans les ténèbres. Elle y sera plongée bien assez tôt, et pour l'éternité.

Je traverse à pas de loup la salle à manger jusqu'à la cuisine. À cause du manque de fenêtres, il me faut quelques secondes pour m'habituer à l'obscurité. Peu à peu, je distingue la table de Mme Hennessey, la masse énorme de son fourneau. La porte de la cave est juste à gauche. Alors que je touche au but, je trébuche dans un fracas assourdissant et me réfugie sous la table, tremblante comme le poulet en gelée de la cuisinière.

M'attendant à voir de la lumière, à entendre des bruits de pas et des voix furieuses, j'invente en hâte une explication, mais personne n'apparaît. Mme Hennessey dort tout en haut de l'hôtel. Quant à M. Morrison, à Henry et à M. Sperry, ils doivent encore parcourir les bois. J'ai beaucoup de chance.

J'émerge de ma cachette sous la table, découvrant au passage cette satanée sorbetière qui m'a fait trébucher. Je cours vers la porte de la cave, tourne la poignée, et... Fermée à clé.

Que faire ? Grace Brown n'est plus de ce monde, et ses lettres auraient déjà dû disparaître, elles aussi. Ce sont des lettres d'amour, à coup sûr. Des lettres intimes que personne ne devrait jamais pouvoir lire. J'allumerais bien le fourneau pour les détruire à la flamme d'un brûleur. Mais si Mme Hennessey me surprend, elle me congédiera sur-le-champ, car le fourneau est capricieux et le Glenmore tout en bois. Reste le lac. Pendant quelques minutes, j'envisage de m'y rendre discrètement pour jeter les lettres à l'eau comme j'avais déjà pensé le faire, mais je ne peux décemment pas me promener dehors en chemise de nuit, et l'équipe de sauveteurs risque de revenir à tout moment. Il me faudra attendre jusqu'à demain que l'hôtel ait retrouvé son animation et que Mme Hennessey ait d'autres chats à fouetter.

Je quitte la cuisine pour remonter sous les combles, mais j'ai beau faire, mes pieds refusent d'aller tout droit à l'escalier. Les voilà soudain qui m'entraînent vers le salon, puis vers la petite chambre qui le jouxte. À la lumière de la lampe, les lèvres tuméfiées de Grace Brown semblent plus sombres, la plaie à son front plus profonde.

Elle a dû se cogner la tête contre le plat-bord quand la barque a chaviré, me dis-je. À moins qu'elle ne soit remontée à la surface une fois tombée à l'eau, et que son front n'ait heurté la coque. Oui, c'est une explication possible. Et même la seule. Je préfère ne pas m'interroger davantage, à cause de toutes les questions qui surgissent aussitôt. Je me contente d'arranger la jupe de Grace.

Ses vêtements sont encore humides. Comme ses cheveux. Elle avait laissé une petite valise dans l'entrée. Quelqu'un l'a posée par terre au pied du lit. Avec une veste en soie noire que M. Morrison a retrouvée, flottant près de la barque retournée. Pas trace des affaires de Carl Grahm. Or il les avait emportées. « Quelle drôle d'idée de prendre sa valise et sa raquette de tennis pour une promenade en barque ! » m'étais-je dit en le voyant traverser la pelouse avec Grace jusqu'au hangar à bateaux.

Grace Brown me fait pitié, toute seule parmi des inconnus. Elle devrait être chez sa mère, dans un cadre familier, avec sa famille assise autour d'elle pour la veiller toute la nuit. Je décide de lui tenir compagnie un moment. Je m'assieds dans un fauteuil en osier qui grince horriblement sous mon poids, puis je contemple le tableau accroché au mur en m'efforçant de me rappeler Grace sous son meilleur jour, comme on le fait lors des veillées mortuaires. Elle était si jolie. Si douce. Une petite brune menue à la silhouette gracieuse. Je revois encore son regard. Très doux, lui aussi. Et bienveillant... et... Peine perdue. En dépit de mes efforts, je ne pense qu'à une chose : cette affreuse entaille verdâtre sur son front.

Je ne la quitte pas des yeux, c'est plus fort que moi, et les questions que j'ai retenues toute la journée affluent, aussi pressantes que les cochons de mon père à l'heure de la pâtée.

Pourquoi Grace Brown m'a-t-elle chargée de brûler ses lettres ? Pourquoi avait-elle l'air si triste ? Et Carl Grahm ? Se prénommait-il vraiment Carl, ou bien Chester ? Pourquoi a-t-il inscrit « Carl Grahm, Albany » dans le registre alors que Grace l'appelait Chester, et qu'elle adressait toutes ses lettres à « Chester Gillette, 17B Main Street, Cortland, New York » ?

Je sors les lettres de ma poche. Je ne devrais pas, je le sais, mais l'entaille sur le front de Grace ne devrait pas être là, elle non plus. Je soulève le ruban, tire la première lettre, la déplie, commence à lire. Je survole les passages consacrés aux amis et aux voisins, aux projets de voyages et aux toilettes, en quête de réponses à mes questions.

South Otselic, N.Y., le 19 juin 1906

Mon chéri,
J'ai souvent entendu le proverbe : « Le bonheur des uns fait le malheur des autres », mais je n'en ai vraiment compris le sens qu'aujourd'hui... À Cincinnatus, alors même que nous prenions le chemin du retour, j'ai appris que ma sœur allait très mal. À peine arrivée chez elle, j'ai renvoyé mes bagages et la carriole chez mes parents, et je suis restée. La maison était pleine d'amis et de proches

en train de pleurer et de parler en petits groupes. J'ai une nouvelle nièce, mais le médecin ne nous laisse aucun espoir de voir ma sœur rétablie avant un an au moins...

Je me cale dans le fauteuil avec un soupir de soulagement. Grace Brown était triste à cause de l'état de sa sœur. Et parce qu'elle venait de se disputer avec Chester au sujet de la chapelle. Peut-être voulait-elle brûler ses lettres par dépit. J'ignore toujours pourquoi il s'est inscrit sous un faux nom dans le registre, mais peu importe, tout cela ne me regarde pas. Soudain, une ligne un peu plus bas attire mon attention et, au lieu de replier cette lettre et de la détruire, je poursuis ma lecture :

... Chester, je pleure sans cesse depuis mon retour. Si seulement tu étais là avec moi, je serais moins démoralisée... Je ne peux m'empêcher de penser que tu ne viendras jamais me chercher... Tout m'inquiète, mon chéri, et j'ai si peur... Je vais me faire tailler de nouvelles robes si je le peux, et tenter d'être courageuse... Est-ce que je te manque, Chester, et as-tu pensé à nous aujourd'hui ?... Je me sens si seule, mon amour. À cause de ton travail, tu ne dois pas autant souffrir de mon absence, mais... je t'en prie, écris pour me dire que tu viens me chercher. Écris-moi souvent, mon chéri, et annonce-moi ta venue avant que papa ne m'oblige à tout lui avouer, à moins que lui et ma famille ne découvrent la vérité tout seuls. Je ne trouverai aucun répit tant que tu ne m'auras pas donné de nouvelles...

Je jette un coup d'œil par la fenêtre ouverte. Le parfum des pins, des roses et du lac flotte dans l'air nocturne, et pourtant ces odeurs agréables, familières ne m'apportent aucun réconfort. Pourquoi Grace suppliait-elle Chester de venir la chercher ? Pourquoi avait-elle si peur qu'il ne le fasse pas ? Finalement, il est venu, non ? Et il l'a emmenée au Glenmore. Mais en quoi tout cela me concerne-t-il ? Oui, en quoi ?

Un jour, à l'âge de huit ans, j'étais allée faire des glissades sur Fourth Lake au début du mois de décembre, bravant l'interdiction de papa. « La glace n'est pas encore assez dure, m'avait-il expliqué. Elle ne le sera pas avant quelques semaines. N'y va pas. » Pourtant, elle me semblait solide, et je voulais tellement m'amuser sur le lac... Alors j'avais désobéi. J'étais partie courir et glisser, un peu plus loin à chaque fois. À une centaine de mètres de la rive, j'entendis un long craquement sinistre : je compris que la glace cédait sous moi, que je risquais de me noyer. Il n'y avait personne pour m'aider. Je m'étais enfuie en cachette, sachant que si Lawton ou Abby me voyaient, ils raconteraient tout à papa. De l'endroit où je me trouvais, j'apercevais plusieurs hôtels, dont celui d'Eagle Bay, tous fermés pour l'hiver. J'étais seule, et la glace que je croyais solide se dérobait sous mes pieds. Je pivotai sur moi-même lentement, très lentement, puis je fis un pas vers la rive. Durant quelques secondes interminables, rien ne se produisit, quand soudain il y eut un second craquement. Retenant mon souffle, je m'immobilisai. Encore un pas. Rien, puis deux nouveaux craquements qui claquèrent comme des coups de feu. J'éclatai en sanglots et de frayeur je fis pipi sur moi, mais je poursuivis ma progression pas à pas. À une vingtaine de mètres du but, la glace céda pour de bon et je m'enfonçai jusqu'aux genoux dans l'eau dont le froid me saisit. Je parcourus tant bien que mal les derniers mètres et rentrai chez moi en courant à toutes jambes, redoutant davantage les engelures que les coups de ceinturon de mon père.

J'ai la même impression à présent. Que le sol se dérobe sous mes pieds, que la glace va céder sous mon poids.

re.cou.riom.pher

— Papa ! Viens vite ! Il y a un monstre sur le tas de fumier !

— Cesse de crier, Beth.

— Mais papa, je t'assure qu'il y a un monstre ! Je pensais qu'il était mort, eh bien non ! Je lui ai donné un coup de bâton, et il m'a montré les dents.

— Elizabeth Gokey, je croyais t'avoir interdit de mentir !

— Je ne mens pas. Je te le jure, papa ! Il faut que tu viennes le tuer. Vite ! Pour qu'on récupère son sac d'or. Il a un sac d'or !

Je suivais cette étrange conversation depuis la laiterie qui jouxte l'étable. Je vidais les seaux remplis de lait chaud et mousseux sur une toile, pour filtrer les mouches et les fétus de paille. Je m'essuyai les mains, tapai dedans pour chasser Pansy et ses chatons qui se frottaient contre mes jambes, et allai voir dans la grange la cause de tout ce vacarme. Papa se dirigeait vers la porte. Abby était déjà dehors. En haut dans le grenier à foin, Lou me lança une botte de paille.

— Que se passe-t-il ? lui demandai-je.

— Beth raconte encore des histoires. J'espère qu'elle va prendre une bonne raclée.

Je suivis le reste de la famille dehors, contournai la grange, et découvris à ma grande stupéfaction que Beth

133

n'avait pas menti. Un homme crasseux, aux longs cheveux noirs en bataille, était étendu à plat ventre sur notre tas de fumier. Il portait une salopette à bretelles et une chemise écossaise en laine. Près de lui se trouvaient une besace et une paire de godillots aux lacets noués ensemble.

Beth brandissait toujours son bâton. Elle l'enfonça dans les côtes de l'inconnu.

— Monsieur le monstre ? Vous êtes mort, monsieur le monstre ? chuchota-t-elle.

Le monstre poussa un grognement. Il se coucha sur le dos et ouvrit ses yeux injectés de sang, clignant à cause du soleil.

— Bon Dieu, je crois bien que oui, répondit-il avec un fort accent québécois.

— Oncle Fifty ? murmura Abby.

— Oncle Fifty ! s'écria Beth.

— Nom d'un chien, François ! Sors de ce tas de fumier ! aboya mon père.

— B'jour, mon frère, b'jour. Tais-toi un peu ! J'ai mal à la tête.

— Ça ne te suffit donc pas de jurer comme un charretier ! Il faut en plus que tu dormes dans le fumier !

Une fois encore, oncle Fifty, son plus jeune frère, avait réussi à faire sortir mon père de ses gonds.

Il s'adressa à moi :

— Monte dans ma chambre lui chercher des vêtements, Mathilda. Et ne le laisse pas entrer dans la maison tant qu'il n'est pas lavé. Prépare-lui aussi du café. Abby, va finir de filtrer le lait.

Il jeta un coup d'œil à son frère, cracha par terre et retourna s'occuper des vaches.

— Allez, viens faire ta toilette, oncle Fifty, dis-je avec agacement.

Le temps que je fasse bouillir de l'eau pour son bain, que je le débarrasse des poux et des nœuds qu'il avait dans les cheveux, je serais en retard à l'école. Alors que Mlle Wilcox nous faisait passer notre examen final.

Lou arriva en courant.

— Oncle Fifty !

Elle le dévisagea, et son sourire fit place à un froncement de sourcils.

— Pourquoi es-tu assis dans le fumier ?

— Parce que le fumier, ça tient chaud, expliqua-t-il en se levant. Je suis arrivé très tard hier soir, Louisa. Je n'allais quand même pas réveiller toute la maison ! Alors j'ai dormi là.

Lou se pinça le nez.

— Ce que tu sens mauvais !

C'était vrai. Les relents de fumier et de whisky formaient un mélange détonnant.

— Moi ? Mais je sens la rose ! Viens ici embrasser ton oncle François !

Tandis qu'il lui ouvrait tout grand ses bras et s'avançait vers elle d'un pas chancelant, elle s'enfuit, criant et riant à la fois.

— Oncle Fifty… Qu'est-ce que tu as dans ton sac ? interrogea Beth en fixant la besace avec curiosité.

— Là-dedans ? Oh, rien du tout. Rien que du linge sale.

La déception se lut sur le visage de ma sœur.

— Viens, oncle Fifty, insistai-je. Je n'ai pas de temps à perdre. J'ai un examen important, aujourd'hui.

— Un examen ? Quel genre d'examen ?

— Pour décrocher mon diplôme de fin d'études secondaires. Je passe les dernières épreuves aujourd'hui. Je me prépare depuis des mois.

— Dieu du ciel, Mathilde Gauthier ! Faut-y que tu en aies dans la tête, pour passer tous ces examens ! Pars vite à l'école. Ta mère m'aidera à prendre un bain.

— Enfin, oncle Fifty ! D'où sors-tu ? Tu n'es donc pas au courant ?

— De quoi ? J'ai été un an sur le Saint-Laurent, et puis sur l'Ausable et le Saint-Régis.

Je poussai un long soupir.

— Allons chercher du pétrole pour tes poux. J'ai beaucoup de nouvelles pour toi. Et elles ne sont pas bonnes.

Avec Lou pour m'aider, je réussis à m'occuper de mon oncle plus vite que prévu. Même si je dus m'asseoir un moment près de lui pour lui tenir la main après lui avoir annoncé la mort de ma mère et le départ de mon frère. Oncle Fifty ne peut pas dissimuler ses émotions. S'il est heureux il rit, et s'il a du chagrin – comme lorsqu'il a su que maman était morte –, il pleure comme un gosse. Parce qu'il en est un, d'après papa.

J'arrivai à l'école avec deux heures de retard. L'année scolaire était finie pour les autres élèves ; seuls Weaver et moi allions encore en classe. Mlle Wilcox m'attendait devant la porte.

— J'ai bien cru que tu ne viendrais pas, Mattie ! Que s'est-il passé ? Weaver en est déjà à la deuxième épreuve.

Je justifiai mon retard, m'installai et me mis au travail. Chaque épreuve durait deux heures. Nous en avions passé deux la veille et il nous en restait trois ce jour-là. Quand nous eûmes terminé, je me sentais assez optimiste. Bien sûr, c'étaient mes matières préférées : composition anglaise, littérature et histoire. Celles de la veille – mathématiques et sciences physiques – m'avaient paru plus ardues. Sur le chemin du retour, Weaver m'expliqua qu'il pensait s'en être bien sorti en mathématiques et en histoire, assez bien en littérature et en sciences physiques, mais il s'inquiétait pour sa composition anglaise. Nous n'aurions pas les résultats avant une semaine. En marchant, je me demandai une fois de plus pourquoi je me donnais autant de mal. Je n'avais toujours pas les moyens de partir à New York.

Lorsque je rentrai chez moi, il était presque dix-huit heures. J'avais consacré tant de temps à mon examen, et à échanger mes impressions avec Weaver que j'en avais complètement oublié la présence de mon oncle. Jusqu'à ce que je sente une odeur de cuisine, que j'entende un air d'harmonica et des rires, que je découvre toutes les lampes allumées dans la cuisine. Rien à voir avec la maison que je connaissais. Vraiment rien.

— Sapristi ! tonna mon oncle alors que je franchissais la porte.

Il était tout propre, avec les cheveux plus courts, la barbe bien taillée. Il portait le tablier de ma mère par-dessus une chemise et un pantalon fraîchement repassés.

— Où étais-tu ? Le dîner est prêt depuis des lustres !

136

— Excuse-moi, oncle Fifty. Il y avait plusieurs épreuves, répondis-je.

— Tu les as toutes réussies ?

— Je n'en sais rien. J'espère que oui.

— Parfait ! Alors on va boire à ton succès...

Il versa un peu de whiskey dans un verre, me le tendit, leva le sien. Papa était assis près du feu, un verre à la main lui aussi. Quand je le consultai du regard, il approuva d'un signe de tête.

— À Mlle Mathilde Gauthier... la première de tous les Gauthier à décrocher un diplôme ! déclara mon oncle, avant de vider son verre d'un trait.

Papa l'imita. J'avalai une gorgée et fus prise d'une interminable quinte de toux. Ma gorge me brûlait. Papa appelle le whiskey « les vacances du pauvre ». Je n'étais jamais partie en vacances, mais si elles ressemblaient à ça, je préférais rester chez moi. Mes sœurs se moquèrent de moi et m'encouragèrent. Beth souffla dans l'harmonica d'oncle Fifty. Son propriétaire lança un hourra. Sous l'effet conjugué de l'alcool et de la fierté, j'avais les joues en feu.

— Allez, Mattie, range un peu la cuisine, s'il te plaît ! On meurt de faim, implora Beth.

Alors, seulement, je découvris le désordre qui régnait dans la pièce : le fourneau couvert de casseroles et de marmites, l'évier rempli de bols et d'assiettes, le sol tout blanc de farine, et Barney en train de ronger un énorme os plein de graisse dans son panier.

Oncle Fifty nous avait préparé un festin, un vrai dîner de bûcherons. Il nous fit tous asseoir autour de la table, puis sortit l'un après l'autre des plats du four. Nous n'en revenions pas. Il y avait des grillades de porc accompagnées d'une sauce aux petits lardons, des pommes de terre sautées avec des oignons, des haricots blancs à la tomate et au bacon, du sirop d'érable, de la moutarde, des petits pains tout chauds et une montagne de crêpes au beurre et au sucre d'érable. Pas un seul légume vert. Les bûcherons ne les aiment guère.

— Je ne te savais pas si bon cuisinier, oncle Fifty ! lança Abby.

— J'ai appris cet hiver. Le cuisinier du camp est mort tout à coup. Crise cardiaque. Il a fallu faire la cuisine chacun son tour. Alors j'ai appris.

— Et bien appris, oncle Fifty, dit Lou en se servant une généreuse portion de haricots. Tu mérites un A+. Tu ne pourrais pas donner des leçons à Mattie ? Elle ne sait faire que la bouillie de maïs et les crêpes. Et une soupe de pois cassés si mauvaise qu'on dirait de la pâtée.

Oncle Fifty hurla de rire. Mes sœurs aussi. Surtout Lou. Papa haussa le sourcil, mais elle ne se tut pas pour autant. Elle se sentait protégée par le rire de notre oncle.

— Ne t'occupe pas d'eux, Mattie, murmura Abby pour me consoler.

— Mais toi, Abby, tu l'aimes bien, ma soupe de pois cassés ? demandai-je, vexée.

Elle me regarda avec commisération.

— Non, Mattie, je ne l'aime pas. Elle est infecte.

Les rires de ma famille redoublèrent ; même papa ne put retenir un sourire, alors je me déridai moi aussi et mangeai jusqu'à faire craquer les coutures de ma robe. Alors que nous soupirions d'aise, enfin rassasiés, oncle Fifty sortit du four une énorme tarte à la rhubarbe que nous dévorâmes quand même, badigeonnée de crème fraîche.

Le dîner terminé, mon père et mon oncle allèrent s'asseoir au salon. Oncle Fifty emporta sa bouteille de whisky, sa besace, ses godillots et une boîte de graisse de vison.

Beth ne quitta pas la besace des yeux tandis qu'il sortait de la pièce.

— Tu crois vraiment qu'elle contient du linge sale ? chuchota-t-elle.

— Je crois surtout qu'il y a des tonnes de vaisselle à faire. Retrousse tes manches !

Nous expédiâmes la vaisselle, le nettoyage de la table et le balayage de la cuisine au plus vite pour pouvoir rejoindre notre oncle au salon. Il nous rendait rarement visite. Il vivait à Trois-Rivières, au Québec, où mon père et lui étaient nés, et ne venait nous voir que tous les deux ou trois ans, quand son travail l'amenait dans la région.

Lorsque nous nous installâmes au salon, papa avait allumé le poêle. Comme souvent il réparait le harnais d'Aimable, pendant qu'oncle Fifty graissait le cuir de ses godillots. Mon oncle est maître draveur, il conduit des trains de bois sur les rivières, et les chaussures d'un draveur représentent son bien le plus précieux. Leurs semelles cloutées l'aident à garder l'équilibre pour se déplacer sur les bois de grume. Les meilleures sont fabriquées à Croghan, dans l'État de New York. Papa recommandait toujours à Lawton de ne jamais se battre, sous aucun prétexte, avec un draveur en hiver. Si on reçoit un coup de godillot gelé, on a peu de chances de s'en relever.

Tout en astiquant ses chaussures entre deux gorgées de whisky, oncle Fifty partagea quelques anecdotes avec nous, moment que nous attendions impatiemment. Il nous raconta qu'un ours s'était invité dans sa cabane un mois plus tôt, et que tous les bûcherons avaient pris leurs jambes à leur cou, sauf un dénommé Murphy qui cuvait sa bière. Sous les yeux de ses collègues postés derrière la fenêtre, l'ours l'avait reniflé, lui avait léché le visage. Dans son sommeil, Murphy avait alors souri et pris l'ours par le cou en l'appelant « mon amour ». Oncle Fifty nous décrivit aussi le spectacle plein de bruit et de fureur des trains de bois quand, à l'ouverture d'un barrage après la fonte des glaces, les rondins franchissaient l'écluse par milliers et poursuivaient leur course en aval, roulant et tourbillonnant, s'écrasant contre les rochers, dévalant les rapides. Leur rugissement suffisait à vous couper le souffle. Il évoqua les embâcles, ces enchevêtrements de troncs si dangereux quand ils cèdent, et le jour où il se trouvait sur l'un d'eux qui s'était soudain écroulé sous lui : à califourchon sur une pièce de bois, il avait descendu le Saint-Laurent pendant près d'un kilomètre avant de pouvoir sauter sur la terre ferme. Deux de ses collègues avaient eu moins de chance, et l'on avait repêché leurs cadavres tuméfiés et désarticulés. Enfin il se vanta d'être le champion incontesté des draveurs du Saint-Laurent, de tenir debout sur un bois de grume plus longtemps que n'importe qui. Seul mon père pouvait rivaliser avec lui.

Papa n'avait pas conduit un train de bois depuis des années, mais, tandis qu'il écoutait mon oncle, la nostalgie se lisait sur son visage. Il avait beau ponctuer chaque anecdote d'un revers de main désabusé et prendre l'air désapprobateur, il ne put dissimuler sa fierté lorsque oncle Fifty nous assura qu'il n'y avait pas de draveur plus adroit, plus rapide ni plus courageux que notre père. À l'en croire, c'était papa qui avait le pied le plus sûr : il se sentait chez lui sur les rondins comme l'écorce sur un tronc d'arbre. Oncle Fifty prétendait l'avoir un jour vu danser la matelote sur un train de bois, et même faire la roue et un saut périlleux.

Les histoires que racontait mon oncle étaient toutes plus invraisemblables les unes que les autres. Nous le savions, mais quelle importance ? Nous ne nous lassions pas de l'écouter. Oncle Fifty a une magnifique voix de bûcheron, mordante comme le gel un matin de janvier, âcre comme la fumée d'un feu de bois. Son rire ressemble au grondement sourd d'un torrent sous la glace. Il se prénomme François-Pierre, mais papa nous a expliqué qu'on l'appelle « oncle Fifty » car on ne peut croire que la moitié de ce qu'il dit.

Mon père et lui ont seulement quatre ans d'écart. Papa a quarante ans, et mon oncle trente-six. Ils ont le même visage buriné, les mêmes yeux bleus, les mêmes cheveux noirs, mais la ressemblance s'arrête là. Oncle Fifty sourit toujours alors que mon père est toujours maussade. Oncle Fifty boit plus que de raison, papa seulement à l'occasion. Oncle Fifty a gardé son accent québécois, tandis que papa s'exprime comme s'il était natif de New York et ne parlait pas mieux français que notre chien Barney.

J'avais demandé à ma mère pourquoi papa n'utilisait jamais le français. « Parce que les cicatrices sont trop profondes », m'avait-elle répondu. Je croyais qu'il s'agissait de celles qui lui zébraient le dos. Le beau-père de papa les lui avait faites à coups de ceinturon. Papa avait perdu son père quand il n'avait que six ans. Avec sept autres enfants à charge, sa mère avait épousé le premier homme qui s'était présenté, parce qu'il fallait bien les nourrir. Contrairement à papa, oncle Fifty évoquait souvent leur mère et leur beau-père. Il nous avait raconté que cet homme les battait pour un oui pour un non, eux et leur mère. Parce que le dîner était trop chaud, ou pas assez. Parce que le chien était à l'intérieur plutôt que dehors, ou inversement. Il ne comprenait pas le français et en interdisait l'usage dans la maison, de peur que les enfants de sa femme disent du mal de lui derrière son dos. Un jour, mon père avait désobéi, d'où les cicatrices. D'après oncle Fifty, leur beau-père frappait avec le mauvais côté du ceinturon, et la boucle leur arrachait la peau. J'essaie de me rappeler ces cicatrices dès que papa est trop sévère. De ne pas oublier que les mauvais traitements laissent des traces.

Alors qu'il avait juste douze ans, papa s'est enfui de chez lui, et il a trouvé un emploi d'homme à tout faire dans un camp de bûcherons. Il est descendu vers le sud, jusque dans l'État de New York, et n'a jamais remis les pieds au Québec. À la mort de sa mère, il y a quelques années, ses frères et sœurs se sont éparpillés. Oncle Fifty était le seul qu'il voyait encore.

Notre oncle nous amusa avec ses histoires pendant toute la soirée. Mais vers onze heures, Beth avait les paupières lourdes, Lou bâillait, et papa déclara qu'il était temps d'aller se coucher. Tandis que nous nous souhaitions bonne nuit, Beth jeta un dernier coup d'œil plein d'espoir à la besace de notre oncle. Celui-ci surprit son regard et sourit. Il ouvrit le grand sac.

— Eh bien, je suis très fatigué moi aussi. Je crois que je vais sortir mes vêtements de nuit et... ça par exemple ! Qu'est-ce que je vois là ? D'où sortent tous ces paquets ? Je n'ai pourtant pas acheté de cadeaux !

Beth dansait de joie. Lou poussait des « oh ! » et des « ah ! ». Même Abby était surexcitée. Comme moi, d'ailleurs. Oncle Fifty nous apportait toujours de merveilleux présents. Papa affirmait qu'il faisait tourner les colporteurs en bourrique, les obligeant à déballer toute leur marchandise pour sélectionner tel ou tel article, avant de changer d'avis et de renouveler l'opération. Il n'offrait jamais de babioles sans intérêt, mouchoirs ou bonbons à la menthe. Il choisissait toujours avec le plus grand soin. Ce soir-là, il commença par Beth, la plus jeune, et continua jusqu'à moi en faisant à chaque fois mine d'avoir oublié la suivante. Voir arriver enfin son tour était tout aussi insoutenable que de l'attendre. Ayant rarement des cadeaux, nous n'étions pas habitués à cette impatience ni à cette mise en scène. Beth reçut un harmonica accompagné d'une méthode d'apprentissage, et elle éclata en sanglots sous le coup de l'émotion. Pour Lou, ce fut un coffret en bois sculpté contenant une douzaine de mouches artificielles pour la pêche, fabriquées à la main. Pour Abby, un pendentif plaqué or qui la fit rosir de plaisir. Et puis vint mon tour.

— Malheur ! J'ai oublié le cadeau de Mathilde ! s'écria mon oncle en me regardant.

Il fouilla dans sa besace.

— Non, attendez ! Voilà quelque chose...

Il brandit une vieille chaussette sale qui déclencha l'hilarité générale.

— Ou plutôt ça...

Cette fois, un caleçon long et rouge apparut.

— Mais peut-être qu'elle préférera ça...

Il me mit dans les mains un étui blanc ivoire, et quand je l'ouvris, j'en eus le souffle coupé. C'était un stylo. Un véritable stylo à encre argenté, avec une plume en acier. Sur son écrin de feutre noir, il scintillait comme un vairon. N'ayant jamais eu que des crayons, je n'imaginais même pas ce que je ressentirais en abandonnant la mine de plomb pour écrire d'une belle encre bleue. Les larmes me montèrent aux yeux à la vue de mon cadeau, et je les retins de mon mieux pour remercier mon oncle.

Papa ouvrit lui aussi son cadeau – une chemise neuve en drap de laine –, après quoi oncle Fifty sortit un couteau de chasse impressionnant et un joli sac à main brodé de perles.

— Pour Lawton. Et pour votre maman. Vous pourrez peut-être donner le couteau à Lawton quand il reviendra, hein ?

— Mais, oncle Fifty, jamais il..., commença Beth.

Abby la fit taire d'un regard.

— Quant à vous, les filles, vous pourrez vous prêter le sac à main.

Nous acquiesçâmes toutes les quatre en opinant du chef, cependant, aucune d'entre nous ne toucha au sac à main ni au couteau. Nous remerciâmes de nouveau notre oncle, lui sautant au cou pour l'embrasser, puis ce fut vraiment l'heure d'aller se coucher. Je ramassai le papier d'emballage et le pliai afin de pouvoir le réutiliser, pendant que mes sœurs sortaient de la maison l'une après l'autre pour aller aux toilettes.

En attendant mon tour, je m'aperçus que le feu allait mourir et je courus chercher du bois. À mon retour, alors que je m'apprêtais à pousser la porte du salon, j'entendis mon oncle dire :

— À quoi bon rester ici et tirer toute la journée sur le pis des vaches, Michel ? Ce n'est pas une vie pour un draveur ! Pourquoi tu ne reviendrais pas sur le fleuve ?

Papa ricana.

— En laissant mes quatre filles s'élever toutes seules ? Le whisky te monte à la tête.

— Ton Ellen, elle t'a fait quitter le fleuve. Si tu crois que je ne m'en suis pas rendu compte ! Mais maintenant qu'elle n'est plus là, tu serais bien mieux sur un train de bois. Ça te plaît vraiment de travailler dans une ferme ?

— Oui.

Mon oncle s'esclaffa.

— Le plus menteur des deux n'est pas celui qu'on pense !

Dix ans plus tôt, une terrible dispute avait éclaté entre mon père et ma mère. A l'époque, nous habitions Big Moose Station. Papa venait de rentrer après avoir passé le printemps à convoyer des trains de bois. Ed LaFountain, un autre bûcheron, l'accompagnait. Après le dîner, le whisky aidant, M. LaFountain raconta qu'un jour papa avait bien failli être englouti avec toute son équipe dans un éboulement de rondins.

Ces révélations mirent maman en furie. S'il voulait repartir cette année-là, papa devait lui promettre de ne plus jamais remonter sur un train de bois et de rester à terre. C'était trop dangereux, selon elle. Beaucoup de bûcherons se noyaient. Les embâcles cédaient souvent sans crier gare, et si le draveur ne faisait pas remonter ses hommes dans le bateau à temps pour s'éloigner, l'embarcation chavirait. Papa demanda pardon à ma mère. Il lui dit qu'il prenait tous ces risques uniquement pour l'argent. Les bûcherons touchaient moins de un dollar par jour, alors qu'un bon draveur pouvait en gagner trois et demi, voire quatre, et papa était l'un des meilleurs.

Maman ne voulut rien entendre. Elle ne décolérait pas. Elle supplia papa de ne plus jamais retourner dans les bois, et de se faire engager à la scierie de son père. Toute la famille pourrait habiter Inlet, au centre du village, près de chez Josie, expliqua-t-elle. Il serait bien payé. Les enfants auraient une école à proximité. La vie serait plus facile pour tout le monde.

— Jamais, Ellen. Je ne comprends même pas que tu me demandes une chose pareille.

— Mon père est prêt à tout pardonner, Michael. Il a dit qu'il nous aiderait.

— Lui, nous pardonner ? De quoi ? D'être tombés amoureux ?

— D'être partis. De ne pas avoir…

— Ce serait plutôt à lui de nous demander pardon. C'est lui qui m'a traité de bon à rien de Québécois. Lui aussi qui a décrété qu'il préférait te voir morte plutôt que mariée avec moi.

— Que cherches-tu, Michael ? À ce que je me retrouve veuve ? Je t'interdis de remonter sur un train de bois !

— Je ne travaillerai pas pour ton père, et je ne…

Papa ne termina jamais sa phrase, car maman le gifla. D'un revers de main. Elle qui ne haussait jamais le ton en sa présence. Puis elle enfila son manteau, nous aida à mettre les nôtres, nous fit grimper dans une carriole devant la gare, et paya le conducteur pour qu'il nous emmène chez tante Josie.

Nous passâmes trois semaines chez ma tante, qui ferma sa porte à mon père pendant les deux premières. Jusqu'au jour où papa la bouscula, et réussit à convaincre maman de sortir faire un tour avec lui. Lawton poussa les hauts cris, refusant qu'elle l'accompagne. À leur retour, maman donna

144

à papa tous ses bijoux ainsi que les objets précieux qu'elle avait reçus de ses parents avant son mariage. Le lendemain, papa alla les vendre chez Tuttle's, une boutique d'occasion d'Old Forge. Peu après, il commença de défricher les trente hectares qu'il venait d'acquérir à Eagle Bay. Il nous construisit une maison avec les arbres qu'il avait abattus – une vraie maison, et non une cabane au toit couvert d'écorces de sapin. Il avait fait débiter les troncs à la scierie Hess d'Inlet, pas à celle de mon grand-père ni de mon oncle. Il édifia également une grange, ainsi qu'une remise pour fumer le poisson et la viande, et une autre qui servirait de glacière. Et même s'il conduisait encore des traîneaux chargés de rondins en hiver pour améliorer l'ordinaire, jamais il n'était remonté sur un train de bois.

— Autre chose, reprit oncle Fifty. Pourquoi n'apprends-tu pas le français à tes filles ?

— Ça ne leur servirait à rien. Et à moi non plus, grommela papa.

— Elles ont du sang québécois, Michel. Elles s'appellent Gauthier, pas Gokey. Gokey ! Où diable es-tu allé chercher un nom pareil ?

Papa soupira.

— C'est comme ça qu'on le prononce par ici. Et qu'on l'écrit sur le registre des impôts. Par commodité, François. Je te l'ai déjà expliqué. Seigneur, ce que tu peux être fatigant ! Tu ne veux rien entendre.

— Moi ? C'est vraiment la paille et la poutre ! Ta femme n'est plus là, Michel. Elle est morte, ton Ellen.

— Pas besoin de toi pour m'en rendre compte.

— Mais tu refuses de vivre sans elle ! Tu as toujours le cœur qui saigne. Toujours autant de chagrin. Je le vois sur ton visage, dans ton regard. À ta façon de marcher, de parler. Elle n'est plus là, mais toi, si, Michel. Et tes filles aussi, tu ne comprends donc pas ?

— Ça suffit, François, tu ne crois pas ?

— Non. Pourquoi ton fils est-il parti, hein ?

Pas de réponse.

— Moi, j'ai ma petite idée. Parce que tu es devenu un misérable rabat-joie, voilà pourquoi. Ça crève les yeux. Tu n'as jamais été un joyeux drille, mais quand même. Qu'est-ce qui t'arrive ? Tes quatre filles ont perdu quelqu'un, elles aussi. D'abord leur mère, et puis leur frère. Elles ne se transforment pourtant pas en fantômes suant la tristesse par tous les pores.

— Tu as encore trop bu, François...

— Pas assez pour m'empêcher d'y voir clair.

— Tu n'y vois pas si clair que ça.

Sur ces mots, papa quitta la pièce pour aller aux toilettes et je fis semblant de rapporter le bois sans avoir rien entendu.

— Je suis fier de toi, Mathilde. Fier que tu aies passé tous ces examens, lança oncle Fifty alors que j'ouvrais la grille du poêle.

— Merci, mon oncle.

J'étais à la fois heureuse et peinée de ces compliments. J'aurais tant aimé qu'ils viennent de mon père.

— Que vas-tu faire maintenant, avec tous tes diplômes ? Devenir institutrice ?

Je hochai la tête, mis deux bûches dans le poêle, refermai la grille.

— Non, oncle Fifty. Il faut continuer ses études pour être institutrice.

Il réfléchit quelques instants.

— Et pourquoi tu ne les continuerais pas ? Tu es très intelligente. Je parie que tu es la fille la plus intelligente de tout le nord de l'État. Elles coûtent cher, ces études ?

— Les cours, non. Mais le billet de train, les vêtements et les livres, oui.

— Combien ? Vingt dollars ? Trente ? Je te les donnerai.

Je lui souris. C'était gentil de sa part, mais je savais qu'il avait dépensé l'essentiel de sa paye, voire la totalité, pour nous offrir ce dîner et ces cadeaux extravagants. Il ne lui restait sans doute que cinq ou dix dollars en poche, dont il aurait besoin pour retourner travailler dans les bois.

Je me haussai sur la pointe des pieds et l'embrassai sur la joue.

— Bonne nuit, oncle Fifty. Je suis contente que tu sois venu nous voir. Tu nous manquais.

— Tu crois que je n'ai plus d'argent, mais tu verras, répondit-il en me faisant un clin d'œil. Je ne raconte pas d'histoires. Enfin, pas toujours.

Alors que je regagnais la cuisine, Barney se mit à geindre et j'ouvris la porte du fond pour le laisser sortir.

— Ne va pas dans le jardin, tu m'entends ?

J'attendis le retour de papa pour aller à mon tour aux toilettes. Quand j'eus fini, Barney était sagement assis au pied des marches de l'appentis. Je le raccompagnai jusqu'à sa corbeille, puis montai me coucher.

Un jour, Lawton s'était aperçu qu'on pouvait suivre depuis l'escalier les conversations qui se tenaient au salon, de l'autre côté du mur. Découverte bien pratique au moment de Noël, lorsque nous cherchions à savoir quels cadeaux nous aurions. En regagnant ma chambre, j'entendis que mon père et mon oncle avaient repris leur discussion.

— Tu as dépensé toute ta paye, François, non ? Ce dîner, ces cadeaux, cette bouteille de whisky, sans parler de celui que tu as bu hier soir, en Dieu sait quelle quantité...

Le ton de papa était clairement désapprobateur. Mais pourquoi faut-il qu'il soit aussi aigri ? me dis-je. Après ce merveilleux dîner et tous ces cadeaux, il n'avait même pas une parole aimable.

— Non, je n'ai pas tout dépensé.

— Je ne te crois pas.

— Alors, regarde un peu, monsieur le policier...

Je ne compris rien durant quelques secondes, et puis :

— ... un avoir de cent dollars à la banque. Tu n'as plus rien à répondre, hein ?

— Un avoir à la banque ?

— Un avoir à la banque ? murmurai-je.

« Mon Dieu, il a bel et bien de l'argent. Il dispose de cent dollars, il va m'en donner une partie, et finalement j'irai à l'université. À Barnard College ! À New York ! »

— Parfaitement, expliqua mon oncle. Le patron nous verse la moitié de notre paye en liquide, la moitié sous forme d'avoir.

— Dans votre intérêt, François, si tu veux mon avis. Tu vas faire des économies, pour une fois ? Laisser ton argent à la banque au lieu de le boire avec les putains dans un bordel d'Utica ?

— Je sais à quoi l'utiliser. Tu risques d'être surpris.

Un silence.

— Ne me dis pas que tu as encore fait des promesses inconsidérées à une femme, François ! Cette fille de Beaver River, que tu as demandée en mariage après ta dernière beuverie, elle croit toujours que tu vas l'épouser. Chaque fois que je la vois, elle me demande quand tu reviens.

— Un peu de patience. Je ne t'en dirai pas plus. Dans cinq ou six jours, j'irai toucher cet avoir à Old Forge. Et là, tu auras la surprise de ta vie. Mais dans l'immédiat... où est mon whisky, Michel ? Où est passée la bouteille ?

Je gravis le reste de l'escalier d'un bond, ou presque. Je n'avais parlé de Barnard College à personne de ma famille. Puisque je ne pensais pas pouvoir y aller, je n'en voyais pas l'utilité, mais, à cet instant précis, je mourais d'envie de me confier à Abby. Hélas, c'était impossible. Nous dormions toutes dans la même pièce. Lou et Beth nous auraient entendues, or elles sont incapables de tenir leur langue. L'une d'elles aurait sûrement tout raconté à papa, et je ne voulais pas le mettre au courant tant que je ne serais pas prête à partir. Tant que je ne saurais pas si Annabelle Wilcox me prêterait bien une chambre. Tant que mes bagages ne seraient pas terminés et que je n'aurais pas trente dollars en poche. Papa m'avait fait tomber de ma chaise d'un revers de main parce que je m'étais acheté un malheureux cahier de composition. Il avait menacé Lawton avec sa serpe. Je ne tenais pas à lui donner l'occasion de me menacer à mon tour. J'imaginais la tête qu'il ferait quand je lui annoncerais mon départ, et je m'en réjouissais d'avance. De tout cœur. Il serait furieux, mais seulement à l'idée de perdre un quart de sa main-d'œuvre. Je ne lui manquerais pas un seul instant. Peu importait : il ne me manquerait pas non plus.

Tandis que je me pelotonnais sous les couvertures du lit que, je partageais avec Lou, je m'aperçus que, durant cette

148

journée si longue et fertile en événements, j'avais complètement oublié de choisir un mot dans mon dictionnaire. Il était trop tard, à présent. Je n'avais pas le courage de redescendre au salon. Alors je forgeai un nouveau mot : *recouriompher*. Le préfixe « re », la première syllabe de « courage » et la quasi-totalité du verbe « triompher ». Peut-être figurerait-il un jour dans le dictionnaire. Et si tel était le cas, tout le monde en connaîtrait le sens : relever la tête, reprendre espoir.

fur.tif

— Et les cœurs à l'essence de wintergreen, Mattie ? Tu crois que je dois en prendre, en plus des pastilles au citron ? Abby les adore. Lou préfère le nougat. Il y a aussi des bonbons à la menthe, j'en mets quelques-uns ?

— Pourquoi pas un peu de chaque ? Mais ne reste pas dans le passage, Beth, tu gênes tout le monde, répondis-je.

Nous étions à bord du bateau-épicerie en compagnie d'une douzaine de personnes, des touristes pour l'essentiel. Nous venions de livrer quatre bidons de lait et trois livres de beurre. Sans recevoir un sou en échange. Au début de la semaine, papa avait conclu un marché avec M. Eckler : une pièce de poitrine fumée contre une livraison de beurre et de lait. En attendant que Beth se décide, j'observais les clients. Un homme venait chercher une ligne pour sa canne à pêche. Deux jeunes filles choisissaient des cartes postales. La plupart faisaient des provisions pour les vacances.

Lorsque je m'étais acheté le cahier de composition quelques semaines plus tôt, j'avais dépensé quarante-cinq cents seulement sur les soixante que j'avais gagnés en cueillant des pousses de fougère. Avec les quinze cents restants, j'offrais cet après-midi-là des bonbons à mes sœurs. Abby avait ses règles et se sentait affreusement déprimée. Prise de crampes horribles en début de matinée, elle avait dû s'allonger le temps qu'elles disparaissent. Comme chaque fois, papa m'avait demandé sans réfléchir pourquoi elle n'était pas dans l'étable avec nous pour aider à la traite, et, gêné par mes explications, il avait passé sa colère sur moi. Mais je n'y étais pour rien, sapristi ! Qu'y pouvais-je, s'il avait eu quatre filles ?

Les pastilles au citron étaient exactement ce qu'il fallait pour réconforter Abby. Ce serait un achat « furtif », car depuis que papa m'avait frappée, j'avais décidé de garder pour moi mes quinze cents au lieu de les lui remettre. « Furtif », mon mot du jour, signifie « fait en douce, en cachette, à la dérobée ». « Sournoisement », pour ainsi dire. Je ne souhaitais pas devenir sournoise, mais on n'avait pas toujours le choix. Surtout quand on était une fille, que l'on avait envie de sucre sans pouvoir en donner la raison, que l'on devait attendre que tout le monde ait le dos tourné pour laver un seau plein de linges tachés de sang, se prétendre « indisposée » alors qu'on se tordait de douleur, s'entendre traiter de « lunatique », de « pleurnicheuse » et de « capricieuse » alors qu'on ne supportait tout simplement plus d'avoir mal au ventre, de devoir se changer sans cesse et de ne pouvoir fanfaronner, cracher par terre ni uriner contre les arbres comme les garçons.

Ces quinze cents représentaient toute ma fortune, mais je croyais pouvoir me montrer généreuse. Ce matin-là, oncle Fifty était parti pour Old Forge. Il devait y passer la nuit et revenir par le premier train. J'aurais mes trente dollars dès le lendemain, à l'heure du déjeuner. Absent depuis une demi-journée à peine, notre oncle nous manquait déjà. Avec lui, nous avions passé une merveilleuse semaine. Il défrichait et débroussaillait avec papa, nous aidait pour la traite. Celle du soir seulement. Le matin, il ne se sentait jamais très en forme. Il avait souvent la migraine. Au fil de la journée, pourtant, il retrouvait son entrain et nous préparait pour le dîner de fabuleux desserts : tarte au sucre d'érable, beignets aux pommes parfumés à la cannelle, chaussons aux raisins secs ayant macéré dans du sirop d'érable. Le repas terminé, il s'installait confortablement avec son whisky, remplissant son verre dès qu'il était vide. Le liquide ambré jaillissait de la bouteille, étincelant, et plus mon oncle en absorbait, plus il étincelait lui aussi. Il riait fort, jouait de l'harmonica et nous racontait chaque soir de nouvelles histoires : on aurait cru que Schéhérazade s'était matérialisée dans notre salon. Nous l'écoutions sans nous lasser. En le regardant poursuivre Beth à travers la cuisine, imiter les rugissements du carcajou ou faire semblant de tituber sous le poids d'un cerf, j'avais toutes les peines du monde à croire qu'il était réellement le frère de mon père si maussade et taciturne.

— Je pourrais aussi prendre des bonbons à la noix de coco, Mattie, déclara Beth, toujours hésitante. Ou peut-être quelques bâtons de réglisse. Ou encore des caramels.

— Peu importe, mais n'y passe pas la journée.

La carriole des Loomis s'arrêta sur le quai, conduite par Royal. Comment diantre réussissait-il à paraître à son avantage en toutes circonstances, qu'il laboure, marche ou conduise une carriole ? Même sale et en sueur dans un pantalon usé et une chemise élimée, il était plus beau que la plupart des hommes après s'être rasés, avoir pris un bain et revêtu un costume trois pièces. Au souvenir du baiser que nous avions échangé, je me sentis soudain les joues en feu et les jambes en coton. Exactement comme les petites oies évaporées des feuilletons sentimentaux du *Peterson's Magazine*.

Royal était accompagné de sa mère. Ils ne m'avaient pas vue. Je me trouvais à l'autre bout du bateau avec Beth. Mme Loomis descendit de la carriole. Royal lui tendit un panier d'œufs, puis un grand pot de beurre. Elle monta à bord pour livrer le tout à M. Eckler, qui lui remit un billet de un dollar. Elle le remercia et regagna le quai.

— Bon, ça y est, annonça Beth.

Elle avait rangé tous ses bonbons dans un sachet en papier brun.

— Dans ce cas, va payer, répondis-je, lui confiant mes quinze cents.

Elle trottina vers l'arrière du bateau et donna le sachet à Charlie Eckler.

— La semaine prochaine, je vais au cirque. À Boonville, lança-t-elle fièrement.

— C'est vrai, ma jolie ?

— Oui, monsieur. Mon oncle me l'a promis. Il est parti à Old Forge ce matin, mais il revient demain pour m'emmener. Avec Lou.

— Alors, tu vas sûrement bien t'amuser. Tu me dois dix cents.

M. Eckler voulut savoir si elle irait voir l'homme à deux têtes et le dresseur de serpents. Elle répondit qu'elle verrait tout ce qu'il y avait à voir, oncle Fifty le lui avait promis. Je les écoutais d'une oreille distraite. J'observais Royal. Il parlait avec John Denio, venu attendre plusieurs clients du Glenmore. Tous les deux riaient à gorge déployée. Le sourire de Royal me réchauffait le cœur comme une fournée de brioches chaudes un matin d'hiver. Je ne le quittais pas des yeux. Avais-je vraiment reçu un baiser d'un garçon aussi séduisant, ou bien n'était-ce qu'un songe ? Je me surpris à rêver d'être aussi jolie que Martha Miller pour qu'il m'embrasse à nouveau un jour prochain. Je me demandais si je lui manquerais quand j'irais à l'université. Et s'il accepterait éventuellement de m'écrire, que je puisse lui répondre.

Tandis que je poursuivais mes chimères, la mère de Royal se réinstalla dans la carriole. M. Denio conversa encore quelques minutes avec elle et son fils avant de partir à la rencontre des clients de l'hôtel. À peine s'était-il éloigné que Mme Loomis chercha dans sa poche le billet de un dollar de M. Eckler pour le tendre à Royal. Elle lui souffla quelques mots, puis il fourra le billet dans sa poche avec un hochement de tête approbateur. Elle inspecta les environs du regard et fronça les sourcils en m'apercevant. Si ses yeux avaient pu parler, ils m'auraient dit : « Mêle-toi donc de tes affaires, Mattie Gokey ! » J'en fus intriguée, car je me moquais bien de ce qu'elle faisait de l'argent qu'elle gagnait avec ses œufs et son beurre.

Je regardais la carriole des Loomis longer l'allée et traverser les voies quand Beth me rapporta la pièce de cinq cents qui lui restait. D'un bond, nous rejoignîmes le quai.

— Dis à ton père qu'en principe j'aurai son morceau de poitrine fumée demain, Mattie.

— Entendu, monsieur Eckler. Merci.

Nous grimpâmes dans notre carriole et je criai :
« Hue ! » à Aimable qui, bien sûr, ne bougea pas avant
que je lui aie donné cinq fois le signal du départ, ainsi
qu'un bon coup de rênes sur les flancs. Le retour se
déroula sans histoires, mais alors que je tournais pour
m'engager sur notre chemin de terre, j'eus la surprise de
ma vie. Une automobile y était garée. Une Ford. Je savais
à qui elle appartenait. Je la contournai de mon mieux, puis
je conduisis la carriole dans la grange et Aimable dans le
pré avant de rentrer à la maison. En ouvrant la porte de la
cuisine, je vis Lou et Abby assises dans l'escalier, l'oreille
collée au mur.

— Qu'y a-t-il ?

— Mlle Wilcox est au salon avec papa, chuchota Abby.
Elle apporte tes résultats d'examen. Tu as A+ en littérature et en composition anglaise, A en histoire, B en sciences
physiques et B- en mathématiques. Elle et papa sont en
train de parler de toi. Elle dit que tu as du génie, que tu
es prise à l'université, et que papa devrait te laisser partir.

Lou ouvrait des yeux ronds.

— Ça alors, Matt, jamais je n'aurais pensé que tu avais
du génie ! Tu nous l'as bien caché.

Je ne relevai même pas ce compliment déguisé. J'avais
soudain le cœur lourd comme une pierre. Mlle Wilcox était
pleine de bonnes intentions, je n'en doutais pas, mais je
connaissais papa. Elle ne lui ferait jamais dire oui, elle ne
réussirait qu'à l'énerver. Pourquoi diable avait-il fallu
qu'elle vienne aujourd'hui, la veille du jour où mon oncle
devait me donner l'argent nécessaire ? Le lendemain, je
pourrais me passer de la permission de papa, car j'aurais
trente dollars en poche, ce qui valait toutes les permissions
du monde, mais, dans l'intervalle, je ne tenais pas à ce qu'il
se déchaîne contre moi.

Je m'assis sur la même marche que Lou, juste au-dessous
d'Abby. Beth vint s'installer à nos pieds et fit une distribu-
tion de bonbons comme au spectacle. À cet instant précis,
pourtant, je n'avais aucune envie d'en manger. J'étais bien

trop occupée à tendre l'oreille pour essayer de suivre la conversation de l'autre côté du mur.

— … elle est douée, monsieur Gokey. Elle a une voix unique. Une voix d'artiste. Elle pourrait s'élever, devenir quelqu'un, si on lui donnait sa chance…

— Elle n'a pas besoin de devenir quelqu'un. Elle est très bien comme ça. Il n'y a rien à changer chez elle.

— Elle pourrait devenir écrivain, monsieur. Un vrai. Un bon.

— Elle l'est déjà. Elle écrit sans cesse des nouvelles et des poèmes dans ses maudits cahiers.

— Mais pour s'améliorer, il lui faut suivre les cours d'une bonne université, écouter les conseils des meilleurs professeurs. Elle a besoin de se confronter aux voix d'avant-garde, à la théorie et à la critique. D'être entourée de gens capables de nourrir son talent et de le faire progresser.

Il y eut un long silence. De l'escalier où j'étais toujours assise, j'imaginais le visage de mon père. Comme souvent, la colère qui devait s'y lire dissimulait son manque d'assurance, sa timidité maladive face aux gens instruits et à leurs mots savants. Si je m'étais écoutée, j'aurais pris Mlle Wilcox par le bras et je l'aurais entraînée hors du salon, la priant de laisser mon père tranquille.

— Mattie a envie d'aller à l'université, monsieur Gokey. Très envie…

— Par votre faute, mademoiselle. C'est vous qui lui avez mis ces idées dans la tête. Je n'ai pas les moyens de lui offrir des études. Et quand bien même, pourquoi enverrais-je ma fille dans une ville inconnue, loin de chez elle et de sa famille, sans personne pour veiller sur elle ?

— Mattie est une jeune femme raisonnable. Elle se débrouillerait très bien à New York. J'en suis persuadée.

— Elle a aussi une bonne dose d'inconscience, qu'elle tient de sa mère.

— Mme Gokey ne m'a jamais donné cette impression.

— Elle n'avait pas les pieds sur terre. Du moins pas dans sa jeunesse, à l'âge de Mattie. Sinon elle ne m'aurait jamais épousé. Elle ne se serait pas retrouvée propriétaire de trente hectares de souches et de cailloux, et d'une pierre tombale à trente-sept ans.

— C'est impossible, monsieur Gokey. Je n'ai vu votre épouse que deux ou trois fois, mais je ne fais pas d'elle la même lecture que vous. C'était une femme qui aimait...

— Pas la même « lecture » ?

« Ô, Seigneur... », pensai-je. Je faillis me lever, puis je me souvins qu'il n'avait pas sa serpe avec lui. Pas au salon.

— Les gens ne sont pas des livres, mademoiselle Wilcox. Ce qu'ils ont dans la tête n'est pas imprimé sur une feuille de papier qu'on peut lire. Maintenant, si vous en avez terminé, j'ai un champ à labourer.

Nouveau silence. Puis :

— J'en ai terminé, monsieur Gokey. Au revoir, et merci pour le temps que vous m'avez accordé.

Le pas nerveux de Mlle Wilcox résonna dans le couloir, et elle quitta la maison. C'était le genre de femme à entrer et sortir par la porte de devant plutôt que par celle du fond.

— Oh, Mattie ! Tu ne vas pas t'en aller, n'est-ce pas ? Tu me manquerais tellement ! pleurnicha Beth.

Elle me prit par le cou et me donna un baiser tout poisseux à cause des bonbons.

— Chut, Beth ! Ne sois pas si égoïste ! répliqua Abby.

Quelques secondes plus tard, papa était dans la cuisine. Nous nous levâmes aussitôt.

— Comme par hasard, vous descendiez toutes les quatre en même temps, ironisa-t-il. Bien sûr, vous n'oseriez jamais espionner les conversations d'autrui ?

Aucune de nous ne souffla mot.

— Abby, as-tu salé le beurre ? Lou, as-tu curé l'étable ? Beth, as-tu donné du grain aux poules ?

Mes sœurs s'égaillèrent. Papa me dévisagea.

— Tu ne pouvais pas me dire tout ça toi-même ?

Son regard était aussi sévère que sa voix, et l'indulgence que je venais d'éprouver pour lui disparut en un tourbillon, comme l'eau de la vaisselle dans l'évier.

— À quoi bon, papa ? Pour essuyer un refus ?

Il cilla et, à son air blessé, je crus durant une fraction de seconde qu'il allait faire amende honorable. Je me trompais.

— Eh bien, pars, Mattie. Je ne te retiens pas. Mais alors, ne remets jamais les pieds ici.

Et il sortit de la cuisine en claquant la porte derrière lui.

pé.dan.tesque

— « Pédantesque » est un drôle de mot, Daisy, murmurai-je à l'adresse de notre vache. À l'origine, il signifiait « magistral », mais maintenant il a pris un sens péjoratif et qualifie quelqu'un aimant faire étalage de sa culture. C'est un adjectif sophistiqué, qui ressemble à ce qu'il dénonce. Un hypocrite, Daisy, mais il me plaît. Je compte bien le glisser une ou deux fois dans la conversation quand je serai à New York.

Daisy ruminait. Si elle avait une opinion sur mon mot du jour, elle la gardait pour elle. La joue appuyée contre son flanc tiède, j'étais occupée à la traire, et j'en profitais pour lui confier à voix basse tous mes secrets. Je venais de lui raconter qu'oncle Fifty allait rentrer d'Old Forge d'une minute à l'autre avec l'argent dont j'avais besoin pour aller à Barnard College.

La fin du mois d'avril approchait et douze de nos vingt vaches avaient vêlé, nous donnant du lait à ne plus savoir qu'en faire. Matin et soir, nous le mettions à reposer dans de grandes bassines, le temps que la crème remonte à la surface. Alors nous la prélevions avant de transvaser le lait dans des bidons pour le livrer à nos clients. Nous vendions une partie de la crème telle quelle, et avec le reste nous faisions du beurre. Le petit-lait servait à nourrir poules et cochons. Nous ne laissions rien perdre.

— Mattie ?

Je me retournai.

— Enfin, Beth ! Tu sais bien qu'il ne faut pas rester derrière une vache !

— Daisy ne m'enverra pas de coup de sabot. Elle ne ferait jamais ça.

— Mais papa, lui, t'enverra une gifle s'il te voit trop près des pattes arrière d'une vache. Allez, pousse-toi.

— Mais Mattie…

— Quoi, Beth ? Qu'y a-t-il ?

— Pourquoi oncle Fifty ne revient-il pas ? Il avait dit qu'il rentrerait d'Old Forge pour déjeuner et il est déjà cinq heures. Il devait m'emmener au cirque à Boonville. Il me l'avait promis.

— Ne t'inquiète pas. Peut-être est-il resté bavarder avec quelqu'un, et il aura pris le train suivant. Tu le connais. Je te parie qu'il a rencontré un vieil ami, rien de plus. Il ne devrait pas tarder.

— Tu es sûre, Matt ?

— Sûre et certaine.

Mon assurance était feinte. Sans vouloir me l'avouer, je m'inquiétais autant que Beth. Notre oncle aurait dû réapparaître plusieurs heures auparavant.

— Il y a quelqu'un ? cria une voix masculine à la porte de l'étable.

— Le voilà, Beth ! Tu vois ! Je te l'avais dit !

— Ce n'est pas oncle Fifty, Matt. C'est M. Eckler, rectifia-t-elle, s'élançant vers lui.

— Bien le bonsoir, jeune fille ! Ton papa est dans les parages ?

— Je suis là, Charlie, répondit papa. On te voit rarement de ce côté du lac à une heure pareille !

— C'est vrai. Avec tout le travail que j'ai ces temps-ci, je ne regagne pas Old Forge avant six ou sept heures du soir. Comme convenu, je t'apporte du lard fumé. Belle pièce de viande. Et je voulais te demander si tu ne pourrais pas me livrer cinq bidons de lait au lieu de quatre, demain matin, plus tout le beurre qui te reste.

— Pas de problème pour le lait. Les vaches en donnent chacune près de huit litres par jour. Je dois aussi avoir du beurre.

— Tant mieux. Bon, il faut que j'y aille. Au fait… j'ai vu ton frère, ce matin.

— Que faisait-il ? Il prenait le train pour rentrer ?

— Pas vraiment. Il était plutôt parti, si tu vois ce que je veux dire. En route pour Utica.

— Avec un bon coup dans l'aile ?

— Pour ça, oui !

Je sentis mon corps se vider de ses forces. Je posai le front contre le flanc de Daisy et fermai les yeux.

Mon père cracha une giclée de tabac à chiquer.

— Je parie qu'il n'est même pas allé jusqu'à Utica. Il n'a pas dû dépasser Remsen.

— Papa ?

Beth avait la voix qui tremblait.

— Une minute, Beth.

— Bon, alors à demain, Michael.

— Bonne soirée, Charlie.

— Papa ?

— Quoi, Beth ?

— Ça veut dire quoi, « un coup dans l'aile » ? Où est oncle Fifty ? Je devais aller au cirque avec lui, papa. Il ne revient donc pas ? Il avait promis de m'emmener.

— Il ne faut pas croire tout ce que raconte ton oncle.

— Mais il avait promis !

— Eh bien il ne tiendra pas sa promesse, Beth, voilà tout. Ça suffit, maintenant.

— Il a menti ! Je le déteste, papa ! Je le déteste, sanglota-t-elle.

J'étais sûre qu'elle allait recevoir une gifle, mais papa se contenta de marmonner :

— Pas plus qu'il ne se détestera lui-même dans un jour ou deux.

Puis il ordonna à Beth de se calmer et de porter le morceau de lard fumé à Abby.

J'étais toujours recroquevillée sur mon tabouret, consciente que ma dernière chance d'aller à Barnard

160

College finirait dans la caisse enregistreuse d'un bar. Que mon oncle ne dessoûlerait pas pendant trois jours, voire plus. Le temps qu'il lui faudrait pour dépenser cent dollars. Telle était la triste réalité.

« *Recouriompher* »… Quel verbe ridicule ! Mieux valait trouver un mot pour décrire ce qu'on éprouve en voyant ses espoirs voler en éclats les uns après les autres : « *déconfistesse* », « *vicifliction* », « *nullantissement* »… Et pourquoi pas « amertume », tout simplement ? Oui, « amertume » ferait très bien l'affaire.

— Qu'y a-t-il ? interrogea soudain une voix bourrue.

C'était papa. Debout près de Daisy, il me dévisageait, sourcils froncés.

— Rien, répondis-je en écrasant une larme.

J'empoignai mon seau, tournai les talons et partis vers la laiterie. Alors que je versais le lait dans une bassine, j'entendis les pas de mon père se rapprocher.

— Mattie, j'ignore ce que François a pu te dire, mais quand il promet quelque chose, c'est l'alcool qui parle, pas lui. Tu le sais bien, non ? Il ne le fait pas exprès, c'est plus fort que lui.

— Tout va bien, papa. J'ai presque fini.

Pour une fois, je me félicitai d'être chargée de filtrer le lait. Du temps qu'il fallait pour remplir toutes les bassines. Du fait que je pouvais sangloter sur un banc sans témoin. Après tout, ce n'était que justice si mon oncle trahissait sa promesse envers moi, qui n'hésitais pas à trahir celle que j'avais faite à ma mère.

Lorsque j'eus pleuré toutes les larmes de mon corps, je m'essuyai les yeux, recouvris d'une toile les bassines de lait, et regagnai la cuisine. Abby avait commencé à préparer le dîner. Ce soir, il n'y aurait ni beignets aux pommes ni tarte au sucre. Ni chansons. Ni musique. Ni histoires. Nous mangerions des épinards frais cueillis, les premiers de la saison. Et des pommes de terre sautées avec le lard fumé apporté par Charlie Eckler. Le tout accompagné d'une pleine cruche de lait, d'une miche de pain et d'une motte de beurre.

Mon père venait de les poser sur la table.

Je le regardai se laver les mains dans l'évier et se passer de l'eau sur le visage. Maman nous avait quittés, ainsi que mon frère. C'était à présent au tour de mon oncle, incapable de tenir parole. Seul papa restait. Comme toujours.

Je n'arrivais pas à le quitter des yeux. Je voyais sa chemise tachée par la transpiration. Ses grandes mains couvertes de cicatrices. Son visage las, noirci par la poussière. Dire qu'au lit, quelques jours plus tôt, je me réjouissais à l'idée de lui brandir sous le nez l'argent que m'avait donné mon oncle ! Et de lui annoncer mon départ.

J'en rougissais de honte.

IMPOSSIBLE DE DISCUTER AVEC LES MORTS. Quelque argument qu'on leur oppose, c'est eux qui ont le dernier mot.

Toujours assise au chevet de Grace, je tente de mettre les choses au point avec elle. Je lui dis que jamais elle n'aurait dû me confier ses lettres et que, si je n'y prends garde, mes cachotteries la concernant finiront par me coûter ma place. Or j'ai besoin de ma paye pour m'offrir un fourneau et une batterie de cuisine le jour où je me marierai. À propos de son compagnon, je lui explique qu'il n'est pas du tout certain que Carl Grahm et Chester Gillette soient une seule et même personne : certes, la coïncidence est troublante, mais le fait que sa correspondance soit uniquement adressée à Chester, et non à Carl, ne prouve rien. Je lui rappelle que j'ai déjà pris beaucoup de risques pour elle, et que je compte bien en rester là. Enfin, je l'informe que je ne lirai plus une seule de ses lettres, et que si elle misait depuis le début sur ma curiosité, alors elle est aussi égoïste qu'hypocrite.

Était, plus exactement. Elle *était* aussi égoïste qu'hypocrite.

Je fixe son bras en parlant, car je n'ose plus regarder son visage. Je remarque les taches d'humidité sur l'étoffe de sa manche, puis la bordure en dentelle cousue à tout petits points. Par qui ? Par Grace elle-même, ou par sa mère ?

163

À moins qu'elle n'ait une sœur aussi bonne couturière qu'Abby. Je me demande aussi d'où lui vient ce surnom « Billy » qu'a utilisé Chester – non, Carl, il se prénomme Carl. Est-ce une idée du père de Grace ? Peut-être avait-elle plutôt un frère qui l'appelait ainsi. C'est le genre de diminutif qu'un frère peut donner à sa sœur. Lawton fut le premier à me surnommer « Mattie ». J'aurais tellement préféré « Tillie ». Ou « Millie ». Ou « Tilda ». Ou même « Hilda ».

J'ouvre une nouvelle lettre.

South Otselic, 20 juin 1906

Mon cher Chester,
Je t'écris pour t'annoncer que je retourne à Cortland. Je ne peux rester ici plus longtemps. Maman s'inquiète, elle se demande pourquoi je pleure autant, pourquoi j'ai l'air souffrante. Je t'en prie, viens me chercher, mon chéri... J'ai de terribles maux de tête. Je suis terrifiée à l'idée que tu ne viennes pas... Tu m'avais promis de venir, et j'ai beau être sûre que tu tiendras parole, à certains moments le doute s'empare de moi, et je suis certaine du contraire... Ce soir, Chester, il n'y a pas plus malheureux que moi, et tout cela à cause de toi. Je ne pense pas vraiment ce que j'écris, mon chéri. Tu as toujours été extrêmement gentil pour moi, et je sais que tu le seras toujours. Tu ne te comporteras pas comme un lâche, j'en suis persuadée...

Moi qui espérais que cette lettre apporterait de bonnes nouvelles... J'en ouvre une autre.

South Otselic, le 21 juin 1906

Mon cher Chester,
Je m'apprête à me coucher, et je me sens si mal que je ne puis m'empêcher de t'écrire. Ce matin je ne me suis levée qu'à huit heures, vers dix heures j'ai eu un étourdissement et je me suis recouchée jusqu'au déjeuner. Cet après-midi, mon frère m'a apporté la lettre d'une fille de l'usine, et en la lisant je me suis encore évanouie. Si je suis revenue ici, Chester, c'est parce que je croyais pouvoir compter sur toi.

164

Désormais, je ne pense pas prolonger mon séjour au-delà de vendredi. Cette fille me racontait que tu avais l'air de bien t'amuser, et que mon retour chez moi devait te réussir car elle ne t'avait pas vu aussi joyeux depuis des semaines... J'aurais dû me douter que tu ne m'aimais pas, Chester, mais, curieusement, je te faisais confiance, à toi plus qu'à quiconque...

Des voix résonnent devant la fenêtre. Des voix d'homme. Je me fige.

— ... pense qu'en fait, son nom est Gillette.

C'est M. Morrison qui parle.

— Qui donc pense cela ? demande M. Sperry.

— Mattie Gokey.

— Elle te l'a dit ?

— Absolument. Elle prétend avoir entendu la jeune femme l'appeler Gillette. Chester Gillette.

— Mince, Andy. Et moi qui ai appelé le commissariat d'Albany pour les informer qu'un certain Carl Grahm s'était sûrement noyé et leur demander de prévenir la famille ! Dans le registre, il était inscrit sous le nom de « Carl Grahm, Albany », pas sous celui de « Chester Gillette »...

Les voix s'éloignent. De retour du hangar à bateaux, les hommes traversent sûrement la pelouse située à l'ouest pour se diriger vers le porche. Or je sais qu'ils ont l'habitude de prendre un verre le soir, et que le whisky se trouve au salon.

Aussitôt je quitte la pièce, longe le couloir, traverse le hall au pas de course, m'élance dans l'escalier. Alors que j'atteins le palier du premier étage, la porte s'ouvre et je m'accroupis derrière la balustrade, n'osant ni bouger ni respirer de peur de faire grincer le parquet ou la rampe.

— ... et il y a aussi des Gillette vers Cortland. Des gens aisés. L'un d'eux possède une usine de confection, déclare M. Sperry, refermant la porte derrière lui.

— South Otselic, la localité d'où vient cette jeune femme... ce ne serait pas près de Cortland ? interroge M. Morrison.

— À une vingtaine de kilomètres. Mme Morrison a-t-elle réussi à contacter ses proches ?

— Oui. Une famille d'agriculteurs.

M. Sperry laisse échapper un profond soupir.

— Bizarre… On aurait pu s'attendre qu'ils soient l'un à côté de l'autre.

— Quoi ? Les deux patelins ?

— Non, les corps. Dans l'eau. Normalement, on aurait dû les retrouver côte à côte. Il n'y a pas de courant dans cette partie de la baie. Pas assez fort pour déplacer un cadavre, en tout cas.

M. Sperry se tait quelques instants avant de lancer :

— On boit un verre pour finir la soirée, Andy ?

— Volontiers.

— Je vais chercher la bouteille. Mais installons-nous sous le porche. Ce ne serait pas convenable de boire au salon. Pas ce soir.

M. Sperry disparaît dans le couloir tandis que M. Morrison s'affaire à la réception, ouvre son courrier, trie les messages téléphoniques, vérifie le télégraphe. Je suis toujours immobile sur le palier.

Au bout de quelques minutes, M. Sperry réapparaît, tenant une bouteille d'une main et deux verres de l'autre.

— Elle était si jeune, Andy. Tout juste sortie de l'adolescence, murmure-t-il.

M. Morrison ne semble pas l'avoir entendu.

— Regarde, Dwight, dit-il, contournant le comptoir.

— De quoi s'agit-il ?

— D'un télégramme en provenance d'Albany. Signé du commissaire. Au sujet de Carl Grahm.

— Que dit-il ?

— Que personne de ce nom n'habite la ville.

Les deux hommes échangent un regard perplexe avant de sortir sous le porche. Quant à moi, je monte comme une flèche jusqu'au dortoir, je replace les lettres de Grace Brown sous mon matelas, je me mets au lit et me bouche les oreilles en priant le ciel pour que le sommeil vienne.

de guingois, gâté, chouiner, ronchon

— Mattie, mon chou, as-tu assez de chiffons à poussière ?

— Oui, tante Josie.

D'ordinaire, ma tante se souciait peu de savoir s'il me manquait quelque chose, et jamais elle ne m'appelait « mon chou ».

— J'ai invité le révérend Miller à prendre le thé demain ; tu veilles à ce que mes figurines étincellent n'est-ce pas ?

— Oui, tante Josie.

En réalité, elle ne s'inquiétait guère pour ses figurines. Elle vérifiait surtout que j'étais occupée à épousseter sur mon escabeau, à bonne distance de la porte du salon, trop loin pour entendre ce qu'elle disait ou voir ce qu'elle faisait. Cette porte fermait mal. Après deux jours de pluie, le bois était gonflé par l'humidité. En me baissant et en me tordant le cou, j'apercevais tante Josie et Alma McIntyre dans l'entrebâillement, assises à la table de la cuisine. Ma tante examinait une enveloppe à la lumière de la lampe.

— C'est du vol, Josie ! Nous volons le courrier d'Emmie Hubbard, protesta Mme McIntyre.

— Nous ne volons rien du tout, Alma. Nous portons secours. Nous essayons simplement d'aider une voisine.

— Arn Satterlee m'a donné cette lettre juste avant la

167

fermeture de midi. Il faut qu'elle parte à la levée de quatorze heures, sinon Emmie ne l'aura pas aujourd'hui.

— Elle partira à temps, Alma ; il y en a pour une minute...

Ma tante ajouta quelque chose, trop bas pour que je comprenne. Je descendis de l'escabeau et le rapprochai de la porte.

— Tout va bien, Mattie ?

— Oui, tante Josie. Je déplace juste l'escabeau.

— Pas trop près de la porte ! Le sol est irrégulier à cet endroit, l'escabeau serait de guingois. Je ne voudrais pas que tu tombes, ma chérie.

— Aucun risque, tante Josie.

« De guingois » signifie « bancal ». Jamais Mlle Parrish, notre ancienne institutrice, ne nous laissait employer ce genre de mots dans nos rédactions, mais Mlle Wilcox, si. Elle les qualifiait de pittoresques. Elle prétendait que Mark Twain avait un talent particulier pour reproduire le patois du Mississippi, et que, en réussissant à faire parler l'ivrogne du village ou le garnement qui fait l'école buissonnière comme dans la réalité, il avait révolutionné la littérature. Je décidai que « de guingois » serait mon mot du jour, même si ce matin-là j'étais tombée sur « rectitude ». D'ailleurs, « de guingois » figurait-il seulement dans le dictionnaire ? Ou « gâté », pour parler du beurre rance ? Ou « chouiner », qui veut dire pleurnicher, pousser les mêmes gémissements aigus que Beth quand on lui refuse quelque chose ? Ou encore « ronchon », pour décrire l'air contrarié de certaines personnes. Comme tante Josie au moment où Mme McIntyre s'écria :

— Josie, je te l'interdis !

— Moins fort, Alma...

— Josephine Aber, je te rappelle que je suis employée par le gouvernement, que j'ai prêté serment et juré sur l'honneur de respecter les lois de ce pays, et qu'ouvrir le courrier d'autrui représente une violation caractérisée de ces mêmes lois !

— Eh bien moi je te rappelle, Alma McIntyre, que notre

gouvernement n'existe que pour le peuple et par le peuple !

— Quel rapport ?

— Je fais partie du peuple, Alma, et donc du gouvernement. C'est l'argent de mes impôts qui sert à payer ton salaire, ne l'oublie pas.

— Oh, je ne sais plus que penser...

— Vraiment, Alma, je te croyais plus compatissante. Tu ne t'intéresses donc pas au sort d'une pauvre femme veuve avec six enfants et un bébé ? Tu ne t'en soucies pas le moins du monde ?

Je levai les yeux au ciel. Ma tante se fichait complètement du sort d'Emmie Hubbard ; elle voulait seulement être la première à savoir ce qui allait lui arriver.

— Mais si, je m'en soucie !

— Dans ce cas...

— Bon, d'accord, mais dépêche-toi.

J'entendis l'eau couler, la bouilloire qui se remplissait, mais je savais que les deux femmes n'étaient pas en train de faire du thé. J'avais compris par leur conversation qu'Arn Satterlee venait d'envoyer une lettre à Emmie Hubbard. Or, si Arn était l'expéditeur et Emmie la destinataire, il ne pouvait s'agir que d'impôts.

— Regarde, Alma ! Ô mon Dieu ! Arn Satterlee va mettre les terres d'Emmie Hubbard aux enchères !

J'en arrêtai d'épousseter.

— Non !...

— Si, Alma ! C'est marqué là ! Il va les mettre aux enchères pour récupérer les arriérés d'impôts. Elle doit douze dollars et soixante-dix cents, et elle n'a pas payé un sou.

— Mais pourquoi, Josie ? Pourquoi maintenant ? Emmie paie toujours ses impôts en retard.

— Parce qu'elle est « habituellement sans ressources »... Tiens, c'est écrit noir sur blanc.

— Quelle absurdité ! Cette année-ci n'est pas différente des autres. Arn envoie un avertissement à Emmie, il hypothèque ses terres si le comté l'y oblige, mais il ne va jamais jusqu'à les mettre en vente.

— Lis plutôt ça, Alma. Il est question d'un acquéreur potentiel, déclara ma tante.

— Qui est-ce ?

— On ne le précise pas. On parle seulement de « renseignements pris en toute discrétion par une personne intéressée ».

— Mais qui serait intéressé ? Un voisin d'Emmie ?

— Je me demande bien lequel. Elle n'en a que trois. Aleeta Smith, qui ne lui jouerait jamais un tour pareil. Pas plus que Michael Gokey, d'ailleurs. Et quand bien même, ils n'en auraient pas les moyens. Ils tirent le diable par la queue. Reste Frank Loomis, et je doute qu'il ait assez d'économies. Pas maintenant qu'il a acheté ce nouvel attelage, et que cette pauvre Iva se promène tous les jours de la semaine dans la même robe en lin usé.

Il y eut un silence, rompu par Alma McIntyre.

— De toute façon, il n'a sûrement pas envie qu'Emmie s'en aille.

Leurs voix se réduisirent alors à un chuchotement. J'eus beau tendre l'oreille à m'en tordre le cou, je n'entendais plus rien. Seulement : « … une honte, Josie… », et : « … je ne le supporterais pas… », ou encore : « … pour l'engrosser, pas de problème… ». Ne comprenant pas de quoi elles parlaient, j'en conclus qu'elles devaient dire du mal d'Emmie, comme tout le monde ou presque.

Elles se turent quelques instants, puis ma tante fit claquer sa langue.

— J'en mets ma main au feu, Alma, personne de chez nous n'irait faire une chose pareille. C'est quelqu'un de New York, j'en suis sûre. Un homme d'affaires véreux, je parie, et qui cherche un terrain bon marché pour construire un hôtel.

— Mais c'est affreux, Josie ! Que vont devenir ces malheureux enfants ?

— Le comté les placera sans doute.

— Pauvres petits !

— Compte sur moi pour découvrir le coupable, Alma.

— Comment ?

— En questionnant Arn Satterlee.

— Tu ne peux pas faire ça ! Sinon, il saura que nous avons ouvert sa lettre.

— Alors j'attendrai quelques jours. Le temps qu'Emmie la reçoive et ameute tout le comté. Mais je découvrirai la vérité, Alma, crois-moi.

J'en avais assez entendu. Je descendis de l'escabeau et traversai la pièce en le traînant derrière moi jusqu'à la cheminée. Son manteau était couvert de figurines, au milieu desquelles trônait une pendule en bronze. Je l'astiquai sans ménagement tant j'étais contrariée.

Où Emmie allait-elle trouver une telle somme ? Je connaissais la réponse : « Nulle part. » Ses voisins la lui auraient sûrement prêtée, mais aucun d'eux n'était assez riche. Contrairement à tante Josie, qui avait les douze dollars et soixante-dix cents, et bien plus encore. Si elle s'inquiétait vraiment du sort d'Emmie Hubbard et de ses enfants, elle aurait pu les leur donner. Et si elle s'inquiétait vraiment du mien, elle aurait pu m'aider à partir étudier à New York. Malheureusement, elle ne se souciait que d'une chose : ses maudites figurines !

Emmie allait perdre sa maison et ses terres, et le comté lui retirerait ses gosses. L'idée que les enfants puissent être arrachés à leur mère, puis séparés et envoyés dans des fermes inconnues m'était insupportable. Surtout quand je pensais à Lucius, le bébé, encore si petit.

Telle était, une fois de plus, la triste réalité, et j'en avais assez qu'elle soit aussi triste.

Quand la pendule fut astiquée, je saisis la figurine la plus proche. C'était un ange sur la robe duquel on lisait ces mots : *Dieu tout-puissant, donne-nous assez de sérénité pour accepter ce qui ne peut être changé, le courage de transformer ce qui peut l'être, et la sagesse permettant de distinguer entre les deux.*

Et si on trouvait la tâche impossible ? Si on ne pouvait ni changer les choses ni s'en accommoder ?

D'un geste sec, je cassai la tête de l'ange. Ainsi qu'une aile, puis l'autre, puis les deux bras. Après lui avoir demandé s'il se sentait toujours aussi serein, je fourrai les morceaux dans ma poche.

L'essentiel de ma colère était tombé. Je ravalai le reste.

au.gure

— Et si nous allions à Inlet voir la vitrine de chez O'Hara ? suggéra Ada Bouchard. Ils ont reçu de jolis tissus d'été.

— On pourrait aussi marcher jusqu'à Moss Lake, répondit Abby.

— Ou jusqu'à Dart's Lake, enchaîna Jane Miley.

— Pourquoi ne pas rendre visite à Minnie Compeau et à ses bébés ? proposa Frances Hill.

— Ou lire sous les pins, ajoutai-je.

— Lire ? Par une si belle journée ? Tu as perdu la raison, Mattie, répliqua Frances. Tirons à la courte paille. C'est la gagnante qui décidera.

Rassemblées toutes les cinq à l'entrée d'Uncas Road, nous nous concertions. Nous partions nous promener, mais restait à décider où. En ce magnifique samedi après-midi de printemps, nous avions réussi à échapper aux corvées habituelles, à nos parents, à nos jeunes frères et sœurs. Pour bavarder, nous amuser et profiter du beau temps pendant quelques heures.

Frances cassa quelques brindilles, veillant à ce qu'il y en ait bien une plus courte que les autres. Nous nous apprêtions à tenter notre chance quand le sort décida pour moi. Une carriole s'arrêta près de nous, tirée par deux chevaux bais.

— Ça alors ! Royal Loomis ! s'exclama Frances. Quel bon vent t'amène par ici ?

Bien qu'ils soient cousins tous les deux, ils ne se ressemblent pas. Elle a les cheveux roux et frisés, les yeux noirs comme de la mélasse, et elle est aussi mince qu'un bâton de dynamite.

Je vis Ada arranger furtivement une mèche de cheveux derrière son oreille, et Jane se pincer les lèvres pour les rendre plus rouges.

Royal haussa les épaules.

— J'étais parti faire un tour, et je me suis retrouvé ici.

— Tu viens admirer le lac ? ironisa Frances.

— En quelque sorte.

— Comme c'est romantique !

— Tu n'as donc rien à faire, Fran ? Pas d'enfants à garder ni de chatons à noyer ?

— Bon, je sens que je suis de trop !

— Bien vu... As-tu envie de faire un tour en carriole, Matt ?

Je faillis tomber à la renverse.

— Moi ? murmurai-je, la main en visière pour vérifier qu'il ne blaguait pas.

— Allez, monte !

Hésitante, je consultai mes amies du regard. Fran me fit un clin d'œil.

— Vas-y, souffla-t-elle.

Jane me dévisageait comme si elle ne m'avait jamais vue.

— Dans ce cas... d'accord, dis-je en grimpant dans la carriole.

Dès que je fus installée, Royal donna d'un coup de rênes le signal du départ à ses chevaux. Jane se pencha vers Ada et lui confia quelque chose à l'oreille. J'allais être au centre des conversations de mes amies durant le reste de la journée, voire de la semaine. Quelle étrange sensation, à la fois troublante et jubilatoire ! *Déligoissante ?*

Royal se montra peu loquace tandis que nous roulions vers l'ouest pour rejoindre Big Moose Road. Moi aussi. J'étais trop occupée à m'interroger sur son apparition imprévue.

— Ça te dirait, d'aller chez Higby ? lança-t-il enfin. Le type qui s'occupe du hangar à bateaux est un ami. Il prépare les barques pour la saison. Il nous en prêtera sûrement une.

— Entendu...

Je me trouvais dans une situation insolite. S'agissant d'une autre fille, j'aurais dit que Royal en était amoureux, mais je ne nourrissais pas ce genre d'illusions à mon sujet. J'eus soudain des soupçons.

— Si tu crois pouvoir m'embrasser à nouveau, ou... autre chose, Royal, tu te trompes.

Il me regarda à la dérobée.

— C'est bon, Matt, je ne te toucherai pas. Seulement si tu le souhaites.

— Aucunement. Et je ne plaisante pas.

« Je ne suis pas un cobaye, pensai-je. Pas question que tu testes tes talents sur moi avant d'aller retrouver Martha Miller. »

— Alors on fait juste une promenade en barque, d'accord ?

— D'accord.

— Parfait.

Devant chez Higby, Royal détacha ses chevaux, puis les enferma dans le corral. Son ami nous permit de prendre une barque et Royal m'emmena à la rame jusqu'à Big Moose, sans même se mettre debout pour faire le malin. Assise en face de lui, j'avais le souffle coupé par la beauté de cette journée printanière au milieu de la forêt. Quand Royal fut las de ramer, il laissa dériver la barque sous les sapins hirsutes qui bordaient la rive. Il parlait peu, mais il me montra une famille de colverts, un couple de harles huppés et un héron cendré. En le voyant suivre des yeux le héron qui prenait son envol, je me demandai si je ne m'étais pas trompée sur son compte. J'avais toujours considéré qu'il ne savait pas s'exprimer, mais peut-être avait-il une autre forme d'éloquence. Peut-être appréciait-il autre chose que les mots : la beauté sombre de ce lac, ou la majesté de la forêt. Peut-être son silence ne servait-il qu'à masquer les bouillonnements de son âme.

Il eut tôt fait de dissiper cette idée incongrue.

— La nuit dernière, une mouffette a dévoré tous les poulets de la basse-cour. Il y avait des plumes et des viscères partout. Ces poulets étaient à moi. Je comptais les engraisser et les vendre à l'automne.

— Désolée de l'apprendre, Royal.

Il soupira.

— Il me reste au moins la poule. Elle devrait bientôt se remettre à couver, et si elle ne le fait pas, elle sera bien dodue et bonne à manger.

— Sûrement.

— N'empêche que je perds de l'argent dans cette histoire. Alors que j'économise dur pour pouvoir m'installer à mon compte.

— Ah bon ? Pour quoi faire ?

— Je voudrais avoir ma propre ferme. La terre coûte de plus en plus cher, par ici. De nos jours, mieux vaut mettre quelques dollars de côté. J'aimerais aussi construire une laiterie. Peut-être même une fromagerie. On peut gagner très bien sa vie en faisant du fromage. Ça se garde.

Il s'interrompit quelques instants.

— Ce n'est pas toi qui m'apporteras les terres dont j'ai besoin, Matt. Rien que pour mon troupeau de vaches laitières, il me faudrait vingt-cinq hectares. Et vingt-cinq autres pour les moutons. Plus dix pour le blé, dix pour les pommes de terre, et dix pour le verger. De quoi fournir les hôtels du coin en fruits rouges tout l'été !

— Certes, dis-je en laissant flotter ma main au fil de l'eau.

Je la secouai, la portai à mes yeux pour mieux voir Royal. Il était penché en avant, bras croisés sur les genoux, le visage de profil. Puis il se tourna vers moi, me sourit, et mon cœur fit un bond dans ma poitrine. Voilà donc ce qu'on ressentait lorsqu'on était jolie ?

— Il t'arrive de faire la cueillette des baies, Matt ? Moi, je préfère y aller le soir à la fraîche, à l'heure où chantent les grillons. Tu as remarqué comme tout sent bon à ce moment-là ? Ces temps-ci, je guette les premières fraises des bois. Elles ne devraient plus tarder. Celles des fraisiers que j'ai plantés il y a deux ans ne seront pas mûres avant fin juin. L'an passé, j'en ai récolté des tonnes. Papa les emportait pour les vendre en livrant son lait. La cuisinière du Dart Hotel prétendait qu'elle n'en avait jamais goûté d'aussi parfumées. Grâce à la somme que j'en tirerai cette année, je me rachèterai des poulets. Les fraises, c'est de l'argent facilement gagné. La cueillette n'est même pas une corvée, quand on la fait au crépuscule...

Royal Loomis semblait intarissable. Depuis que je le connaissais, jamais je ne l'avais entendu discourir ainsi. Sans doute parce que je n'abordais pas les sujets qui l'intéressaient. Sur les travaux de la ferme, en revanche, il devenait quasiment lyrique. Pour la première fois, j'avais l'impression de percer ses secrets. Mais prendrait-il la peine d'essayer de découvrir les miens ?

Lorsqu'il eut fini de disserter sur les poulets, le fromage et les fraises, je pris la parole à mon tour. J'évoquai l'examen que j'avais passé, les notes que je venais de recevoir, mais je voyais bien qu'il m'écoutait d'une oreille distraite. Je lui résumai le livre que j'étais en train de lire, sans plus de succès. Alors je lui parlai de Barnard College. Du fait que même si ma tante refusait de me prêter la somme nécessaire, même si oncle Fifty n'avait pas tenu sa promesse, même si je savais que je ne pouvais pas y aller, je ne me résignais pas.

— Tu vas partir ? demanda Royal.

— J'aimerais bien...

— Mais pourquoi ? Qu'espères-tu donc ? Pourquoi aller à New York pour lire des livres ?

— Afin d'être un jour capable d'en écrire à mon tour, Royal. Je te l'ai déjà expliqué.

J'avais tellement à cœur de le convaincre. Mais il ne m'entendit pas : il était trop occupé à tenter de me dissuader.

— Ça ne te suffit pas de lire ici ? Les études coûtent une fortune et New York est un endroit dangereux.

— Restons-en là, rétorquai-je. Je n'aurais jamais dû t'en parler. Tu ne m'écoutes même pas.

Il s'avança jusqu'à ce que ses genoux touchent les miens.

— Si, je t'écoute, mais ça ne tient pas debout. Pourquoi es-tu toujours en train de lire sur la vie des autres ? Tu ne trouves pas la tienne assez intéressante ?

Trop émue, je ne répondis pas. De toute façon, ce ne fut pas nécessaire car Royal m'embrassa. Alors que je le lui avais interdit. Il m'embrassa et je lui rendis son baiser, ce qui, après tout, tenait lieu de réponse.

Nous échangeâmes d'abord de simples baisers, suivis d'un vrai, sur la bouche. Puis Royal me prit dans ses bras et me serra contre lui du mieux qu'il pouvait sur une barque, et ce fut une sensation merveilleuse. Personne ne m'avait serrée ainsi depuis la mort de maman. J'aurais aimé pouvoir décrire ce que j'éprouvais. « Augure », mon mot du jour, qui désigne à la fois un présage et celui qui l'annonce après observation des signes, n'avait de toute évidence rien à voir à ma situation présente. Je me sentais bien dans les bras de Royal. Les paupières closes, au chaud et avide de caresses.

Il posa la main sur mes seins, plus délicatement que la première fois, et le contact de ses doigts sur ma peau me coupa le souffle, mais je le repoussai quand même. Pourquoi veut-on toujours ce qui est interdit ?

— Arrête, Royal. Sinon je saute à l'eau, je te le jure.

— S'il te plaît, Mattie, murmura-t-il. C'est permis, entre un garçon et une fille… du moment qu'ils se fréquentent.

Je me dégageai, stupéfaite.

— Parce qu'on se fréquente ? Première nouvelle, Royal !

— Pourquoi crois-tu que je t'ai emmenée faire un tour en barque ? Que je t'ai embrassée dans les bois le jour où ta vache s'est échappée ? Et que j'ai labouré ton champ ? Pour quelqu'un qui lit autant de livres, tu ne comprends vraiment pas vite !

— Mais Royal… je pensais… Il paraît que Martha Miller et toi étiez comme fiancés.

— Les gens parlent trop, et toi aussi.

De nouveau il m'embrassa, et je tentai de me persuader que tout cela était ridicule. Jamais Royal ne m'avait témoigné le moindre intérêt, sauf cet unique baiser le jour où Daisy s'était enfuie, et voilà maintenant que nous nous fréquentions ! Mais il avait des lèvres si douces, des mains si rassurantes et dangereuses à la fois... Je savais que je devais les arrêter, comme je devais l'arrêter, lui aussi, retrouver ma voix pour lui dire non. Et pourtant la chaleur de son corps sous mes paumes, son odeur de savon et de sueur mêlés, le goût même de sa peau, eurent raison de moi.

Je fermai les yeux, oubliant tout sauf Royal si près de moi. Seule comptait ma propre histoire.

Alors je me tus. Je ne dis pas un mot.

gla.ner

— Arrête, Lou !

— ... Mattie a les yeux dans le vague, elle est amoureuse...

— Je t'ai dit d'arrêter !

— ... Mattie est amoureuse...

— Lou !

— Tu rougis, Matt ! Tu es amoureuse de Royal Loomis ! Je le sais !

— Personne n'est amoureux. Cesse de répéter ça !

Lou se remit à chantonner sa stupide ritournelle, mais quelque chose de bien plus intéressant pour elle apparut alors au détour de la route. Une automobile. Ce ne pouvait être que celle d'un touriste fortuné, ou de M. Sperry, ou encore de Mlle Wilcox. Personne d'autre n'avait les moyens de s'offrir une voiture. À notre vue, le conducteur donna un coup d'avertisseur. L'automobile obliqua vers nous. J'entraînai Lou sur le bas-côté par une bretelle de sa salopette.

— Lâche-moi, Matt ! gémit-elle. Je veux voir cette voiture.

Le conducteur s'arrêta et coupa le contact. C'était notre institutrice. Elle jeta la cigarette qu'elle avait à la main et retira ses lunettes.

179

— Bonjour, Mattie ! Bonjour, Lou ! s'écria-t-elle, les joues rosies par le vent.

Elle portait une pelisse couleur fauve, des gants, un foulard en soie fleurie pour protéger ses cheveux.

— Bonjour, mademoiselle Wilcox !

— Où allez-vous, toutes les deux ?

— Nous revenons de chez George Burnap, expliquai-je. Notre mulet a déchiré son harnais. Il avait besoin d'être réparé.

— Je vois. Eh bien moi, je suis allée faire un tour. Jusqu'à Beaver River. Ma première promenade depuis l'automne ! Les routes sont enfin praticables. Que c'est beau, là-haut ! Quel sentiment de liberté on éprouve ! Mais maintenant, je suis affamée. Conduire me donne toujours faim. Et si vous montiez en voiture avec moi ? Je vous emmène déjeuner à la maison.

L'automobile de Mlle Wilcox me faisait peur.

— Il vaut mieux que nous rentrions, mademoiselle, répondis-je. Mon père va s'inquiéter. Et il attend le harnais.

— Oh, accepte, Matt ! Papa ne dira rien, supplia Lou.

— Voilà ce que je propose : vous venez déjeuner chez moi, et ensuite je vous reconduis chez vous. Cela vous fera gagner du temps.

— Matt, s'il te plaît…, insista Lou.

— Bon, d'accord, concédai-je, plus pour faire plaisir à Mlle Wilcox qu'à ma sœur.

Malgré ses extravagances et sa surexcitation, notre institutrice me semblait un peu solitaire. Et je mourais de curiosité. Je n'étais encore jamais entrée chez elle. À voir l'élégance de ses vêtements, de ses bijoux, et la taille de son automobile, qui pouvait dire à quoi ressemblait son intérieur ?

La manivelle à la main, elle descendit de voiture et entreprit de lancer le moteur. Après force toussotements et crachotements, il finit par démarrer dans un bruit de canonnade. Je sursautai violemment. Mlle Wilcox éclata de rire. Elle riait beaucoup. Je savais qu'elle était riche, et je me demandai si tout paraissait toujours aussi drôle, quand on avait autant d'argent.

— Ça alors, Matt ! On dirait papa aux toilettes, gloussa Lou.

— Tais-toi donc ! Et monte à l'arrière, soufflai-je, en espérant que notre institutrice n'ait rien entendu.

Lou obéit, mais seulement après avoir récupéré avec l'agilité d'une belette le mégot jeté par Mlle Wilcox. Je tentai de le lui arracher, mais elle le fourra dans sa poche en levant le menton d'un air de défi.

Dès que nous fûmes installées, Mlle Wilcox passa la première et la voiture s'ébranla.

— Belle machine, non ? lança-t-elle en se tournant vers moi. Elle est toute neuve. Avant, j'avais une Packard. Du temps où j'habitais New York. Mais à la campagne, une Ford est plus pratique.

J'acquiesçai de la tête sans quitter la route des yeux. Il fallait bien que quelqu'un regarde où nous allions.

— C'est merveilleux d'être au milieu des bois, reprit Mlle Wilcox, faisant une embardée pour éviter un écureuil. Quelle liberté ! On peut vivre à sa guise sans que personne n'y trouve à redire.

« Mais on alimente les conversations ! » répondis-je en mon for intérieur.

« Glaner », mon mot du jour, tombait à pic. Ce verbe à la fois humble et ancien signifiait au départ « ramasser les épis laissés par les moissonneurs », mais son sens a évolué, se dédoublant telle une image vue à travers un prisme. D'origine rurale, il ne s'applique plus seulement aux paysans. Tante Josie a beau n'avoir jamais ramassé un seul épi dans les champs, c'est une glaneuse à sa manière. Elle recueille tout ce que laissent échapper ses interlocuteurs – allusions, potins, lapsus – dans l'espoir de lever un lièvre, de réunir assez de bribes d'information pour avoir une histoire à raconter.

Mlle Wilcox s'éloigna d'Eagle Bay et roula vers Inlet pendant deux kilomètres. Dominant Fourth Lake, l'ancienne maison du docteur Foster est un vaste chalet de rondins aux fondations en pierre. Le docteur Foster, célibataire endurci originaire de Watertown, l'avait fait construire par amour de la forêt pour y finir ses jours. Le

181

mot « chalet » n'a pas la même signification pour tout le monde. Pour papa, c'est un appentis. Pour les gens de la ville, une véritable maison dotée de tout le confort mais ayant l'apparence d'une cabane. Selon tante Josie, l'industriel John Pierpont Morgan aurait des flûtes à champagne en cristal dans son chalet de Lake Mohegan, ainsi qu'un piano Steinway et le téléphone dans chaque pièce, sans compter une bonne dizaine de domestiques. Alfred G. Vanderbilt posséderait même un lavabo avec des robinets en or massif dans la salle de bains de sa maison de Sagamore. Le docteur Foster, quant à lui, est mort depuis longtemps. Sa sœur a hérité du chalet. D'habitude, elle le loue, l'été, à des familles nombreuses avec assez d'enfants, d'oncles, de tantes et de grands-parents pour remplir toutes les chambres et la véranda, mais mon institutrice y vivait seule et à l'année.

Elle se gara dans l'allée en forme de fer à cheval qui entoure la maison et nous fit entrer. Voyant la sonnette, Lou demanda la permission de s'en servir et carillonna jusqu'à ce que je l'entraîne par le bras. Il faisait frais et sombre à l'intérieur, une odeur de savon noir flottait dans l'air. Des tapis recouvraient le sol, les murs étaient lambrissés jusqu'à mi-hauteur, de lourdes tentures en velours arrêtaient les rayons du soleil. Sur les murs il y avait des tableaux représentant des cerfs ou des truites, des miroirs à cadre doré, de ravissantes assiettes à motifs bleus et blancs. C'était magnifique, et surtout silencieux. Tellement silencieux que je distinguais le tic-tac d'une pendule à deux pièces de là, le moindre grincement du parquet sous mes pas. Je m'entendais presque penser. Chez moi, il ne régnait jamais un silence aussi profond.

Mlle Wilcox nous fit quitter l'entrée et traverser des pièces où personne ne semblait avoir pénétré avant nous, remplies de meubles et de sièges où personne ne semblait s'être assis, jusqu'à une immense cuisine étincelante où personne ne semblait avoir préparé un seul repas. Là, notre institutrice entreprit de nous confectionner de petits sandwichs raffinés, allant même jusqu'à retirer la croûte du pain, après quoi elle sortit d'une boîte de minuscules gâteaux recouverts d'un glaçage et remplit la théière. Je lui proposai mon aide, mais elle refusa.

— Il y a vraiment personne d'autre qui vit ici, mademoiselle Wilcox ? s'enquit Lou, inspectant du regard le fourneau immaculé, le sol encaustiqué, les placards sans la moindre trace de doigts et auxquels ne manquait aucune poignée.

— Lou…, soufflai-je pour la rappeler à l'ordre.

— Non, Lou, je suis toute seule. Et on ne dit pas : « Il y a personne », mais : « Il *n'y* a personne. »

Après avoir digéré cette affirmation, Lou revint à la charge :

— Vous avez fait des bêtises, mademoiselle Wilcox ?

Notre institutrice lâcha son couteau, qui tomba avec un bruit métallique sur le plan de travail. Elle se tourna vers ma sœur.

— Des bêtises ? Pourquoi cette question, Lou ?

— Quand j'en faisais, maman m'envoyait m'asseoir au salon. Pendant une heure entière. Avec la porte fermée. C'était horrible. Vous êtes punie, vous aussi ? C'est pour ça que vous vivez toute seule ?

Mlle Wilcox porta la main à sa gorge. Elle se mit à tripoter les perles de son collier d'ambre.

— J'aime vivre seule, Lou. J'apprécie le calme et la solitude. J'ai beaucoup de livres à lire, vois-tu ? Et beaucoup de cours à préparer pendant l'année scolaire.

Lou hocha la tête, l'air sceptique.

— Si vous vous ennuyez, on pourrait vous prêter Barney, notre chien. Il vous tiendrait compagnie. Il a des gaz, mais il est très gentil. Jamais il ferait pipi sur le canapé, par exemple. De toute façon, il y voit si mal qu'il le trouverait pas…

— Lou ! m'exclamai-je.

— Quoi ? Oh, zut… J'ai encore oublié la négation. Jamais il *ne* ferait pipi sur le canapé. Il *ne* le trouverait pas.

Visiblement, mademoiselle Wilcox se retenait pour ne pas rire, mais je ne trouvais pas ça drôle. Pas le moins du monde. Lou savait qu'il ne fallait pas poser de questions indiscrètes ni parler des gaz de Barney. Elle connaissait les bonnes manières. Maman les lui avait enseignées comme à nous toutes. Hélas, ma sœur cherchait toujours à se faire remarquer. Par tous les moyens. Avant, elle et papa étaient inséparables, alors qu'à présent il l'ignorait. Comme il nous ignorait toutes les quatre. Elle en souffrait et je m'efforçais d'être patiente, mais parfois elle passait les bornes.

— Et si nous allions déjeuner dans la bibliothèque ? suggéra Mlle Wilcox, nous interrogeant du regard.

— Quelle bibliothèque ? Celle du bateau-épicerie ? demanda Lou, l'air perplexe.

Je ne la grondai pas, car je me posais la même question. Cette fois, Mlle Wilcox ne put se retenir de rire.

— Non, ici même, dans la maison. Venez.

Elle disposa notre déjeuner sur un plateau, ainsi que des assiettes et des serviettes de table, puis, nous devançant, elle quitta la cuisine, longea un autre corridor et poussa une grande porte à deux battants.

Je m'arrêtai net devant le spectacle qui s'offrait à moi. Des livres, mais par centaines. Dans des caisses. En piles sur le sol. Emplissant les étagères qui recouvraient tous les murs jusqu'au plafond. Je pivotai lentement sur moi-même, bouche bée comme si je venais de pénétrer dans la caverne d'Ali Baba. J'étais émue aux larmes, grisée par cette abondance de livres.

— Tu ne t'assieds pas pour déjeuner, Mattie ? s'étonna Mlle Wilcox.

C'était le cadet de mes soucis. Je ne comprenais pas comment mon institutrice pouvait manger, enseigner, dormir, et donc se résoudre à quitter cette pièce remplie d'ouvrages qui ne demandaient qu'à être lus.

— Ils appartiennent tous au docteur Forster ? murmurai-je.

— Non, ce sont les miens. Je les ai fait venir de New York. Ils sont un peu en désordre. Je ne trouve pas le temps de les classer correctement.

— Il y en a tellement, mademoiselle Wilcox…

Elle éclata de rire.

— Pas tant que ça. Weaver et toi en avez sûrement déjà lu la moitié.

184

Ce n'était pas vrai. J'apercevais des dizaines de noms inconnus. Eliot. Zola. Whitman. Wilde. Yeats. Sand. Dickinson. Goethe. Et dans la même pile, encore ! Autant de livres où l'on pouvait rencontrer la vie et la mort. Des familles, des amis, des amants, des ennemis. La joie, le désespoir, la jalousie, l'envie, la folie et la fureur. Là, devant moi. J'effleurai la couverture d'un roman intitulé *La Terre*. J'entendais presque les personnages chuchoter et se bousculer à l'intérieur, impatients que je tourne les pages pour leur rendre leur liberté.

— Tu peux emprunter ce que tu veux, Mattie... Mattie ?

Consciente de mon impolitesse, je levai à regret les yeux pour m'intéresser au reste de la pièce. Séparés par une table basse, deux canapés se faisaient face devant une imposante cheminée. Sur l'un d'eux, Lou s'empiffrait de sandwiches en buvant bruyamment son thé. Un bureau placé devant la fenêtre disparaissait sous les crayons, les stylos et une rame de papier blanc. Je touchai la première feuille. Une douceur satinée. D'autres feuilles éparses étaient couvertes de phrases manuscrites disposées comme les vers d'un poème. Mlle Wilcox vint les ranger.

— Pardon. Je ne voulais pas être indiscrète, dis-je, reprenant soudain mes esprits.

— Ne t'excuse pas. Ce ne sont que des brouillons sans intérêt. Tu ne veux vraiment rien manger ?

Je m'assis et pris un sandwich, tandis que Mlle Wilcox glissait dans la conversation qu'elle m'avait vue l'autre jour en carriole avec un grand et beau jeune homme.

— C'est Royal Loomis. Mattie est amoureuse de lui, expliqua Lou.

— Pas du tout ! protestai-je.

Bien sûr, Lou disait vrai. J'étais en adoration devant Royal, mais je ne voulais pas que mon institutrice l'apprenne. Elle ne comprendrait jamais l'attrait de son regard ambré, de ses bras musclés, de ses baisers lors de notre promenade en barque, et je redoutais de la décevoir en avouant que j'étais sous le charme.

Elle haussa le sourcil.

— Je vous assure, insistai-je. Je n'aime aucun des garçons d'ici.

— Pourquoi cela ?

— Parce qu'il est difficile d'aimer quelqu'un après le capitaine Wentworth ou le colonel Brandon. La lecture de Jane Austen a le don de vous détourner des fermiers et des bûcherons.

Mlle Wilcox éclata de rire.

— La lecture de Jane Austen détourne de beaucoup de choses ! Tu aimes ses romans ?

— Un peu.

— Seulement ? Pourquoi ce manque d'enthousiasme ?

— En fait, je pense qu'elle ne dit pas la vérité.

Mon institutrice posa sa tasse de thé.

— Tu crois ?

— Oui, mademoiselle.

— D'où te vient cette idée, Mattie ?

Je n'avais pas l'habitude que mes aînés, même Mlle Wilcox, me demandent mon avis. Intimidée, je dus prendre sur moi pour lui répondre.

— Eh bien, il me semble qu'il y a deux sortes de livres : ceux qui racontent des histoires et ceux qui disent la vérité...

— Continue.

— Les premiers montrent la vie telle qu'on voudrait qu'elle soit. Les méchants sont toujours punis, le héros prend conscience de ses erreurs, il épouse l'héroïne et tout est bien qui finit bien. Comme dans *Raison et sentiments* ou dans *Persuasion*. Les seconds, eux, montrent la vie sous son vrai jour. Comme dans *Huckleberry Finn*, où le père de Huck est un bon à rien d'ivrogne et où Jim l'esclave souffre le martyre. Les premiers incitent à l'optimisme, tandis que les seconds ébranlent nos certitudes.

— Les gens aiment que tout se termine bien, Mattie. Ils n'ont pas envie qu'on ébranle leurs certitudes.

— Vous avez sûrement raison, mademoiselle. Le problème, c'est que le capitaine Wentworth n'existe pas dans la vraie vie, alors qu'il y a beaucoup de pères comme celui de Huck. Et si tout finit par s'arranger pour Ann

Elliott dans *Persuasion*, la plupart des gens n'ont pas autant de chance...

Ma voix tremblait, comme chaque fois que j'étais en colère.

— ... Souvent, j'ai l'impression d'une duperie. Les personnages de roman sont toujours tellement... héroïques. Moi aussi, j'essaie de l'être, mais...

— ... tu n'y arrives pas, enchaîna Lou en léchant ses doigts couverts de moutarde.

— Non, je n'y arrive pas. Dans les livres, tout le monde est plus noble et généreux qu'en réalité, et je me sens parfois... trompée. Par Jane Austen, Charles Dickens ou Louisa May Alcott.

Je haussai le ton.

— Pourquoi faut-il que les écrivains embellissent tout ? Pourquoi ne disent-ils pas la vérité ? Pourquoi n'évoquent-ils jamais le spectacle offert par une porcherie où la truie vient de dévorer ses petits ? Ni les souffrances d'une femme dont le bébé ne veut pas sortir ? Ni le fait que le cancer a une odeur ?

Je désignai la pile devant moi.

— Tenez, mademoiselle Wilcox, je vous parie qu'aucun de ces livres ne décrit l'odeur du cancer. Moi, je peux le faire. Le cancer sent mauvais. Un mélange de viande avariée, de linge sale et d'eau croupie. Pourquoi n'en parle-t-on jamais ?

Durant quelques secondes, personne n'ouvrit la bouche. Je n'entendais que le tic-tac de l'horloge et le son de ma respiration.

Puis Lou déclara calmement :

— Sapristi, Mattie, tu ne devrais pas dire des horreurs pareilles.

Mlle Wilcox ne souriait plus. Elle me dévisageait, me trouvant sûrement aussi morbide et déprimante que l'avait dit Mlle Parrish, et je décidai de prendre congé sur-le-champ.

— Pardon, mademoiselle Wilcox, bredouillai-je, la tête basse. Je ne voulais pas être impolie. C'est juste que... je ne vois pas pourquoi je devrais m'intéresser à ce qui se passe dans un salon de Paris ou de Londres, alors que là-bas personne ne s'intéresse aux habitants d'Eagle Bay.

Mon institutrice avait toujours les yeux fixés sur moi, mais à présent ils étaient brillants de larmes. Comme le jour où elle avait reçu la lettre annonçant mon admission à Barnard College.

— À toi de les y intéresser, Mattie, murmura-t-elle. Et tu n'as pas à me demander pardon.

Elle jeta un coup d'œil à Lou, posa l'assiette de gâteaux devant ma sœur, puis me fit signe de l'accompagner à son bureau. Elle souleva un presse-papiers en verre ayant la forme d'une pomme et prit les deux livres qui se trouvaient dessous.

— *Thérèse Raquin*, et *Tess d'Urberville*, annonça-t-elle solennellement. Ne dis à personne qu'ils sont en ta possession.

Elle sortit la rame de papier de son carton, plaça les deux romans à l'intérieur et les recouvrit de quelques feuilles blanches avant de me tendre le tout. Je souris, persuadée qu'elle dramatisait.

— Diantre, mademoiselle Wilcox, ce ne sont pas des armes à feu !

— Certes, Mattie, mais un livre peut être cent fois plus dangereux.

Après un nouveau coup d'œil à Lou, elle me demanda :

— Ton père a-t-il changé d'avis ?

— Non, mademoiselle. Il ne faut pas y compter.

— Alors accepterais-tu de travailler pour moi ? Comme tu le vois, j'ai besoin d'aide pour ma bibliothèque. J'aimerais que tu viennes ranger mes livres. Séparer les essais des œuvres de fiction, trier les romans, les nouvelles, les pièces de théâtre et les recueils de poésie, puis les aligner sur les étagères par ordre alphabétique. Je te paierai. Un dollar chaque fois.

Nous n'étions qu'au début du mois de mai. En admettant que je travaille pour Mlle Wilcox un jour par semaine pendant tout l'été, j'aurais une quinzaine de dollars en septembre. De quoi m'offrir un billet de train et quelques vêtements. Je mourais d'envie d'accepter, mais je revis

188

Royal me demander pourquoi je lisais toujours des livres sur la vie des autres, je sentis ses lèvres sur les miennes. Ma tante ironiserait sur mes ambitions, et papa dirait que je n'avais pas besoin d'aller chercher du travail chez Mlle Wilcox car il y en avait suffisamment chez nous. Et j'entendais encore maman m'arracher cette fameuse promesse.

— C'est impossible, mademoiselle, répondis-je. Je ne trouverai jamais le temps.

— Bien sûr que si, Mattie. Tu n'en aurais que pour une heure ou deux. Je te reconduirais chez toi en voiture. Viens samedi prochain.

Je secouai la tête.

— Je dois m'occuper du poulailler. Il faut passer les murs à la chaux, et papa veut que ce soit fait avant dimanche.

— Je m'en occuperai, Matt. Avec l'aide d'Abby et de Beth, proposa Lou. Papa n'y verra que du feu. Il sera occupé à labourer. Du moment que le travail est fait, il ne se mettra pas en colère.

Je me tournai vers ma sœur, qui n'était pas censée nous écouter. Je vis sa bouche pleine de miettes, son visage en partie caché par ses cheveux raides, le revers crasseux de la salopette de Lawton tirebouchonné sur ses chaussures. Je vis ses grands yeux bleus pleins d'espoir, et je sentis monter en moi tant d'affection pour elle que je détournai le regard.

— Si tu viens, Mattie, tu pourras emprunter tous les livres que tu voudras. Sans restriction, ajouta Mlle Wilcox.

Je m'imaginai dans cette pièce calme et silencieuse le samedi après-midi, classant ces innombrables piles de livres, glanant mes propres trésors.

Alors je souris, et j'acceptai l'offre de mon institutrice.

dé.hi.scence

Il était sept heures, un soir de mai. Nous avions fini de dîner, rangé la vaisselle, récuré les casseroles, nettoyé le fourneau, couvert le feu, lessivé le sol, mis les serpillières à tremper et nourri Barney. Lou et Beth ciraient leurs chaussures. Abby venait de s'installer près du poêle devant une montagne de chaussettes à repriser. En face d'elle, papa réparait le harnais d'Aimable. Et moi ? Debout au milieu de la cuisine, j'observais chacun des membres de ma famille, si proches que j'aurais pu les toucher, et mon cœur battait à se rompre dans ma poitrine.

Quelques corvées m'attendaient encore. Le coffre à bois près du poêle était presque vide. Il fallait sortir jeter les cendres et Abby aurait eu besoin de mon aide pour raccommoder les chaussettes, mais j'avais l'impression que les murs de la pièce allaient se refermer sur moi. Que j'allais devenir folle si je restais une seconde de plus dans cette prison. Je m'adossai à l'évier et fermai les yeux. J'avais dû soupirer ou grogner, car Abby demanda soudain :

— Qu'y a-t-il, Mattie ?

Rouvrant les yeux, je la vis qui me dévisageait. Comme Lou et Beth. Et même papa. Mon mot du jour était « déhiscence ». Un beau mot, un mot rare. Il désigne le moment où certains fruits, certaines gousses, s'ouvrent pour laisser sortir leurs graines. Comment pouvais-je à la fois

190

apprendre chaque jour un mot nouveau et ne jamais trouver ceux qu'il fallait pour expliquer à ma famille ce que je ressentais ? Je préférai mentir :

— Rien. Tout va bien. Un peu de fatigue, c'est tout. Je… je crois que j'ai oublié de fermer la porte de la grange…

Je courus vers la remise, jetai mon châle sur mes épaules et m'élançai au-dehors, laissant derrière moi le jardin, les toilettes, la terre noire des champs.

Je ne m'arrêtai qu'à la limite orientale de la ferme de mon père, où les champs font place aux bois et où coule un ruisseau, au bord duquel se trouve une petite clairière entourée de tamaris. C'est là qu'est enterrée ma mère.

Quand j'y arrivai, j'étais hors d'haleine. Je fis plusieurs fois le tour de la tombe, essayant de me ressaisir. La tête me tournait, comme le jour où Minnie et moi avions bu en cachette quelques gorgées du cognac de son père. Cette fois je n'étais pas grisée par l'alcool, mais par les livres. J'aurais dû m'en tenir à Zola et à Thomas Hardy, mais je n'avais pu résister. Je m'étais plongée avec gloutonnerie dans *Feuilles d'herbe* de Walt Whitman, *Les Chants d'innocence* de William Blake et *Une musique distante* d'Emily Baxter.

Je les avais empruntés le samedi précédent, lorsque j'étais retournée chez Mlle Wilcox pour commencer à ranger sa bibliothèque. « Je veux bien te le prêter, Mattie, mais à une condition : que tu ne le montres à personne », m'avait-elle dit à propos du recueil d'Emily Baxter. Avertissement superflu. J'étais au courant des remous provoqués par *Une musique distante*. J'avais lu plusieurs articles dans les vieux journaux de tante Josie. La poésie d'Emily Baxter y était présentée comme « un affront à la décence », « une atteinte à l'image de la femme américaine », et « une insulte à la sensibilité féminine ». Mis à l'index par l'Église catholique, le livre avait été brûlé en place publique à Boston.

Je m'attendais à y trouver des mots grossiers, des obscénités et autres horreurs, mais non : il ne contenait que des poèmes. L'un d'eux parlait d'une jeune femme qui s'installait en ville dans un appartement et y dînait seule pour la première fois de sa vie. Il n'était pas triste, pas le moins du monde. Mais dans un autre, une mère de six enfants se pendait de désespoir en se découvrant de nouveau enceinte. Dans un troisième, Pénélope, l'épouse d'Ulysse, mettait le feu à son métier à tisser avant de partir à son tour en voyage. Un autre encore suggérait que Dieu n'était peut-être pas un homme, mais une femme. Sans doute celui qui avait attiré les foudres du pape.

Diantre... Et si ce poème disait vrai ? Le pape se retrouverait-il au chômage ? Le président des États-Unis serait-il remplacé par une femme ? Le gouverneur et le shérif aussi ? Et dans le mariage, serait-ce désormais le mari qui devrait à son épouse obéissance et respect ? Le droit de vote serait-il réservé aux femmes ?

Les poèmes d'Emily Baxter suscitaient tant d'interrogations et de remises en question qu'ils me donnaient la migraine. Leur lecture me rappelait l'arrachage d'une souche. On tire sur une racine en espérant qu'elle viendra sans difficulté, mais elle va parfois si loin, si profond que l'on se retrouve presque à la ferme des Loomis.

Je respirai à fond. Le parfum de la terre humide et des sapins à la tombée de la nuit m'apaisa quelque peu. J'étais dans tous mes états. Ainsi il existait bien un monde en dehors d'Eagle Bay, un monde où des gens comme Emily Baxter pouvaient avoir toutes les pensées que l'on s'interdisait d'ordinaire. Et en faire des livres. Quand je les lisais, je rêvais d'appartenir à ce monde. Même si je devais pour cela quitter celui dans lequel je vivais. Abandonner mes sœurs. Mes amis. Et Royal.

Je cessai de marcher de long en large et me frictionnai les bras pour me réchauffer. Je contemplai un instant la tombe de maman. À ELLEN GOKEY, ÉPOUSE ET MÈRE BIEN-AIMÉE. 14 SEPTEMBRE 1868 – 11 NOVEMBRE 1905. Son nom de jeune fille était « Robertson », mais papa avait refusé qu'il figure sur la pierre tombale. Le père de maman l'avait déshéritée lorsqu'elle avait bravé son interdiction d'épouser papa. Elle ne se lassait pas de raconter comment elle et papa étaient tombés amoureux. Papa goûtait peu ces anecdotes et quittait la pièce dès les premiers mots. Nous, en revanche, les adorions. Surtout celle de leur première rencontre, où papa s'était fait remarquer à la scierie du père de maman, sur Raquette River, en se mesurant à un autre bûcheron. Ils transportaient un tronc d'arbre et c'était à qui renverserait l'autre. Le perdant devait remettre son bandana au vainqueur. Se sentant observé, papa avait précipité son adversaire dans la rivière, avant d'aller offrir à maman son propre bandana. Elle l'avait à la main lorsqu'on l'avait enterrée.

Elle aimait aussi à raconter comment papa l'avait demandée en mariage dans la forêt, au cœur de l'hiver, sous les branches des sapins blancs de neige. Et comment, le soir où ils s'étaient enfuis ensemble, il lui avait recommandé de n'emporter qu'un sac de voyage. « Mets-y ce à quoi tu tiens le plus », lui avait-il dit, persuadé qu'elle aurait l'idée de prendre quelques effets personnels et une paire de chaussures, mais, avec l'inconscience de la jeunesse, elle l'avait rempli de ses livres préférés, d'une boîte de caramels et de ses bijoux. Papa avait dû vendre un bracelet en or sur-le-champ pour lui acheter des vêtements. Il aurait préféré se séparer des livres, ce qu'elle avait refusé catégoriquement.

Je reconnaissais mal mon père dans le héros de ces anecdotes, alors que maman n'avait guère changé. Elle me manquait cruellement, surtout à cet instant précis. Je me demandais ce qu'elle aurait pensé d'Emily Baxter. M'aurait-elle reproché de lire ce genre de littérature ? Ou bien se serait-elle contentée de porter son index à ses lèvres avec un sourire, en murmurant : « N'en parle pas à ton père », comme lorsqu'elle nous offrait des rubans et des bonbons avec l'argent qu'il lui donnait pour acheter de la peinture ou des clous ?

Du doigt, je suivis le tracé des lettres gravées dans le marbre glacial en faisant défiler les meilleurs souvenirs qui me restaient d'elle. Les soirées où elle nous lisait des extraits du *Dernier des Mohicans* ou certaines nouvelles du *Peterson's Magazine*. Sa joie lorsqu'elle récitait les poèmes que je lui avais écrits pour sa fête ou son anniversaire. Elle me disait souvent que j'écrivais bien, aussi bien que les auteurs des comptines imprimées sur les cartes fantaisie de la papeterie Cohen d'Old Forge. Peut-être même aussi bien que Louisa May Alcott.

Je l'entendais encore chantonner en faisant la cuisine. Je la revoyais à la cave au mois de novembre, radieuse devant toutes les conserves qu'elle avait préparées pour l'hiver. Je me rappelais avec quelle adresse elle nous tressait les cheveux, et ses trajets en raquettes à travers les champs enneigés pour porter aux enfants d'Emmie Hubbard une marmite de ragoût.

Je m'efforçais de ne garder que les bons souvenirs. Ceux d'avant sa maladie. J'aurais voulu pouvoir me débarrasser des autres d'un coup de bistouri, comme le médecin qui avait tenté d'opérer sa tumeur, mais c'était impossible. Malgré mes efforts pour les tenir à distance, ils revenaient sans cesse.

Je la revoyais juste avant sa mort, le corps décharné, le visage émacié.

Je la revoyais pleurer et gémir de douleur. Ou hurler et nous jeter des objets à la tête, quand ses yeux lançaient soudain des éclairs du fond de leurs orbites.

Je la revoyais implorer le médecin, papa, tante Josie et le révérend Miller de ne pas la laisser mourir. Ou encore nous couvrir de baisers, Lawton, mes sœurs et moi, en serrant notre visage dans ses mains. Sangloter sans fin en m'expliquant que papa ne savait ni faire les nattes, ni rapiécer une robe, ni mettre les haricots en conserve.

Je la revoyais me supplier de ne jamais quitter la maison, m'arracher la promesse de rester m'occuper de mes petites sœurs.

Et je me revoyais, en larmes, le lui promettre.

Mes souvenirs s'estompèrent. Je rouvris les yeux. Les premières lucioles scintillaient dans l'obscurité. Il se faisait tard. Papa allait s'inquiéter. Alors que je m'apprêtais à rentrer, je faillis écraser le cadavre d'un jeune merle dissimulé par les hautes herbes. Il avait les ailes déchiquetées, le corps raidi et rougi par le sang.

L'œuvre d'un faucon, songeai-je, me demandant si le merle avait eu le temps d'admirer le bleu lumineux du ciel, de sentir sur son dos la chaleur du soleil avant qu'on lui brise les ailes.

— MATTIE, ÉTEINS CETTE LAMPE ! QUE FAIS-TU DONC ? me souffle une voix dans l'obscurité.

Aussitôt, je glisse la lettre de Grace Brown dans son enveloppe.

— Rien, Ada. J'étais juste en train de lire.

— À une heure pareille ! Rendors-toi vite, sapristi ! Mme Hennessey nous réveillera bien assez tôt !

— Fermez-la, nom d'un chien !

— Si Mme Hennessey t'entend jurer comme ça, Fran, elle te tirera les oreilles, déclare Ada d'un ton sentencieux.

— C'est moi qui vais te les tirer, si tu ne te tais pas, je te le promets.

— Toi, me tirer les oreilles ? Ce n'est pas moi qui allume la lampe en pleine nuit et qui réveille tout le monde ! Après la journée qu'on a eue… et tout ce qui s'est passé…

Ada a la voix qui s'étrangle. Elle fond en larmes.

— Pardon, Ada. J'éteins tout de suite, d'accord ? Voilà. Tu peux te rendormir.

Un hoquet, un reniflement, et puis :

— Elle est là, Matt, au rez-de-chaussée. Raide morte.

— Donc elle ne viendra pas te tourmenter, Ada. Rendors-toi.

J'aimerais bien dormir, moi aussi. Mais j'ai beau essayer, le sommeil ne vient pas. Dès que je ferme les yeux, je revois

195

le visage tuméfié de Grace. J'entends M. Morrison dire à M. Sperry qu'il n'y a personne du nom de Carl Grahm à Albany.

Je patiente de longues minutes. Jusqu'à ce qu'il n'y ait plus le moindre soupir, gémissement ou grincement de sommier dans la chaleur étouffante de la nuit. Alors seulement, en silence, à tâtons, je ressors la lettre. Quand je la déplie, un bruit de papier froissé retentit. Je m'interromps, retenant mon souffle de peur d'essuyer de nouvelles récriminations, mais ni Fran ni Ada ne bougent. Bien qu'il fasse noir dans la pièce, mon lit est près de la fenêtre et je peux déchiffrer l'écriture de Grace au clair de lune.

South Otselic, le 23 juin 1906

Mon cher Chester,
Je suis folle d'inquiétude de n'avoir aucune nouvelle de toi. Si tu m'as écrit mardi soir et que tu as bien posté la lettre mercredi matin, il n'y a aucune raison pour qu'elle ne soit pas arrivée. Es-tu sûr d'avoir indiqué l'adresse exacte ? Je suis à la maison depuis près d'une semaine et je n'ai pas reçu une ligne de toi... Jeudi matin, voyant que je n'avais pas de courrier, j'ai pleuré à m'en donner la migraine, et j'ai dû rester au lit toute la journée. Ne m'en veux pas, mon chéri, mais bien sûr j'ai envisagé le pire. Le même soir, quand mon frère est monté me voir, il a proposé de m'emmener faire un tour en voiture le lendemain à condition que je me lève tôt... J'étais si fatiguée en rentrant que je me suis allongée une heure ; ensuite, je suis descendue déjeuner toute seule. Maintenant, mon chéri, tu vas sûrement en rire – je t'entends d'ici ou presque –, mais il paraît que j'ai eu beaucoup de chance. Mon frère, qui est plutôt avare de compliments, m'a dit : « Billy, tu es bien tombée. » Ce qui, dans sa bouche, n'est pas rien... Tu me manques, mon chéri, tu n'imagines pas à quel point. Si tu ne viens pas me chercher très vite, c'est moi qui repartirai la semaine prochaine. Je ne supporte plus de me sentir aussi seule. Il y a une semaine, nous étions encore ensemble. Tu te souviens des larmes que j'ai versées,

n'est-ce pas ? Eh bien, je pleure presque autant depuis que j'ai quitté Cortland...

Plus trace de Carl Grahm, seulement de Chester, « mon cher Chester »... Il habitait Cortland, et non Albany, puisque c'est là que Grace lui adressait ses lettres. Bien qu'elle lui ait écrit de South Otselic, elle aussi a vécu quelque temps à Cortland, puisqu'elle menaçait d'y retourner si Chester ne venait pas la chercher.

... Je suis complètement démoralisée... Hier, alors que je me plaignais à maman que je ne recevais pas les lettres que tu m'écrivais, elle m'a répondu : « Enfin, Billy, s'il t'avait écrit, tu aurais eu ses lettres. » Elle disait cela sans arrière-pensée, mais je me suis mise en colère et j'ai répliqué : « Chester ne ment jamais, maman, et je sais qu'il m'a écrit. » Si seulement tu étais là, mon chéri, comme je serais heureuse... On m'appelle pour dîner et je m'arrête. S'il te plaît, réponds-moi, sinon je vais devenir folle...

— D'après Frannie, Grace Brown a reçu des coups, chuchote Ada, me faisant sursauter. Frannie est allée la voir après le dîner. Il paraît qu'elle a une coupure sanglante au visage. Et plusieurs bleus.

— Frannie en rajoute souvent, tu le sais bien. Tu ne dors toujours pas ?

— Je n'arrête pas de me réveiller. Toi qui as vu Grace Brown, à quoi ressemblait-elle ?

— À quelqu'un qui s'est noyé.

— Mme Hennessey prétend que l'adjoint du shérif va venir. Ainsi que le médecin légiste. Et le cureur.

— Pas le « cureur », le procureur.

— Et aussi les reporters d'Utica. Tu crois qu'on va parler de nous dans le journal ?

— Il faut dormir, Ada. Rappelle-toi ce qu'a dit Mme Hennessey. Demain, on n'aura pas le temps de souffler.

— Ces lettres, ce sont celles de Royal ?

197

— Hum... oui, en effet.

— Il y en a tellement ! Il va te falloir toute la nuit pour les lire. Tu dois être très amoureuse.

Je ne réponds pas.

Ada me tourne le dos et j'ouvre une nouvelle lettre. Il n'y a aucun mot tendre.

S. Otselic, dimanche soir

J'ai été à la fois heureuse et surprise d'avoir de tes nouvelles. J'imaginais que tu préférais des lettres témoignant de mon affection, mais la tienne étant si neutre, j'en déduis que tu attends la même chose de moi... Je crois comprendre ma situation – pardonne-moi – sans que tu aies besoin de me la présenter aussi brutalement. Je l'analyse avec autant de lucidité que n'importe qui, me semble-t-il... Tu me conseilles de ne pas m'inquiéter, de moins me lamenter sur mon sort et de m'amuser davantage. Ne penses-tu pas qu'à ma place, tu t'inquiéterais, toi aussi ?... Je comprends tes sentiments. Tu considères toute cette affaire comme une source de problèmes qui t'empoisonnent l'existence. Tu te dis que, sans moi, tu pourrais faire ce que tu veux cet été, et que tu ne serais pas obligé de quitter ton emploi. Je sais ce que tu ressens, mais parfois tu m'obliges à regarder cette histoire en toute objectivité. As-tu conscience qu'elle me prive moi aussi de toutes les distractions de l'été, et qu'elle m'a contrainte à donner ma démission ?...

Grace était-elle donc malade ? Serait-ce la raison de cette démission ? Elle et Chester travaillaient-ils au même endroit ? Peut-être dans l'usine de confection dont parlait M. Sperry, celle appartenant à la riche famille Gillette de Cortland. Mais pourquoi auraient-ils dû démissionner tous les deux ? Cela ne tient pas debout.

... Chester, tu ne devineras sans doute jamais combien je regrette de te causer autant de soucis. Je sais que tu m'en veux terriblement et je ne te le reproche pas le moins du

198

monde. J'ai gâché ma vie, et la tienne dans une large mesure. Bien sûr, c'est pire pour moi. Pourtant, même si, comme toi, tout le monde rejette sans doute la faute sur moi, je n'arrive pas à me sentir coupable. Je t'ai tant de fois dit non, mon chéri. Certes, personne n'en saura rien, mais il n'empêche que telle est la réalité. Il y a quelques instants, ma petite sœur est montée me voir avec un bouquet de marguerites et m'a demandé si je voulais qu'elle me prédise l'avenir. Je lui ai répondu qu'à mon avis les dés étaient jetés...

Mes yeux s'attardent sur cette phrase : « Je t'ai tant de fois dit non, mon chéri... » Je laisse échapper un profond soupir, parce que moi aussi j'ai déjà dit non un certain nombre de fois, et je comprends enfin la cause de la détresse de Grace : elle attendait un enfant, celui de Chester. Voilà pourquoi elle avait dû quitter son emploi et rentrer chez elle. Voilà pourquoi elle espérait tellement que Chester viendrait la chercher. Avant que son ventre ne s'arrondisse trop et que tout le monde ne découvre la vérité.

Une idée m'effleure alors : je suis la seule personne au monde, absolument la seule, à être au courant.

Je replie la lettre, la glisse dans l'enveloppe, jette un coup d'œil par la fenêtre. Il fait si noir dehors, l'aube semble si loin.

D'après Ada, si on trahit une promesse faite à quelqu'un sur son lit de mort, son fantôme revient vous hanter.

Mais si on tient la promesse, on est pareillement hanté.

ma.lé.dic.tion

Nous étions un samedi, mon jour de la semaine préféré, celui où j'allais travailler dans la bibliothèque de Mlle Wilcox. Je venais de gravir d'un pas léger l'escalier derrière la maison et j'étais sous le porche, sur le point de frapper, lorsque j'entendis des voix à l'intérieur. Des voix véhémentes, agressives.

— Et ton père ? Et Charlotte ? Et Iverson Junior ? Quelle honte ! Ils n'osent même plus se montrer en public ! As-tu pensé à eux, Emily ?

C'était une voix d'homme.

— Ce ne sont plus des enfants. Ils s'en remettront. Comme Annabelle, répliqua Mlle Wilcox.

Je levai la main pour frapper à la porte, puis me ravisai. Mon institutrice m'attendait et j'avais beaucoup de travail à faire, mais il s'agissait sûrement d'une conversation privée, et Mlle Wilcox préférerait sans doute que je revienne plus tard. Indécise, je restai là, les bras ballants.

— Comment m'as-tu retrouvée ? Qui as-tu payé pour remonter jusqu'à moi ? Et combien ?

— Emily, je te demande juste de rentrer à la maison.

— À quelles conditions, Teddy ? Te connaissant, il y a forcément des conditions.

— Que tu cesses tes griffonnages, tous ces enfantillages. Que tu reviennes assumer tes devoirs et tes responsabilités.

Dans ce cas, je te promets d'essayer d'oublier ce qui s'est passé.

— J'en suis incapable. Tu le sais bien.

Après quelques secondes de silence, l'homme reprit la parole. Il ne criait plus. Il s'exprimait d'une voix calme, posée, et d'autant plus menaçante.

— Non seulement ce que tu as fait est gênant et affligeant, Emily, mais c'est immoral. *Thrène* n'aurait jamais dû être écrit, et encore moins publié. Anthony Comstock a décidé de s'en mêler. Tu sais qui c'est ?

— Le roi de la compote de pommes en conserve ?

J'ignorais que Mlle Wilcox pût se montrer aussi insolente. Elle n'aurait pas dû. Pas face à un homme en colère.

— C'est le secrétaire général de la Société pour l'éradication du vice. Il a déjà ruiné des gens, en a poussé d'autres au suicide. Jamais je n'aurais cru voir de mon vivant ton nom figurer à côté de celui de pervers et de pornographes.

— Je ne suis ni une perverse ni une pornographe, Teddy. Tu le sais parfaitement. Tout comme cet odieux M. Comstock.

— Il prétend que tu écris des obscénités. Et quand Comstock dit quelque chose, tout le pays l'écoute. Tu portes gravement atteinte au nom des Wilcox et à celui des Baxter, Emily. Je serai obligé de te faire aider si tu ne t'y résous pas toi-même.

— C'est-à-dire, Teddy ?

— Mon propos est parfaitement clair.

— Non, sacrebleu, il ne l'est pas ! Fais preuve de courage, pour une fois ! Explique ce que tu as derrière la tête !

— Tu ne me laisses pas le choix, Emily. Si tu ne reviens pas à la maison, et à mes conditions, je devrai te faire interner.

Il y eut un terrible fracas, un bruit de verre brisé, puis Mlle Wilcox hurla :

— Sors d'ici ! Immédiatement !

— Mademoiselle Wilcox ! Tout va bien ? m'écriai-je, martelant la porte de mes poings.

Elle s'ouvrit brutalement et un homme sortit en trombe, me bousculant au passage. Si je ne m'étais pas écartée, je me serais retrouvée par terre. Grand et pâle, avec de magnifiques cheveux bruns et une moustache, il eut à peine un regard pour moi.

Je me précipitai à l'intérieur, folle d'inquiétude.

— Mademoiselle Wilcox ! Mademoiselle Wilcox ! Où êtes-vous ?

— Ici, Mattie.

Je courus vers la bibliothèque. Le bureau était renversé, le sol jonché de feuilles, le beau presse-papiers cassé en mille morceaux. Debout au milieu de la pièce, mon institutrice fumait une cigarette.

— Mademoiselle Wilcox, vous n'avez rien ?

Elle secoua la tête, mais je remarquai ses yeux rougis et ses mains tremblantes.

— Ça va aller, Mattie. Je préfère simplement m'étendre un peu. Laisse tout ce désordre. Je m'en occuperai. Mange ce que tu veux dans la cuisine. Ton argent est sur la table.

Je l'écoutais sans pouvoir détacher les yeux des éclats de verre et des pages éparses. Cet homme avait osé ! « Malédiction » était mon mot du jour. Il désigne les paroles par lesquelles on voue quelqu'un au malheur, comme pour lui jeter un sort. Un frisson me parcourut, et je sortis fermer à clé la porte d'entrée et celle de derrière. À mon retour, Mlle Wilcox était déjà dans l'escalier.

— Va-t-il revenir ? demandai-je.

Elle se retourna.

— Pas aujourd'hui.

— Je pense que vous devriez appeler le shérif, mademoiselle.

— Il ne se déplacerait même pas, répondit-elle avec un sourire amer. Un homme a parfaitement le droit, du moins en l'état actuel des choses, de saccager la maison de sa femme.

Je me taisais, mais je devais ouvrir des yeux comme des soucoupes.

— Oui, Mattie, c'était mon mari. Theodore Baxter.

— « Baxter » ! Alors vous n'êtes pas… donc vous êtes…

— Emily Baxter, poétesse.

scis.sion

À en croire un article que j'avais lu dans le *Peterson's Magazine*, pour séduire un homme il fallait « boire ses paroles, ne parler que de sujets susceptibles de l'intéresser, et recourir au langage éloquent du corps pour lui donner la sensation qu'il est au centre de votre univers, votre unique raison de vivre ». Si les deux premiers conseils me paraissaient limpides, le troisième me laissait perplexe.

J'en conclus que je devais battre des cils au moment opportun, mais lorsque j'essayai Royal me dévisagea, l'air surpris, et me demanda si j'avais une poussière dans l'œil.

Nous nous trouvions au milieu de l'allée des Loomis. Daisy avait encore défoncé leur clôture. Papa était furieux. Mme Loomis aussi. Pour ma part, je feignais l'indignation tout en me réjouissant secrètement de cette occasion de voir Royal sans paraître trop entreprenante. Comme prévu, il travaillait dans la cour de la ferme. Il m'avait une nouvelle fois aidée à sortir Daisy et Baldwin de la mare, puis avait proposé de me raccompagner.

Nous croisâmes Will et Jim qui rentraient, canne à pêche sur l'épaule, avec un panier rempli de truites.

— Oh, ma chère Mattie, reste avec moi jusqu'aux chutes du Niagara ! roucoula Jim.

— Oui, Royal chéri, jusqu'à ce que la route nous sépare ! gloussa Will.

Tandis qu'ils s'envoyaient des baisers, Royal saisit le licol de Daisy pour en cingler un bon coup les fesses de Jim qui s'enfuit en hurlant, Will sur ses talons. Royal reprit imperturbablement ses explications sur l'alimentation des dindes, et le fait qu'il serait judicieux d'en élever en même temps que des poules et des oies. J'acquiesçais en souriant, je poussais des « oh » et des « ah », mais je m'interrogeais : les garçons avaient-ils eux aussi un magazine où on leur disait comment séduire une femme, et si tel était le cas, leur conseillait-on de ne parler que des sujets pouvant intéresser l'élue de leur cœur ?

Je mourais surtout d'envie de révéler que notre petite communauté abritait en son sein une poétesse qui faisait scandale dans tout le pays. J'aurais pu me confier à Weaver, mais je ne l'avais pas vu depuis des jours. Il travaillait déjà au Glenmore, où il aidait à réparer les barques et à repeindre le porche. Il y avait bien Abby, mais je redoutais qu'elle ne le répète à Jane Miley, sa meilleure amie, qui risquait de colporter l'information. Or, si les gens découvraient la véritable identité de Mlle Wilcox, cela pourrait lui nuire, après la levée de boucliers provoquée par *Une musique distante*. En réalité, c'était à Royal que je souhaitais annoncer la nouvelle. J'aurais voulu partager mon secret avec lui, mais il ne m'en donna pas l'occasion.

— Regarde-moi ces terres, Matt, déclara-t-il, embrassant d'un geste ample celles qui s'étendaient devant lui. Belle surface, bien irriguée, avec un ruisseau en prime. Ça ferait un champ magnifique. J'y sèmerais du maïs sans hésiter.

Les terres en question incluaient, en plus des prés appartenant aux Loomis, celles d'Emmie Hubbard et une partie de celles de mon père.

— Je ne crois pas qu'Emmie serait d'accord. Ni papa.

Royal haussa les épaules.

— On peut toujours rêver, non ?

Sans me laisser le temps de répondre, il me proposa d'aller faire un tour en carriole avec lui jusqu'à Inlet ce soir-là. À peine avais-je accepté qu'il lâcha le licol de Daisy, m'attira sous un érable et m'embrassa. Le langage muet de mon corps avait dû être éloquent, car c'était exactement ce que j'espérais. Il se blottit contre moi et me couvrit le cou de baisers, me donnant l'impression que tout ce qu'il y avait de solide en moi, cœur, os et muscles, allait fondre sous l'effet de la chaleur qui émanait de lui. Pour la première fois, sans doute enhardie par cette belle journée de mai, j'osai le caresser. Le printemps dans nos forêts peut facilement vous tourner la tête. Je lui effleurai les bras, posai les paumes à plat sur son torse. Les battements de son cœur étaient lents et réguliers, contrairement à ceux du mien que je sentais cogner dans ma poitrine. Un garçon devait se laisser moins émouvoir qu'une fille. Royal me prit par la taille, et l'une de ses mains descendit plus bas. Là où maman m'avait bien recommandé de ne jamais laisser personne me toucher, sauf mon mari.

— Non, Royal.

— Enfin, Mattie, je ne fais rien de mal !

Sourcils froncés, l'air contrarié, il s'écarta et je crus l'avoir vexé. Mon mot du jour était « scission ». Il signifie « division », « séparation brutale ». J'en compris le sens à la vue du visage sombre de Royal. J'éprouvai un mélange d'effroi et de désespoir, comme si j'étais soudain privée de la lumière du soleil. Royal fixa longuement le sol, puis croisa mon regard.

— Je ne joue pas avec tes sentiments, Matt, si c'est ce que tu crains. J'ai repéré un anneau chez Tuttle.

J'écarquillai les yeux en guise de réponse, ne voyant pas ce qu'il voulait dire.

Il hocha la tête et soupira.

— Si je te l'achetais, tu le porterais ?

Seigneur, c'était d'une bague qu'il parlait ! Je pensais qu'il faisait référence à l'anneau d'un harnais ou d'une poulie, alors qu'il s'agissait d'une vraie bague. Comme celle que son frère Dan avait offerte à Belinda Becker.

— Oh oui, bien sûr ! murmurai-je.

Je me jetai à son cou pour l'embrasser, pleurant presque de soulagement lorsqu'il répondit à mes baisers. Je ne mesurais pas ce à quoi je m'engageais en acceptant cette bague. Je souhaitais seulement gagner l'amour de Royal, sans comprendre qu'en lui disant oui, je renonçais à tout le reste.

— Parfait, déclara-t-il en se dégageant. Dans ce cas, je passe te chercher ce soir après dîner.

— Entendu.

Il ramassa le licol de Daisy, me le tendit, et je continuai ma route sans lui. Bien plus tard seulement, alors que Royal était venu demander à papa la permission de m'emmener, que nous étions allés à Inlet, qu'il m'avait raccompagnée, et que dans mon lit, sous les combles, je me remémorais chacun de nos baisers, je m'interrogeai : Royal n'était-il pas censé me dire qu'il m'aimait en me parlant de cette bague ? Peut-être devais-je patienter encore un peu.

vil.leux

— *C'est Bill Mitchell qui gardait la cabane,*
   Et par Satan, y avait pas plus méchant...
— Ne jure pas, Beth.
— Je ne jure pas, Matt, c'est dans la chanson.
Du matin au soir il trônait sans rien faire,
Un mot de trop, et il montrait les poings...
— Tu n'aurais pas une chanson plus agréable ? Pourquoi pas celle que t'a apprise le révérend Miller : « En avant, soldats du Christ » ?

Beth fit la grimace.

— J'aime mieux « Le Camp dix-neuf ». Les bûcherons sont plus amusants que Jésus. Il n'a jamais conduit un train de bois, et ne serait même pas capable de soulever un tronc d'arbre. Pas dans cette espèce de chemise de nuit qu'il a toujours sur le dos.

L'église la plus proche se trouvait à Inlet, et nous n'y étions pas retournées depuis la mort de maman. C'était elle qui nous accompagnait à la messe ; papa n'y mettait jamais les pieds. Peut-être ferais-je bien d'y emmener mes sœurs le dimanche suivant.

— *Un matin avant l'aube, Jim Lou s'est fâché,*
   Il a démoli Bill Mitchell, sous les hourras des gars...
Je poussai un soupir, mais je laissai Beth continuer à chanter. Blotties sous le vieux parapluie noir de maman,

208

nous allions toutes les deux voir Emmie Hubbard. Une pluie fine tambourinait doucement sur la toile, une de ces ondées qui faisaient ressortir chaque couleur et chaque parfum autour de nous : ceux de l'herbe, des sapins, des violettes ou du muguet sauvage.

Beth termina sa chanson.

— Tu crois qu'Emmie Hubbard va partir, Matt ? Et ses enfants aussi ? C'est Tommy qui l'a dit.

— Je n'en sais rien. Emmie nous en apprendra peut-être davantage.

Ce matin-là, Tommy était encore venu avec Jenny prendre son petit déjeuner chez nous, et il semblait bouleversé. Il nous avait parlé d'une seconde lettre envoyée à Emmie par Arn Satterlee. La première – que j'avais vue chez tante Josie, mais dont j'avais fait semblant de découvrir l'existence quand Emmie était venue demander à papa ce qu'elle signifiait – annonçait que les terres des Hubbard seraient mises aux enchères. D'après Tommy, la seconde lettre fixait la vente au 20 août. Depuis, avait-il ajouté, sa mère pleurait sans cesse, et comme celle de Weaver était partie vendre son poulet frit à la gare, il m'avait suppliée de passer chez lui.

Je n'y étais pas allée aussitôt. Nous avions trop de travail le matin, avec nos vaches qui donnaient tant de lait. Sans compter les plantations à faire au jardin, et les graines de chou à semer. C'était la pleine lune depuis la veille, et pour qu'ils soient gros et beaux, tous les légumes de forme arrondie devaient être semés à cette période. Après le déjeuner, j'avais néanmoins enveloppé les brioches qui nous restaient et je m'étais mise en route. J'en avais pris le plus possible en pensant aux enfants Hubbard. Avec l'argent que nous rapportait le lait, nous pouvions nous montrer un peu plus généreux.

Beth bavarda tout le long du chemin. Elle me parla de l'automobile de Mlle Wilcox, de la famille Burnap clouée au lit par la grippe, du wagon Pullman de J.P. Morgan qui avait traversé Eagle Bay la veille, du mauvais tour joué par Jim Loomis à des enfants de touristes désireux de faire un tour en barque sur Fourth Lake : il leur avait conseillé de demander au directeur de l'hôtel d'Eagle Bay si Warneck Brown ne pourrait pas les emmener, ce qu'ils s'étaient empressés de faire. Fallait-il que ces gosses de la ville soient bêtes ! Ici, tout le monde savait que Warneck Brown n'était pas une personne, mais une marque de tabac à chiquer ! Beth, quant à elle, sauta encore du coq à l'âne.

— Quel est ton mot du jour, Mattie ? s'enquit-elle soudain.

— « Villeux ».

— Qu'est-ce que ça veut dire ?

— Couvert de poils courts, ou de saillies pareilles à des poils.

— T'as pas trouvé de phrase ?

— Tu *n*'as pas trouvé, Beth et non, je n'ai toujours pas de phrase. Je ne connais rien ni personne de « villeux ».

Beth réfléchit quelques instants.

— Le visage de papa avec sa barbe, par exemple. Ou notre porcelet.

J'éclatai de rire.

— Oui, c'est vrai.

Elle me sourit et me prit par la main.

— Je suis contente que tu n'ailles pas à Barnard College, Matt. Tu ne partiras pas, hein ? Tu vas rester et te marier avec Royal, n'est-ce pas ? Abby dit qu'il est amoureux de toi.

— Je ne partirai pas d'ici, Beth.

Je me forçai à sourire. De plus en plus, j'avais le sentiment que mon rêve d'aller à l'université resterait justement cela : un rêve. Jamais je ne quitterais Eagle Bay. Je le savais. Au plus profond de moi, je l'avais toujours su. Même si je ne fréquentais pas Royal. Même si je gagnais assez d'argent chez Mlle Wilcox pour payer le billet de train, et si papa en personne me conduisait à la gare. J'avais promis à maman de rester.

Je m'efforçai de penser à l'avenir. À celui qui m'attendait plutôt qu'à celui dont je rêvais. Je me demandai ce que Royal et moi ferions pour la fête du Memorial Day, le dernier lundi de mai : irions-nous écouter la fanfare d'Old Forge, ou pique-niquer à Inlet ? Devais-je m'offrir du tissu pour me faire une nouvelle jupe avec les trois dollars gagnés chez Mlle Wilcox, ou les économiser pour acheter des ustensiles de cuisine ?

En arrivant chez Emmie, j'eus la surprise de trouver tous les enfants dehors. Tommy et Susie surveillaient Lucius, le bébé, assis au pied d'un sapin. Jenny, Billy, Myrton et Clara attendaient sous la pluie dans la cour boueuse, leurs vêtements trempés et leurs cheveux dégoulinants. Je contemplai le toit de la triste maison grise d'Emmie. Pas le moindre panache de fumée sortant de la cheminée. Ces pauvres gosses devaient être transis de froid, et il n'y aurait pas de feu pour les réchauffer quand ils rentreraient. Ils allaient tomber malades. Je sentis la colère me gagner. Malgré toute la pitié que m'inspirait Emmie, il m'arrivait de lui en vouloir. Alors qu'elle était sept fois mère, elle-même avait encore besoin d'une maman.

Dès qu'ils nous aperçurent, Beth et moi, les enfants vinrent s'agglutiner autour de nous comme des chatons à la vue d'un seau de lait. Ils me semblaient toujours plus nombreux que dans mes souvenirs.

— Que faites-vous donc sous la pluie ? leur demandai-je.

— C'est maman qui nous a envoyés dehors. Elle est occupée, expliqua Myrton en se mouchant dans sa manche.

— Occupée à quoi ?

— M. Loomis est là. Il l'aide à réparer le poêle. Maman dit que c'est dangereux, et qu'on ne doit pas revenir à la maison tant qu'il n'a pas fini, précisa Tommy.

— C'est ridicule. Je suis sûre qu'on peut entrer sans risque.

Je ne voyais pas quel danger pouvait comporter la réparation d'un poêle.

— Il ne faut pas, Mattie. N'y va pas, insista Tom avec une pointe d'agressivité. Ils ont complètement démonté le poêle. Il y a des pièces partout.

— Enfin, Tom, ce n'est jamais qu'un poêle. Je ferai attention, rétorquai-je, agacée. J'ai fait tout ce chemin sous la pluie à ta demande, et je ne repartirai pas sans avoir vu ta mère.

Je gravis prestement les marches branlantes du perron. L'unique fenêtre de la maison se trouvait au ras de la porte. Avant de frapper, je jetai un coup d'œil à l'intérieur pour m'assurer qu'aucune pièce du poêle ne bloquait la porte. Ce que j'aperçus me cloua sur place.

Emmie était penchée sur le poêle, sa jupe relevée jusqu'à la taille. Debout derrière elle, M. Loomis avait son pantalon à ses pieds. Ni l'un ni l'autre ne réparait quoi que ce soit.

Je tournai les talons, attrapai Beth par le bras, lui fis redescendre l'escalier du perron en quatrième vitesse.

— Bon sang, Mattie ! Lâche-moi, à la fin ! hurla-t-elle.

— Tommy... dis à ta mère... dis-lui que je reviendrai un peu plus tard, entendu ? C'est bien d'accord ? Tiens, voilà des brioches. Apporte-les-lui dès que... tu pourras.

Tommy ne répondit pas. Ses maigres épaules s'affaissèrent sous le poids de la honte. Elle pesait sur moi aussi, et j'eus un mouvement de colère. Je ne voulais pas de ce fardeau. Je refusais de le porter. Tommy prit les brioches, mais en baissant les yeux. Je m'en félicitai, car je n'aurais pu soutenir son regard.

— Pourquoi on n'entre pas, Matt ? Je croyais que tu voulais voir Emmie.

— Plus tard, Beth. Emmie est occupée. Elle répare le poêle. C'est dangereux.

— Pourtant, tu disais...

— Peu importe ce que je disais ! Suis-moi, maintenant !

Beth pleurnicha et se frotta le bras pendant tout le trajet de retour. De mon côté, j'essayai de me convaincre que je n'avais pas vraiment vu ce que je venais de voir, cette laideur et cette vulgarité qui donnaient l'impression d'avoir affaire à deux animaux plutôt qu'à un homme et une femme. Ce ne pouvait être ça, « faire l'amour » ; c'était l'illustration de tous les termes orduriers que j'avais pu entendre jusque-là. Je me demandai si les bébés de Minnie avaient été conçus ainsi. Si maman nous avait eus de la même façon. Si Royal et moi en passerions par là nous aussi lorsque nous serions mariés. Dans ce cas, je lui interdirais de me toucher plutôt que d'avoir à subir cela.

Pauvre Tommy... Contrairement à lui, ses frères et sœurs ne semblaient se douter de rien. J'espérais que Mme Loomis ne découvrirait jamais la vérité. Pas plus que Royal et ses frères. Ce serait un choc terrible pour eux. Beth n'avait rien vu, et Tommy avait sûrement trop honte pour en parler à quiconque. Cette histoire resterait un secret. Personne n'en saurait jamais rien.

Alors que Beth et moi, dans notre jupe trempée et nos chaussures crottées, remontions enfin notre chemin de terre, je pris conscience que je pouvais désormais utiliser mon mot du jour. Les pans de la chemise de M. Loomis ne recouvraient pas entièrement son postérieur nu, et je l'avais entrevu, à mon corps défendant : il était pâle, flasque et affreusement villeux.

« Range ces lettres, Mattie, m'ordonne ma conscience.

— Non.

— Tu ne vaux pas mieux que ta tante Josie. Elle non plus ne se gêne pas pour lire le courrier d'autrui. Tu n'es qu'une sale fouineuse.

— Je m'en moque.

— Arrête tout de suite. Et rendors-toi. Tu n'as pas besoin d'en savoir plus. »

Ce n'est pas vrai. Je sais que Grace était enceinte. Je sais aussi que Chester Gillette l'a mise dans cet état. Et qu'ils sont sans doute venus au Glenmore pour se marier en cachette. Pourtant, il me manque une dernière information. Dès que je l'aurai découverte, je glisserai les lettres sous le matelas et je m'assoupirai aussitôt. Mais tant que j'ignorerai pourquoi Chester s'est inscrit dans le registre de l'hôtel sous le nom de Carl Grahm, je poursuivrai ma lecture.

South Otselic, le 25 juin 1906

Cher Chester,
Je suis trop épuisée pour rédiger correctement, et même pour suivre les lignes du papier, mais je m'en suis voulu toute la journée, et ce soir je ne peux m'endormir tant je regrette de t'avoir adressé ce matin une lettre aussi méchante. Voilà

214

pourquoi je reprends la plume pour te demander pardon, Chester. Sous le coup de la colère, j'ai écrit des choses qui dépassaient ma pensée. J'en suis vraiment désolée. Je n'irai mieux que si tu me réponds en disant que tu me pardonnes... Je suis très fatiguée, mon chéri, car aujourd'hui j'ai aidé maman à faire de la couture... Moi qui n'ai jamais aimé les essayages, maintenant c'est dix fois pire. Tu n'imagines pas combien je serai heureuse de ne plus avoir tous ces soucis... J'ai peur de trouver le temps terriblement long jusqu'à nos retrouvailles, Chester... Et je me sens parfois si démoralisée. Je t'en supplie, n'attends pas la fin de la semaine. Ne pourrais-tu venir dès lundi ? J'ai plus besoin de toi que tu ne le crois...

Je lis plus avant, mais le nom de Carl Grahm n'apparaît nulle part. Je ne cherche peut-être pas où il faut. Je pose la missive de Grace et finis par trouver dans la pile ce que j'espérais : quelques lettres écrites de la main de Chester. J'ouvre la première.

Le 21 juin

Chère Grace,
S'il te plaît, excuse le crayon et la qualité du papier, mais je ne suis pas chez moi et je n'ai rien de mieux à ma disposition. J'ai reçu ta lettre hier soir, et elle m'a quelque peu surpris, même si je m'attendais à ton découragement. Ne t'inquiète pas autant, lamente-toi un peu moins sur ton sort et amuse-toi davantage...

Chester évoque ensuite un voyage fait par ses amis alors que lui-même ne peut quitter Cortland avant le 7 juillet, mais il n'est pas question de Carl Graham. J'ouvre la lettre suivante.

Le 2 juillet 1906,

Ma chère enfant,
Ta lettre m'a fait grand plaisir, bien que je m'en veuille de ne pas t'avoir écrit de la semaine. Mercredi et jeudi, j'ai dû m'occuper de la comptabilité et, vendredi, j'ai eu la visite

215

d'un ami qui est resté toute la soirée. Samedi, je suis allé au bord du lac et j'ai pris tellement de coups de soleil que je ne peux porter ni col dur ni veste. Nous avons exploré deux autres lacs en canoë et, même si le portage était pénible, nous avons passé un bon moment... Concernant mes projets pour la fête de l'Indépendance, je n'en ai aucun : les deux seules filles que j'aurais pu inviter ont d'autres engagements, puisque je ne leur ai posé la question que samedi...

Je comprends mieux pourquoi Grace semblait si inquiète dans ses lettres. Chester avait d'autres amies. Elle n'était pas la seule. Il appréciait davantage la présence d'autres jeunes femmes que la sienne. Seigneur, dans quel pétrin s'était-elle fourrée ! Chester lui avait fait un enfant et elle voulait qu'il l'épouse, mais, apparemment, il n'en avait nulle envie. Pas s'il fallait qu'elle le supplie de venir la chercher ; pas s'il lui écrivait à peine, et sans se priver de lui parler des autres filles qu'il fréquentait.

Pas s'il se disputait avec elle au déjeuner alors qu'ils étaient censés trouver une chapelle.

J'ai du mal à imaginer combien Grace devait se sentir effrayée, seule avec son terrible secret, tandis qu'elle attendait en vain la venue de Chester. Je me rappelle toutes les fois où papa m'a mise en garde contre les hommes, qui n'ont qu'une idée en tête, et je frémis à l'idée de ce qui m'arriverait si je me retrouvais enceinte avant d'avoir un mari. Mais je me rassure en me disant que Chester a fini par faire son devoir. Il est quand même allé chercher Grace et l'a amenée ici pour l'épouser, non ? Même s'ils se sont disputés à propos de la chapelle. Pourquoi Chester serait-il venu jusqu'ici avec Grace, s'il ne voulait pas de ce mariage ?

Tout se mélange. Je ne sais plus que penser. Je me sens comme le volant des parties de badminton des clients de l'hôtel, projeté sans fin d'une raquette à l'autre.

Il reste une dernière lettre de Chester. Antérieure à la précédente, elle n'est pas à sa place dans la pile. Peut-être m'apprendra-t-elle ce que je veux savoir.

Le 25 juin 1906

Chère Grace,

... Avec deux amis, nous sommes allés au bord du lac et avons campé dans une cabane appartenant à l'un d'eux. Nous nous sommes bien amusés, malgré l'absence de compagnie féminine. Dans l'après-midi, nous nous sommes baignés, et l'eau était vraiment bonne. J'ai fait un tour en canoë dans la soirée, et j'ai regretté que tu ne sois pas là...

J'interromps ma lecture. Je viens de prendre conscience que tous ses bons moments Chester les passe sur un lac. En canoë.

Lorsque les hommes ont rapporté le cadavre de Grace, nous avons tous pensé que Carl Grahm, son compagnon, s'était noyé lui aussi, et que l'on ne tarderait pas à retrouver son corps.

Mais il n'y a pas de Carl Grahm. Son nom ne figure nulle part. Seulement celui de Chester Gillette qui, lui, savait manœuvrer un bateau. Et nager.

« Eh bien tu l'as, ta réponse, non ? ironise ma conscience. Te voilà bien récompensée de ta curiosité. »

Mais je ne l'écoute pas. Je me bouche les oreilles. J'ouvre une nouvelle lettre, puis une autre, et une autre encore, cherchant fébrilement une réponse différente.

Je me sens si mal que j'en ai la nausée.

Je crois deviner pourquoi Chester a amené Grace jusqu'ici.

Et ce n'était pas pour l'épouser.

ico.sa.èdre

— Et surtout, veille à ne jamais te retrouver seule dans une chambre avec un inconnu...

— Oui, papa.

— Sous aucun prétexte. Même s'il te demande juste de lui apporter une serviette de toilette. Ou une tasse de thé.

— Entendu, papa.

— Et méfie-toi aussi des ouvriers et des serveurs.

— Tout ira bien, papa. Le Glenmore a très bonne réputation.

— Sans doute, mais n'importe quel bûcheron avec quelques dollars en poche peut s'offrir une chambre dans un bon hôtel. Il ne faut pas trop se fier aux apparences, Mattie. Ne l'oublie pas. L'habit ne fait pas le moine.

Il ne faut *jamais* se fier aux apparences, papa, rectifiai-je intérieurement. Je m'y étais longtemps fiée, mais il fallait que je fusse aveugle ou stupide, ou les deux. Les vieillards ont beau se plaindre de leur vue qui décline, on voit de plus en plus clair avec l'âge. Du moins était-ce le cas pour moi.

J'avais pris Mlle Wilcox pour une vieille fille amoureuse des montagnes. Erreur. Il s'agissait en fait d'Emily Baxter, poétesse séparée de son mari. J'avais mis sur le compte de la générosité toutes les visites de M. Loomis à Emmie Hubbard pour lui porter des œufs et du lait. Nouvelle

218

erreur. C'était vraisemblablement de lui que les trois plus jeunes enfants Hubbard tenaient leurs cheveux blonds. Jamais je n'aurais cru que Royal Loomis s'intéresserait à une fille comme moi, mais il venait à présent me chercher tous les soirs et s'apprêtait à m'offrir une bague. Et alors que j'avais perdu tout espoir de travailler dans un hôtel de la région, voilà que je me retrouvais, deux semaines avant le Memorial Day et le début officiel de la saison, assise dans notre carriole à côté de mon père qui me conduisait au Glenmore. À nos pieds, aussi lourd qu'une enclume, était posé le vieux sac de voyage de maman : outre mon dictionnaire, quelques livres prêtés par Mlle Wilcox et mes vêtements de nuit, il contenait aussi deux des plus belles jupes de maman et les corsages assortis, retouchés par Abby.

Quarante-huit heures auparavant, j'avais découvert le cadavre d'Aimable en allant à l'étable. Personne n'avait d'explication. Il semblait en bonne santé. Mort de vieillesse, avait dit papa. La nouvelle l'avait beaucoup atteint. Il ne pouvait rester sans baudet. Il lui en fallait un de toute urgence pour passer la herse, livrer le lait et déboiser. Une bête en bonne santé coûterait une vingtaine de dollars, et il ne les avait pas. Il était trop fier pour emprunter, mais le vieil Ezra Rombaugh d'Inlet, dont le fils et la bru lui labouraient ses terres avec un attelage de bœufs, avait accepté de lui vendre quatorze dollars, et à crédit, son baudet âgé de six ans. D'où la décision de mon père de me laisser travailler au Glenmore. L'idée ne lui plaisait pas plus en mai qu'en mars, mais il n'avait pas le choix.

J'aurais dû me réjouir, sauter de joie. Cela faisait des mois que je rêvais de me faire embaucher au Glenmore, depuis que Weaver et moi en avions formé le projet durant l'hiver. Et ce rêve devenait enfin réalité. Pourtant, mon enthousiasme était mitigé. Je ne travaillerais pas pour gagner de quoi étudier à Barnard College, mais avant tout pour permettre à mon père de s'acheter un nouveau baudet.

Maman possédait naguère un beau panier en verre offert par tante Josie. Bleu indigo, avec une anse et une bordure en forme de tresse, il portait l'inscription SOUVENIR DU CAP MAY. Maman l'adorait. Il ornait une étagère du salon, mais un jour Lou l'avait fait tomber en voulant jouer avec. Il s'était brisé en mille morceaux. Lawton avait cru pouvoir le recoller. En vain. Il était irréparable. Maman avait néanmoins refusé de jeter les éclats. Elle les avait rangés dans une vieille boîte à cigares qu'elle gardait sur le bureau de sa chambre. De temps à autre, elle en prenait un, l'approchait de la fenêtre, regardait la lumière jouer à travers les reflets bleutés du verre, puis refermait la boîte. Quand j'étais plus jeune, je ne voyais pas pourquoi elle s'obstinait à garder ces bouts de verre au lieu de s'en débarrasser. Ce ne fut que ce jour-là, tandis que la carriole conduite par mon père longeait Big Moose Road et que je guettais l'instant où j'apercevrais le Glenmore, que je compris.

Après le marché passé avec Ezra Rombaugh, papa s'était renseigné à l'hôtel pour savoir s'il restait des emplois vacants, et on lui avait dit que oui. Je regrettais de ne plus pouvoir travailler pour Mlle Wilcox, mais je gagnerais davantage au Glenmore et elle m'avait encouragée à accepter, m'assurant que ma paye couvrirait largement le prix du billet de train pour New York. Je n'osai lui avouer que j'avais écrit au professeur Gill pour l'informer que je n'irais pas à Barnard College.

Je devais toucher quatre dollars par semaine. Papa ne voulait m'autoriser à garder que un dollar pour moi. J'avais répliqué que j'en garderais deux, ou que je n'irais pas au Glenmore. « Comme tu le sais, je fréquente Royal Loomis, avais-je ajouté. Moi aussi j'aurai bientôt besoin d'argent. » J'avais bien les trois dollars reçus de Mlle Wilcox, plus les dix cents qui me restaient de la cueillette des pousses de fougère, mais cela ne suffirait pas. Monter son ménage coûtait cher. Papa m'avait fait un clin d'œil entendu, auquel je n'avais pas répondu. Je comptais sur le fait qu'il se reprochait encore de m'avoir frappée pour arriver à mes fins. Comme quoi on pouvait retourner toutes les situations à son avantage, même si rien n'était moins évident au départ.

Dès que j'avais découvert Aimable, papa s'était rendu à Inlet et avait laissé chez O'Hara un message demandant à

Bert Brown de venir chercher notre baudet. Alors que nous n'étions qu'à la fin du mois de mai, il faisait déjà chaud. Bert récupérait les carcasses et les équarrissait. Il ne vous versait pas un penny, mais vous évitait d'avoir à creuser un trou. J'étais sûre que le savon fabriqué avec la graisse d'Aimable vous arracherait la peau des mains, et que la colle obtenue à partir de ses os serait la plus forte qu'on ait jamais vue. « Icosaèdre », mon mot du jour, désigne un polyèdre à vingt côtés. C'est un terme presque inutilisable sauf, bien sûr, si l'on veut parler d'un objet à vingt facettes. Il convenait parfaitement à Aimable, qui savait surtout ruer, mordre et refuser d'avancer, mais grâce à qui j'étais en route pour le Glenmore après avoir perdu tout espoir d'y aller.

Au bout de Big Moose Road, papa tourna à droite, puis encore à droite, pour s'engager sur l'allée menant à l'hôtel. J'apercevais à présent le bâtiment, d'une taille imposante. Trois dames d'une élégance raffinée se dirigeaient avec nonchalance vers le quai, leurs minces épaules abritées sous un parasol. Une famille descendit d'une voiture à cheval et traversa lentement la pelouse. Le domestique resta sur place pour compter les bagages qu'on déchargeait. J'eus soudain envie de dire à mon père de faire demi-tour. Je ne connaissais rien aux gens de la ville, j'ignorais comment me conduire avec eux. Et si je renversais de la soupe sur les vêtements d'un client ? Si je parlais avant qu'on m'ait adressé la parole ? Si je versais du vin dans un verre à eau ? Mais papa avait visiblement besoin de ce nouveau baudet, aussi gardai-je mes inquiétudes pour moi.

— Abby sait se servir du fourneau ? me demanda-t-il alors que Réglisse, le successeur d'Aimable, amenait la carriole devant l'entrée de service du Glenmore.

— Oui, papa. Bien mieux que moi.

Abby allait devoir s'occuper de tout, repas compris.

— J'ai parlé à M. Sperry. Tu dois faire le service dans la salle à manger et le ménage dans les chambres, mais je ne veux pas que tu t'approches du bar, entendu ? Ni que tu mettes les pieds dans la salle de bal.

— Oui, papa.

221

Que craignait-il ? Que je m'envoie un petit verre de temps à autre et que je me mette à danser la gigue ?

— S'il arrive quoi que ce soit et que tu veuilles rentrer à la maison, préviens-moi. Ne va pas faire le trajet à pied toute seule avec ce sac de voyage. Je viendrai te chercher. Ou j'enverrai Royal.

— Tout se passera bien, papa, je t'assure.

Je descendis de la carriole. Mon père aussi. Il empoigna mon sac, m'accompagna jusqu'à la porte de la cuisine et jeta un coup d'œil à l'intérieur. J'attendis qu'il me rende mon sac, mais il ne bougeait pas. Il le gardait contre lui.

— Bon, tu y vas, oui ou non ? maugréa-t-il.

— Pas sans mon sac, papa.

Lorsqu'il me le tendit, je vis qu'il le serrait à s'en faire blanchir les jointures. Même si nous n'étions pas très démonstratifs, papa et moi, j'espérais au moins qu'il me prendrait dans ses bras pour me dire au revoir. Il se borna toutefois à donner un coup de pied dans la poussière et à cracher par terre, puis, après m'avoir à nouveau rappelé de faire attention, il remonta dans la carriole et partit sans se retourner.

ré.cal.ci.trant

Je débarrassais la table quand je la vis. Une pièce de dix cents. Près du sucrier. Je la saisis et m'élançai vers la dame qui l'avait oubliée.

— Madame ! S'il vous plaît !

Elle s'arrêta devant la porte. Je lui tendis la pièce.

— Vous avez laissé ceci, madame.

Elle acquiesça avec le sourire.

— Oui, bien sûr. C'est pour toi.

Elle tourna les talons et quitta la salle à manger. Je ne savais que faire. Mme Hennessey nous répétait sur tous les tons de restituer tout ce que nous trouvions : argent, bijoux, boutons, absolument tout. Mais comment rendre quelque chose dont son propriétaire ne voulait pas ?

— Mets cette pièce dans ta poche, espèce d'idiote, dit une voix derrière moi.

C'était Weaver. Il portait un énorme plateau d'assiettes sales.

— Ça s'appelle un pourboire. On te le laisse pour te remercier de la qualité du service. Il faut le garder.

— Vraiment ?

— Bien sûr. Mais si tu ne finis pas de desservir et si tu ne fonces pas à la cuisine, tu n'en auras pas d'autres.

Il s'éloigna, puis se retourna.

— « Rebelle », déclara-t-il.

— « Turbulent ! » répliquai-je, m'empressant de retourner débarrasser la table.

Devant les portes de la cuisine, je marquai une pause pour tenter de me souvenir par laquelle on entrait et par laquelle on sortait. Je m'étais déjà fait rabrouer pour les avoir confondues. Alors que je poussais celle de droite tout en m'efforçant de maintenir le lourd plateau en équilibre sur mon épaule, Mme Hennessey me reprocha sans ménagement d'être aussi lente qu'un escargot avec des béquilles.

— La table dix a besoin d'eau, de pain et de beurre, Mattie ! Réveille-toi ! aboya-t-elle.

— Désolée...

Je passai devant les autres filles, devant le nuage de vapeur et de fumée qui s'élevait de l'immense fourneau noir, et je posai bruyamment mon plateau près de l'évier.

— Doucement ! hurla Bill, le plongeur. Et approche un peu ! Tu es censée vider les assiettes avant de les empiler ! Regardez-moi ce travail !

— Désolée, répétai-je.

Je me précipitai vers le chauffe-plats, dérapai sur une rondelle de tomate et me rétablis juste à temps pour percuter Henry, le nouvel aide-cuisinier arrivé comme moi la veille au Glenmore, et qui apportait un casier rempli de homards. Henry, nous avait annoncé Mme Morrison, venait de faire son apprentissage dans les meilleures cuisines d'Europe, et sa présence était une chance pour le Glenmore.

— *Mein Gott !* Attention ! s'écria-t-il.

— Désolée, murmurai-je.

— Tu peux l'être, me souffla Weaver au passage.

— Weaver ! Ada ! Fran ! Remuez-vous ! rugit Mme Hennessey.

J'attrapai un plateau propre, un beurrier dans la vitrine réfrigérée et un pichet d'eau.

— « Incontrôlable ! » me lança Weaver en repartant vers la salle à manger.

— « Insupportable ! » rétorquai-je.

Mon mot du jour – « récalcitrant » – était prétexte à un nouveau duel. Je me rendais compte que j'aurais du mal à enrichir mon vocabulaire au Glenmore. Ce matin-là, j'avais à peine eu le temps de me débarbouiller et de natter mes cheveux, et encore moins de lire les définitions de mon dictionnaire.

J'avais proposé ce duel à Weaver par dépit, après avoir appris qu'on le payait un dollar de plus que moi par semaine. Quand je lui avais demandé comment il s'y était pris, il m'avait répondu : « Ne te contente jamais de ce qu'on t'offre, Mattie. Demande toujours plus. » Il avait ôté sa casquette et me l'avait tendue. « S'il vous plaît, monsieur, encore une pièce », avait-il ajouté, imitant Oliver Twist. « N'oublie pas où ça a conduit Oliver », avais-je marmonné, écœurée de voir que Weaver semblait toujours se débrouiller pour modifier en sa faveur, juste ce qu'il fallait, le cours des choses. Simplement parce qu'il osait.

Je filai vers le chauffe-plats, en descendis une corbeille que je tapissai d'une serviette propre. Je me brûlai en sortant les petits pains. Les larmes me montèrent aux yeux, mais je n'en laissai rien paraître.

— Henry, tu veux bien me faire chauffer ça ? lui cria Mme Hennessey.

L'une après l'autre, trois boîtes de conserve passèrent au-dessus de ma tête.

— Qu'est-ce que c'est ? interrogea Henry.

— Du lait concentré. Pour faire une crème caramel, précisa-t-elle, toujours à tue-tête.

— « Odieux », suggéra Weaver, surgissant près de moi et emplissant une corbeille de petits pains.

Il se fourra une galette de maïs dans la bouche, et poussa un hurlement lorsque la cuisinière, nous croisant pour aller du four à la glacière, lui envoya une gifle.

— « Arrogant », gloussai-je.

Weaver avait déjà une réponse toute prête, mais il ne put articuler une seule syllabe car il avait la bouche pleine.

— Tant pis pour vous, monsieur Smith, vous êtes mort, annonçai-je.

Je soufflai sur le bout de mes doigts comme sur le canon d'un pistolet, avant de soulever mon plateau et de me diriger vers la salle à manger.

Je commençais ma première journée au Glenmore, et même si l'hôtel ne se trouvait qu'à une dizaine de kilomètres de chez moi, c'était un autre pays, un autre monde : celui des touristes, une race assez riche pour s'offrir chaque année d'une semaine à un mois de vacances, quand ce n'était pas tout l'été. Je n'arrivais pas à croire qu'on puisse passer autant de temps sans travailler. Certains d'entre eux étaient plutôt sympathiques, d'autres pas du tout. Mme Morrison nous menait à la baguette et Mme Hennessey ressemblait à un ours, mais peu m'importait : j'avais l'impression de vivre une aventure. Et j'étais moins intimidée que je ne l'aurais cru. Fran, qui faisait office de chef de rang, m'avait donné toutes les explications nécessaires.

Je posai le pain et le beurre sur la table dix. Une famille entière y déjeunait. Le père, la mère et leurs trois jeunes enfants. Ils parlaient et riaient. Le père frotta son nez contre celui de la fillette. Je les contemplai jusqu'à ce que la mère remarque ma présence, m'obligeant à détourner le regard.

À la table neuf, étaient installés quatre robustes messieurs venus de New York pour pêcher et chasser. Un garde-pêche les avait emmenés dans la matinée, et ils prévoyaient de ressortir à la tombée de la nuit. Je crus qu'ils allaient engloutir tout ce que contenait la cuisine. Je leur apportai successivement une onctueuse soupe de pois cassés ; trois corbeilles de pain ; une assiette de radis, d'olives, de cornichons aigres-doux et autres amuse-gueule ; la truite qu'ils avaient pêchée, frite et accompagnée de pommes dauphine ; des foies de volaille sautés avec des lardons ; de l'entrecôte suivie d'épinards, de tomates braisées, de betteraves, de chou-fleur à la crème ; et, pour le dessert, un gâteau à la noix de coco et à la crème anglaise recouvert d'un glaçage.

Une femme seule occupait la table huit. Elle dégustait tranquillement un verre de limonade en lisant. Je ne la quittais pas des yeux.

— Je donnerais cher pour avoir une robe comme la sienne, me chuchota Fran en passant.

Ce n'était pas sa robe que j'enviais, mais sa liberté. Elle pouvait rester assise à lire près de la fenêtre sans qu'on vienne lui dire : « Tu as nourri les poulets ? Qu'y a-t-il pour le dîner ? Les cochons ont-ils eu leur pâtée ? As-tu sarclé le jardin ? Trait les vaches ? Graissé le fourneau ? » Il me semblait que personne au monde n'avait autant de chance qu'elle. Comme elle manquait d'appétit, elle n'avait pas commandé d'entrée, seulement une truite. Et pochée plutôt que frite.

Mme Hennessey s'exécuta de mauvaise grâce. Lorsque j'apportai la truite, la dame prit un air dégoûté.

— Elle sent... Auriez-vous l'obligeance de dire à la cuisinière que je veux du poisson frais ?

Je regagnai la cuisine et m'approchai de Mme Hennessey, l'assiette dans les mains, m'attendant à me faire dévorer toute crue, mais notre cuisinière se contenta de grommeler. Elle enleva la garniture de salade et de tomates, retourna la truite, l'entoura d'épinards et de rondelles de carotte, puis me pria d'attendre cinq minutes avant de la porter à nouveau en salle. Lorsque je la lui présentai, la dame se déclara très satisfaite...

À la table sept, deux jeunes couples étudiaient des cartes en vue d'une excursion en carriole. Les hommes avaient des costumes d'été en drap de laine et les ongles propres. Les femmes portaient des jupes amples et des corsages à rayures fermés par un nœud en soie.

— Au fait, Maud, notre petite serveuse saura peut-être nous aider, lança l'un des messieurs alors que je m'apprêtais à prendre leur commande.

— Savez-vous où je pourrais rencontrer des Indiens ? s'enquit la femme prénommée Maud. Puisque je suis dans l'Ho De Ron Dah, je veux voir des Indiens !

— Excusez-moi, madame, mais ici, nous sommes au Glenmore.

Toute la tablée partit d'un immense éclat de rire. Je me sentis ridicule sans même savoir pourquoi.

— « Ha De Ron Dah » est un mot indien, jeune fille. Iroquois, plus précisément. Il signifie « mangeurs d'écorce ». C'est ainsi que les Iroquois surnommaient leurs ennemis, les Montagnais, qui chassaient ici, dans ces montagnes. S'ils n'attrapaient rien, ils se nourrissaient de pousses et de racines. Les Iroquois les trouvaient terriblement frustes. Les Blancs, cependant, prononcent ce mot « A-di-ron-dack ». Les Adirondacks, vous devez connaître, non ? C'est là que vous vivez !

« Je vis dans les forêts du Nord », rectifiai-je intérieurement. « Adirondacks » était le nom utilisé dans les brochures des agents de voyages pour appâter les touristes. Un nom aussi attirant que les magnifiques mouches vendues aux touristes par Charlie Eckler. Celles dont aucun garde-pêche digne de ce nom n'aurait voulu.

— Alors, reprit la jeune femme, où puis-je rencontrer des Indiens ?

Gênée, je m'éclaircis la gorge. Je ne voulais pas les faire rire une nouvelle fois à mes dépens.

— Eh bien, madame, il y a les Traversy. Et les Dennis. Ils paraît qu'ils appartiennent à la tribu des Abénakis. Ils fabriquent des paniers en osier qu'ils vendent dans la gare d'Eagle Bay...

La jeune femme plissa le nez.

— Ce ne sont pas des Indiens authentiques. J'en veux des vrais. De nobles sauvages en pleine nature. Des hommes primitifs dans toute leur gloire.

— Désolée, madame, je ne vois pas..., bredouillai-je piteusement.

C'est alors que Weaver apparut pour remplir les verres à eau. Je me demandai d'où il sortait et me serais bien dispensée de sa présence. Il avait cette fameuse lueur dans le regard. Celle que je connaissais trop bien.

— Vous devriez aller voir Mose LaVoie, madame. C'est un Saint-Régis pur souche. Il vit près de Big Moose Station. Dans un tipi au fond des bois.

J'en restai bouche bée.

— Eh bien, te voilà satisfaite, Maudsy ! s'exclama le mari de la jeune femme.

— Formidable ! Et comment le reconnaîtrons-nous ?

— On ne peut pas le rater, madame. Il est vêtu de peaux de bêtes, mais seulement en hiver. À cette saison,

228

il se contente d'un pagne, d'un collier de griffes d'ours et de quelques plumes dans les cheveux. Il vous suffit d'aller au Summit Hotel et de demander Injun Mose.

Je faillis m'étrangler. Mose LaVoie était indien, certes, mais il ne vivait pas dans un tipi. Il habitait une cabane en rondins et portait comme tout le monde une chemise, un pantalon et des bretelles. Plutôt aimable avec les gens qu'il connaissait, il avait toutefois mauvais caractère et pouvait se montrer violent quand il avait bu. Il se serait même attaqué à une locomotive s'il avait eu l'impression qu'elle le regardait de travers. Plus d'une fois il avait brisé des vitres au Summit Hotel, et il démolirait à coup sûr le premier idiot de touriste qui l'appellerait Injun Mose au lieu de M. LaVoie.

— Un vrai Peau-Rouge ! Vous imaginez ! Le guide idéal pour visiter les Ho De Ron Dah !

Weaver sourit de toutes ses dents.

— Oui, madame, vous pouvez en être sûre.

Je le rattrapai près du percolateur.

— Tu auras quatre meurtres sur la conscience, Weaver Smith. J'espère que ça ne t'empêchera pas de dormir.

— Ils n'ont pas à se moquer de toi. Ni à me traiter de Noir.

— Ils n'ont jamais fait ça, Weaver.

Weaver a horreur qu'on utilise le mot « Noir » à son sujet. Il dit qu'il est une personne, pas une plaque de chocolat.

— Bien sûr que si ! Hier soir en arrivant, et ce matin encore au petit déjeuner. Tu as déjà vu Mose LaVoie en colère ?

— Seulement de loin.

— Moi aussi. Comme ça on sera quittes, eux et moi.

La table sept était fatigante, mais la six était la pire de toutes, et de loin. C'était celle d'un homme seul. Un certain M. Maxwell. Petit et mince. Avec un début de calvitie. Et toujours en sueur, bien que la chaleur soit parfaitement supportable. Il faut absolument garder ses distances avec les hommes qui transpirent quand il ne fait pas très chaud.

Penché sur le menu, il l'étudiait en clignant des yeux et en s'épongeant le front avec son mouchoir.

— J'ai dû oublier mes lunettes dans ma chambre, déclara-t-il enfin. Auriez-vous la gentillesse de me lire les entrées ?

Il devait vraiment avoir une très mauvaise vue, car il regardait mon décolleté en parlant, au lieu de mon visage.

— Mais certainement, répondis-je, blême de rage.

Je m'inclinai vers lui.

— Jambon au four, poulet grillé, langue de bœuf bouillie..., récitai-je.

Alors que j'en étais au veau en gelée, il ôta sa serviette de ses genoux, révélant quelque chose qui ressemblait à une saucisse de Francfort. Mais je n'avais encore jamais vu une saucisse de Francfort se redresser comme pour saluer.

— Je prendrai du veau en gelée, dit-il en replaçant sa serviette sur ses genoux.

Je regagnai la cuisine les joues en feu. J'étais si rouge que Mme Hennessey s'en aperçut aussitôt.

— Quelle sottise as-tu encore faite ? aboya-t-elle. As-tu renversé quelque chose ?

— Non, madame. Je... j'ai trébuché, c'est tout.

Je préférais mentir que d'avouer ce qui s'était réellement passé. Je ne voulais en parler à personne.

Fran, venue chercher une commande, nous entendit. Elle s'approcha de moi.

— La table six ? souffla-t-elle.

J'acquiesçai d'un signe de tête, les yeux rivés au sol.

— Le salaud ! J'ai eu droit à la même chose hier. Tu devrais bel et bien renverser quelque chose sur lui. Un pichet d'eau glacée. Pile sur ses genoux ! N'y retourne pas, Matt. Je vais demander à Weaver de s'occuper de lui.

— Fran ! Où es-tu ? rugit Mme Hennessey. Dépêche-toi d'emporter...

Elle ne termina jamais sa phrase, car, au même instant, la cuisine sombra dans le chaos.

Une explosion retentit. Plus forte que les coups de canon tirés à Old Forge le 4 juillet, pour la fête de l'Indépendance. Pire que tout ce que j'avais pu entendre. Ada hurla. Moi aussi.

— *Ach, mein Gott !* s'écria Henry.

Des morceaux de métal volèrent dans les airs et touchèrent une lampe à gaz. Une pluie d'éclats de verre s'abattit sur nous. Ada et moi nous accroupîmes derrière la vitrine réfrigérée, cramponnées l'une à l'autre. Il y eut deux nouvelles explosions coup sur coup. Encore des hurlements, et une seconde pluie d'éclats de verre. Je me risquai à lever les yeux : une demi-douzaine d'impacts défiguraient le plafond. Plusieurs lampes étaient brisées. Les vitres d'une fenêtre avaient été soufflées.

Quelque chose de chaud et d'humide ruissela sur mon visage. Je m'affolai.

— Ada ! Ada ! Je crois que je saigne !

Ada se redressa et m'examina. Elle me palpa la joue. Je m'attendais à voir ses doigts rougis par le sang, mais ils étaient couverts d'un liquide blanchâtre. Ada le renifla.

— On dirait du lait, conclut-elle.

Nous nous relevâmes avec précaution, toujours cramponnées l'une à l'autre.

Réfugiés derrière la glacière, Fran et Weaver regardaient furtivement autour d'eux. Bill restait tapi sous l'évier. Deux autres serveuses et l'un des garçons s'étaient cachés dans le couloir de la cave. La porte s'entrouvrit et leurs yeux brillèrent dans l'obscurité. La cuisine avait été complètement dévastée. Les dégâts étaient impressionnants. Le même liquide poisseux que j'avais sur le visage dégoulinait du plafond. Des éclats de verre jonchaient le sol, mais aussi les assiettes, les plateaux à couverts et les plats de service. Il allait falloir jeter un cake prêt à mettre au four, trois tartes, un bol de pâte à gâteau, une casserole de gélatine, une marmite de soupe, quatre fournées de cookies et une mousse de crabe.

J'entendis un gémissement sous l'immense plan de travail devant l'évier. C'était Mme Hennessey, étendue à plat ventre. Avec Ada, je courus l'aider à se relever. Elle inspecta la pièce autour d'elle, hochant la tête à la vue du désastre.

— Où est Henry ? articula-t-elle péniblement. Où diable est-il passé ?

Livide, tremblant de tous ses membres, l'intéressé émergea de l'office.

— Tu as mis les boîtes de lait à même le fourneau, n'est-ce pas ? tonna-t-elle.

— Vous... vous avez voulu me tuer ! répliqua Henry. Vous me dites de faire chauffer du lait condensé, et tout à coup : *boum !*

— Dans une casserole, espèce d'idiot ! Dans une casserole ! On ne met jamais les boîtes de conserve sur le feu : elles explosent ! Tu ne sais donc pas ça ? De quel pays reculé et arriéré sors-tu ?

— Vous avez voulu me tuer ! répéta Henry, à tue-tête et en gesticulant.

— Je regrette de n'avoir pas réussi, répondit Mme Hennessey.

Elle brandit un couteau à désosser. Henry sortit de la cuisine à toutes jambes, notre cuisinière sur ses talons.

Une demi-heure plus tard, celle-ci était de retour devant le fourneau qu'elle astiquait énergiquement, et Henry avait disparu. Le reste du personnel s'activait pour remettre les lieux en état. Je rinçai ma serpillière dans l'évier, convaincue d'avoir atterri dans un asile d'aliénés. Nulle part ailleurs les fous n'erraient ainsi en liberté, prêts à tout faire sauter ou à s'entre-tuer. Je me souvins des paroles de papa : si je voulais rentrer à la maison, il viendrait me chercher, ou il enverrait Royal à sa place. Je me rappelai aussi ses mises en garde contre les bûcherons qui descendaient dans des hôtels chics, et j'aurais aimé pouvoir lui parler des agissements du client de la table six. Il aurait réglé son compte à ce malade, mais ensuite il m'aurait ramenée à la maison sans me demander mon avis, et en répétant tout le long du chemin : « Je t'avais pourtant prévenue. » C'est alors que Weaver vint me glisser un papier rêche dans la main. Un billet de un dollar !

— Qu'est-ce que c'est ?

— Ton pourboire. De la part de la table six.

Je secouai la tête et tentai de rendre le billet à Weaver.

— Venant de ce client-là, je n'en veux pas.

— Ne sois pas ridicule ! C'est le dollar le plus facilement gagné que tu auras de l'été. Mince alors ! Pour ce prix-là, ce vieux dégoûtant peut me dévoiler son anatomie quand il veut !

Fran apparut avec un seau rempli d'eau sale. Elle pouffa de rire.

— Moi, je suis même prête à retourner y jeter un coup d'œil pour seulement vingt-cinq cents !

Fran et Weaver s'employèrent à me dérider jusqu'à ce que nous soyons tous les trois hilares, que je fourre le billet dans ma poche avec les pièces de dix et de vingt-cinq cents reçues des autres tables, et que Mme Hennessey, nous voyant bavarder sans rien faire, brandisse de nouveau son couteau, cette fois dans notre direction.

— Remettez-vous au travail immédiatement, ou je demande à M. Morrison de prévoir trois trous supplémentaires à côté de la tombe qu'il est en train de creuser pour Henry !

Nous nous exécutâmes sans discuter.

im.monde

Tout le monde à Big Moose, à Eagle Bay, à Inlet et dans les environs savait qu'aiguiser un couteau après la tombée de la nuit portait malheur. Tout le monde sauf Henry, apparemment.

Un soir, vers huit heures, Mme Hennessey m'avait envoyée porter un plateau de cookies et un pichet de limonade au hangar à bateaux où les gardes-pêche faisaient une démonstration de pêche à la mouche. À mon retour, je découvris Henry en train d'aiguiser un couteau à poisson sur les marches de la cuisine. Mme Hennessey avait fini par lui faire avouer que son prétendu apprentissage dans les meilleures cuisines européennes avait surtout consisté à passer la serpillière et à vider les poubelles. Tombé en disgrâce, il devait effectuer les tâches les plus ingrates : vider les poissons, préparer le court-bouillon avec les têtes et les arêtes, ou encore aiguiser les couteaux. Mme Hennessey aurait préféré le renvoyer, mais c'était impossible. La saison battait son plein et l'on avait du mal à trouver du personnel – compétent ou non.

— Arrête, Henry ! me récriai-je. Ça porte malheur !

Je n'hésitais plus à le rabrouer, ni à taquiner Bill ni à plaisanter avec Charlie, le serveur, ou avec les guides : après avoir passé une semaine complète au Glenmore et

234

touché mon premier salaire, je me sentais chez moi autant qu'eux.

— Quelle idée ! On n'a jamais que ce qu'on mérite, marmonna Henry sans s'interrompre.

Dans ce cas, il devait attirer le malheur. Et sur les autres, par-dessus le marché.

Je revis ce couteau et la pierre qui servait à l'aiguiser en découvrant le visage de Weaver, environ une demi-heure plus tard. Avec Mme Hennessey nous étendions des torchons à vaisselle sur le fil à linge au pied de l'escalier de la cuisine quand John Denio accompagna Weaver jusqu'à la porte. Horrifiées, nous le fîmes entrer au plus vite, dans l'espoir que les Morrison et M. Sperry ne s'apercevraient de rien. En vain.

— Weaver, pourquoi faut-il toujours que tu cherches les ennuis ? s'écria M. Sperry, accourant de la salle à manger. Je ne te demande rien d'extraordinaire, juste d'aller avec John chercher les nouveaux pensionnaires à la gare de Big Moose, et regarde comment ça se termine ! Un de nos clients m'a parlé d'une bagarre. Tu y étais mêlé ?

Weaver releva le menton.

— Oui, monsieur.

— Nom d'un chien, Weaver, tu sais pourtant ce que je pense des gens qui se battent !

— Il n'y est pour rien, monsieur Sperry. Ce n'est pas lui qui a commencé, précisai-je aussitôt, en appliquant une compresse de lotion à l'hamamélis sur l'œil tuméfié de Weaver.

— Il aurait pu éviter cette bagarre. Se tenir à l'écart le temps que ces canailles aient déversé leurs injures, mais non, c'est plus fort que lui : il ne peut pas tenir sa langue, intervint Mme Hennessey en essuyant le sang qui coulait du nez de Weaver.

— Que s'est-il passé ? interrogea monsieur Sperry.

Ce fut John Denio qui répondit. Ni Mme Hennessey, ni M. Denio, ni moi ne souhaitions laisser Weaver prendre la parole.

— Il s'est fait agresser. Devant la gare, expliqua John. Le train avait du retard. Je suis allé parler au chef de gare pendant que Weaver attendait dans la carriole. Trois hommes sont sortis du Summit Hotel. Des trappeurs. Complètement ivres. Ils ont lancé quelques insultes. Weaver a répliqué sur le même ton. Un des hommes l'a fait descendre de force et ils se sont tous les trois jetés sur lui. Alerté par le bruit, je suis sorti et je les ai séparés.

— Trois contre un, Weaver ? Pour l'amour du ciel, tu ne pouvais pas te taire ?

— Ils m'ont traité de sale nègre.

M. Sperry prit Weaver par le menton et fit la grimace devant les plaies. Un œil poché qui noircissait déjà. Le nez peut-être cassé. La lèvre supérieure aussi boursouflée qu'une limace.

— Ce ne sont que des mots, mon garçon. J'en ai entendu de pires à mon sujet.

— Excusez-moi, monsieur, mais je ne crois pas, dit Weaver. Demain, j'irai voir le juge de paix. Je lui raconterai ma version des faits. Je veux porter plainte.

M. Sperry soupira.

— Tu ne peux donc pas laisser la racaille tranquille ? À partir de demain, tu restes à la cuisine. Tu pourras laver la vaisselle, passer la serpillière, faire tout ce que Mme Hennessey te demande jusqu'à ce que tes blessures cicatrisent.

— Mais pourquoi, monsieur Sperry ?

Weaver était consterné. Il ne gagnerait pas de pourboires en travaillant à la cuisine.

— Parce qu'on dirait que tu es tombé dans un hachoir à viande ! Tu ne peux pas servir les clients dans cet état.

— Ce n'est pas juste, monsieur. Je n'ai pas à me faire insulter. Ni à me laisser rosser. Ni à rester à la cuisine, d'ailleurs.

— Quel âge as-tu, Weaver ? Dix-sept ans, ou sept ans ? Tu n'as toujours pas compris qu'on ne peut pas prendre ses désirs pour des réalités ? À l'heure qu'il est, tu devrais être mort. Tu as eu de la chance. La prochaine fois, réfléchis-y avant de t'attaquer à trois solides gaillards.

M. Sperry tourna les talons et quitta la pièce. Mme Hennessey lui emboîta le pas pour l'entretenir d'une livraison, John retourna s'occuper des chevaux, et je restai seule avec Weaver.

« Immonde », mon mot du jour, signifie « d'une saleté ou d'une laideur suscitant le dégoût ». Je trouvais que c'était un excellent qualificatif pour les agresseurs de Weaver, et je le lui dis. Lui-même usa d'autres mots pour les décrire, mais, heureusement pour lui, aucun n'arriva aux oreilles de Mme Hennessey.

— Chut, Weaver, calme-toi. Quelques jours à la cuisine ne te feront pas de mal. Ça vaut mieux que d'être renvoyé. Tiens, applique-toi ça sur la bouche, murmurai-je après avoir enveloppé un glaçon dans une serviette.

— De toute façon, je n'ai pas le choix, non ? maugréa-t-il.

Il posa le glaçon sur sa lèvre, grimaça, et ajouta :

— Encore trois mois, Matt. Trois petits mois et je pars d'ici. Lorsque j'aurai mon diplôme de Columbia et que je serai avocat, plus personne ne me fera porter de valises. Plus personne ne me traitera de sale nègre ni ne lèvera la main sur moi. Et si quelqu'un s'avise de le faire, je veillerai à ce qu'il soit jeté en prison.

— Je n'en doute pas.

— Je me trouverai un autre endroit pour vivre. Mieux qu'ici, c'est sûr. Toi aussi, Matt, n'est-ce pas ?

Il me regarda droit dans les yeux.

— Bien sûr que oui, répondis-je, me concentrant sur la compresse à l'hamamélis pour ne pas avoir à soutenir le regard de Weaver.

Je m'étais déjà trouvé un nouvel endroit, auquel je n'aurais jamais pensé, mais qui existait bel et bien. Un endroit pour moi toute seule et dont je ne pouvais parler à Weaver, pas plus qu'à Mlle Wilcox. Cet endroit, c'étaient les bras de Royal Loomis, où je me sentais si bien. Jamais Weaver ne comprendrait. Parfois je n'en revenais pas moi-même.

Un huard pousse son cri sur le lac. Les touristes disent tous que c'est un son magnifique. Moi, je n'en ai jamais entendu de plus mélancolique. Je poursuis la lecture des lettres de Grace Brown. Toujours en quête d'une nouvelle réponse à mes interrogations. D'une autre explication. D'un dénouement plus heureux. Mais je sais déjà que mes espoirs seront déçus.

South Otselic, le 28 juin 1906

Mon cher Chester,
... Je crois que je vais mourir de joie en te voyant, mon chéri. Je t'assure que j'essaierai d'être plus raisonnable, de ne pas m'inquiéter autant, et de ne pas croire les horreurs écrites par les autres filles. Je suppose qu'elles en rajoutent. Il faut que j'aie un peu perdu la tête pour ne pas m'en rendre compte. Je me réjouis vraiment que tu aies passé un bon moment au bord du lac, et je regrette de ne pas avoir été là. J'aime beaucoup me baigner, bien que je ne sache pas nager. Je pleure tellement que j'ai du mal à écrire. Sans doute parce que ma sœur joue de la mandoline en chantant « Plaisir d'amour ». Cette chanson me donne des idées noires...

La lettre est longue et je suis encore loin de la fin, mais j'en reviens toujours à la même phrase : « *J'aime beaucoup me baigner, bien que je ne sache pas nager.* » Un mauvais pressentiment me glace. Je me ressaisis et continue ma lecture.

> *... Ma robe en soie est la plus jolie que j'aie jamais eue, Chester, c'est du moins ce que tout le monde dit. Maman trouve que je ne m'y intéresse pas beaucoup. Je meurs de peur à chaque essayage. Maman ne comprend pas pourquoi je fonds en larmes dès qu'on me regarde... J'espère que tu vas bien t'amuser pour la fête du 4 Juillet, mon chéri. En fait, peu importe pour moi où tu iras, et avec qui, du moment que tu viens me chercher le 7. Toi qui aimes tellement la baignade et les promenades en barque, pourquoi n'irais-tu pas au bord d'un lac ?...*

Impossible d'en lire davantage. Je tente de remettre la lettre dans son enveloppe, mais j'ai les mains qui tremblent si fort que je dois m'y reprendre à trois fois.

Il était au courant qu'elle ne savait pas nager. Aucun doute là-dessus.

Je ne peux retenir mes larmes. Le visage caché dans mes mains pour ne pas faire de bruit, je pleure tout mon soûl. Comme si j'avais moi aussi le cœur brisé.

Il reste quelques lettres, mais je suis incapable de les lire. Je n'aurais jamais dû commencer, et encore moins continuer jusqu'à la dernière, ou presque. Dans l'obscurité, je revois le visage de Grace lorsqu'elle me les a confiées. Je l'entends encore me dire : « Il faut les brûler. Je vous en supplie. Promettez-le moi. Personne ne doit jamais les voir. »

J'enfouis la tête dans mon oreiller et je ferme les yeux. Je me sens vieille et lasse. Je voudrais tant dormir. Mais derrière mes paupières la nuit tourbillonne, et j'ai la sensation que les eaux noires du lac se referment sur moi, emplissant mes yeux, mes oreilles et ma bouche, m'entraînant vers le fond tandis que je me débats.

« *J'aime beaucoup me baigner, bien que je ne sache pas nager...* »

gra.vide

Lors de notre dernière rencontre, Mlle Wilcox m'avait dit qu'« Enterrement rural » d'Emily Dickinson était un poème parfait.

> *Ce lit, fais-le ample.*
> *Fais-le avec déférence ;*
> *Attends-y l'heure du jugement*
> *Excellent et juste.*
>
> *Que son matelas soit lisse,*
> *Et son oreiller rond ;*
> *Que nul bruit jaune du levant*
> *Ne vienne franchir ce sol.*

Ces vers me stupéfiaient. Ils avaient la beauté et la pureté d'une prière. Je me les répétais intérieurement tandis que Royal me parlait du nouveau maïs hybride qu'il avait vu chez Becker, le marchand de semences et d'aliments pour bétail.

C'était un mercredi après-midi, ma demi-journée de congé hebdomadaire. Royal me conduisait chez Minnie en allant à Inlet. Lorsqu'il était venu me chercher au Glenmore, Fran et Ada avaient gloussé, Weaver avait levé les

240

yeux au ciel et Mme Hennessey avait souri, mais je les avais tous ignorés.

Durant tout le trajet, Royal se montra intarissable. J'acquiesçais de la tête en m'efforçant de l'écouter, mais je songeais surtout que « *Ce lit, fais-le ample* » sonnait tellement mieux que tout ce que j'aurais pu écrire. Je pensais aussi qu'Emily Dickinson était une femme redoutable. Elle voletait et se cachait entre ses mots avec la grâce d'un papillon dans un jardin. Elle vous faisait croire qu'elle évoquait tout simplement un enterrement, un lit, des roses, ou la couture. Elle gagnait votre confiance. Puis elle surgissait soudain derrière vous avec une planche et vous en assenait un bon coup sur le crâne. Comme dans « Tombeau pour Charlotte Brontë ». Dans « Le chariot ». Dans « L'épouse ». Ou dans « Apocalypse ».

— ... et Tom L'Espérance prétend que ces nouvelles semences donnent des épis de maïs deux fois plus gros que ceux qu'on récoltait jusqu'à maintenant, et que...

Alors que j'avais ce recueil en ma possession depuis plusieurs semaines, je commençais la lecture de chaque nouveau poème avec le sentiment d'être de taille, c'est-à-dire assez forte, mais, avant d'avoir eu le temps d'y voir clair, j'essuyais mes larmes tombées sur la page de peur qu'elles fassent gondoler le papier. Lorsque je perçais le sens de certains poèmes, c'était déjà suffisamment éprouvant. Mais parfois Emily Dickinson voilait sa pensée et je ne comprenais qu'avec le cœur, ce qui était pire encore. Avec ses petits mots si discrets, elle réveillait tant d'émotions. Elle produisait tant d'effet avec si peu de chose. Comme Emmie Hubbard, quand elle peignait des baies et des racines. Comme Minnie, qui préparait avec trois fois rien des repas plantureux pour Jim et les ouvriers saisonniers. Ou comme la mère de Weaver qui, grâce à sa lessiveuse et à ses poulets, allait envoyer son fils à Columbia University, à New York.

— ... ce qui signifie qu'on peut obtenir un meilleur rendement avec la même surface cultivée. Je n'en reviens pas ! Comme si tu ensemençais dix hectares et que tu obtiennes la même récolte qu'avec quinze...

Emily Dickinson m'agaçait un peu, mais je ne lui en voulais jamais très longtemps car je connaissais sa fragilité. Mlle Wilcox m'avait parlé des obstacles qu'elle avait dû surmonter. Très autoritaire, son père ne lui laissait lire que les livres qu'il approuvait. Elle vivait en recluse et, à la fin, ne s'aventurait jamais à l'extérieur de la propriété paternelle. Elle n'avait ni mari, ni enfants, ni personne à aimer. Et c'était grand dommage. À lire ses poèmes, n'importe qui pouvait voir qu'elle avait un cœur d'or et beaucoup d'amour à donner. Moi, je m'estimais heureuse d'avoir quelqu'un à aimer. Même s'il n'accordait pas plus de prix à un poème qu'à une pomme de terre, et pouvait disserter des heures durant sur les semences de maïs.

— ... ces semences coûtent plus cher, du fait qu'elles viennent d'arriver sur le marché et que ce sont des hybrides, mais Tom affirme que les bénéfices seront cent fois supérieurs à l'investissement de départ. Et aussi qu'on dépensera moins en engrais...

« Pourquoi Emily Dickinson n'a-t-elle pas quitté la maison de son père ? Pourquoi ne s'est-elle jamais mariée ? » me demandais-je. Mlle Wilcox m'avait donné un autre recueil de poèmes à emporter au Glenmore : *Crépuscule d'avril*, d'une Mlle Willa Cather. Ainsi qu'un roman : *Le Pays des sapins*, d'une Mlle Sarah Orne Jewett. Pourquoi Jane Austen ne s'était-elle pas mariée non plus ? Ni Emily Brontë. Ni Louisa May Alcott. Était-ce, comme le prétendait ma tante Josie, parce qu'aucun homme ne voulait d'une femme qui aimait les livres ? Mary Shelley s'était pourtant mariée, Edith Wharton aussi, mais, d'après Mlle Wilcox, ces deux mariages étaient des échecs. Sans oublier, bien sûr, mon institutrice elle-même, et la brute méprisante qui lui tenait lieu de mari.

— ... en fait, la saison est passée, mais papa m'a dit d'en acheter quand même une demi-livre et de les semer pour voir. Holà ! Holà !...

Royal arrêta ses chevaux à l'entrée du chemin conduisant chez Minnie.

— Je te dépose ici, Matt. L'allée de Jim est un peu étroite pour cette vieille carriole. Je reviens te chercher dans deux heures environ. On pourrait aller voir les terres que Dan et Belinda viennent d'acheter à Clyde Wells. Vingt hectares, payés avec l'argent que leur a donné le père à Belinda !

« Le père *de* Belinda, Royal », rectifiai-je en mon for intérieur.

— Entendu !

Je descendis de la carriole d'un bond, prenant soin de ne pas abîmer le bouquet de fleurs que j'avais cueilli pour Minnie.

Royal fit rebrousser chemin à ses chevaux, sans cesser de discourir pour autant.

— Wells leur en a demandé un bon prix, mais tout de même, vingt hectares !

— Royal ! m'écriai-je soudain, un peu trop fort.

— Quoi donc ?

— C'est juste que... ne m'oublie pas. N'oublie pas de revenir me chercher.

Il fronça les sourcils.

— Je t'ai dit que je serais de retour dans deux heures. Tu ne m'écoutes donc pas ?

Je hochai la tête. « Si, Royal, je t'écoute, mais cela ne suffit pas, pensai-je. J'ai toujours autant de mal à y croire. À notre tour en barque sur Big Moose Lake. À nos promenades à pied et en carriole depuis. À la promesse d'une bague de fiançailles. J'ai si peur que tu m'oublies, que je doive rentrer à pied de chez Minnie, qu'en chemin je te voie raccompagner Martha Miller sans m'accorder un regard, et que je finisse par me réveiller et comprendre que tout cela n'était qu'un rêve. Je t'en prie, reviens me chercher, le suppliai-je intérieurement en le regardant s'éloigner. Emmène-moi dans ta carriole, parce que j'aime sentir les gens se retourner sur nous. Tout comme j'aime être assise près de toi, ta jambe contre la mienne. Peu importe que tu énumères toutes les qualités du maïs hybride, car je n'ai qu'une envie : que tu me serres contre toi et que tu m'embrasses, même si je ne suis pas jolie et que je lis trop de livres. Surtout parce que je suis ainsi, et pas autrement. »

La carriole disparut dans le virage. Je me dirigeai vers la maison de Minnie. En chemin, je saluai les ouvriers saisonniers. Ils construisaient une clôture autour des terres de Jim avec les arbres qu'ils avaient abattus. Chardon, l'une des vaches, paissait à proximité. Énorme, elle allait sûrement vêler d'un jour à l'autre. Mon mot du jour était « gravide », qui désigne une femme pendant sa grossesse. Quand je l'avais découvert dans le dictionnaire, ce matin-là, il m'avait paru bizarre pour parler d'une femme enceinte. Jusqu'à ce que je lise qu'il voulait également dire « chargé, rempli de quelque chose ». En voyant Chardon avec son gros ventre et son regard las, je le trouvai parfaitement approprié.

Je respirai le parfum des fleurs que j'apportais à Minnie. J'espérais lui faire plaisir. Il y avait des semaines que je ne l'avais pas vue, et j'avais tant de choses à lui raconter. La dernière fois que j'étais allée chez elle, je venais de recevoir la lettre de Barnard College, mais je n'avais pu la lui montrer parce qu'elle accouchait de ses jumeaux. Ensuite, j'avais travaillé à la ferme et dans la bibliothèque de Mlle Wilcox, puis j'étais partie au Glenmore, et il me semblait n'avoir pas bavardé avec elle depuis une éternité. Je souhaitais toujours la consulter à propos de cette lettre, même s'il n'était plus question que j'aille à Barnard College. Je souhaitais aussi lui parler de Royal, et de la bague qu'il devait m'offrir. Je me demandais si elle ne pourrait pas m'aider à trouver un moyen de devenir écrivain tout en épousant Royal, d'être deux choses à la fois, comme l'un de ces manteaux réversibles du catalogue de vente par correspondance Sears & Roebuck.

Lorsque j'arrivai sous le porche, la porte d'entrée s'ouvrit à la volée. Jim me salua sans un sourire, fourra dans sa bouche la dernière bouchée d'un sandwich et dévala l'escalier pour rejoindre ses ouvriers.

— Minnie ?

Je m'avançai à l'intérieur. Une odeur déplaisante me prit à la gorge. Des relents aigres d'aliments avariés et de couches sales.

— C'est toi, Matt ? demanda une voix fatiguée.

Assise sur son lit, Minnie allaitait ses jumeaux. Elle semblait si maigre et si épuisée que je la reconnus à peine. Ses cheveux blonds étaient sales, ses vêtements tachés. Les bébés tétaient bruyamment, avec avidité. Minnie jeta un coup d'œil dans ma direction. Elle parut inquiète et gênée.

— Oui, c'est moi. Je t'apporte des fleurs.

Je lui tendis le bouquet.

— Elles sont si jolies, Mattie. Merci. Tu veux bien les mettre quelque part ?

C'est en cherchant un vase que je remarquai la saleté repoussante de la maison. La table et les plans de travail disparaissaient sous des verres souillés et des assiettes non lavées, l'évier était rempli de couverts. Des casseroles crasseuses encombraient le fourneau. Le sol n'avait pas dû être balayé depuis des lustres.

— Excuse l'état de la maison, reprit Minnie. Jim a engagé quatre ouvriers pour l'aider cette semaine. J'ai l'impression d'avoir à peine fini de préparer un repas que je dois déjà me mettre au suivant. Sans parler des bébés qui ont toujours faim. Tiens, prends-en un quelques minutes, veux-tu ? Je vais faire du thé.

Elle me tendit l'un des jumeaux, grimaçant quand elle le retira de son sein gonflé aux veines bleues et saillantes. La peau du mamelon était gris sombre. De minuscules gouttes de sang perlaient autour d'une crevasse. Surprenant mon regard, Minnie referma son corsage. Elle me tendit le second jumeau, et ils ne tardèrent pas à hurler en chœur. Ils se tortillaient en tous sens. Le visage chiffonné, ils ouvraient leur petite bouche rose comme deux oisillons affamés. Leurs couches étaient trempées. Ils avaient les joues à vif, le crâne couvert de croûtes de lait. Ils empestaient l'urine et le lait caillé. Alors que je tentais de les caler contre moi pour qu'ils cessent de crier et que leurs couches ne mouillent pas ma jupe, Minnie surgit devant moi, les bras raidis et les poings serrés.

— Rends-les-moi tout de suite ! Ne les regarde pas de cette façon ! Et ne me regarde pas non plus ! Sors plutôt d'ici ! Allez, va-t'en !

— Min... Je... Je suis désolée. Je n'étais pas... Je ne voulais pas...

Trop tard. Les nerfs de Minnie lâchaient. Elle plaqua ses bébés contre sa poitrine, puis éclata en sanglots.

— Tu les détestes, Mattie, n'est-ce pas ? Hein, que tu les détestes ?

— Voyons, Minnie !

— Je sais que tu les détestes. Moi aussi, ça m'arrive parfois. Je t'assure.

Sa voix était soudain à peine audible. Son regard trahissait son désarroi.

— Veux-tu bien te taire ! Tu n'en penses pas un mot !

— Bien sûr que si ! Je préférerais qu'ils ne soient pas nés. Jamais je n'aurais dû me marier.

Les bébés braillaient et se débattaient dans ses bras. Elle s'assit au bord du lit, ouvrit son corsage et grimaça de nouveau quand leur bouche se referma sur ses mamelons. Elle s'affala contre les oreillers et ferma les yeux. Des larmes coulaient entre ses cils blonds, me rappelant soudain une histoire que m'avait racontée Lawton, un jour qu'il revenait de braconner avec French Louis Seymour. Ce dernier avait pris un ours au piège. Une mère ourse avec deux oursons. Les dents d'acier du piège lui avaient brisé une patte de devant. Lorsque Louis et Lawton l'avaient trouvée, elle était folle de rage et de douleur. Couchée sur le flanc, elle geignait. Il lui manquait la moitié du corps. Plus de fourrure, plus de chair, rien qu'un amas de sang et d'os. Ses oursons affolés et affamés l'avaient en partie dévorée.

— Tu es à bout de forces, Min, voilà tout, dis-je en lui caressant la main.

Elle rouvrit les yeux.

— Je n'en sais rien, Matt. Pendant mes fiançailles, et juste après mon mariage, je voyais tout en rose, mais plus maintenant. Jim est toujours sur mon dos...

— Il doit être épuisé, lui aussi. C'est éreintant, de déboiser...

— Ne sois pas obtuse, Mattie ! C'est moi qu'il veut ! Mais je ne peux pas. J'ai trop mal à cet endroit-là. Et je ne

246

veux pas me retrouver enceinte. Pas juste après la naissance des jumeaux. Je ne veux pas subir ça encore une fois. D'après Mme Crego, l'allaitement empêche la conception, mais la douleur finira par me rendre folle. Pardon, Matt... Pardon de m'être mise en colère. Je te remercie d'être venue... Je ne voulais pas te parler de tout ça... Mais je suis si fatiguée...

— Je sais, Min. Allonge-toi et repose-toi un peu. Laisse-moi préparer le thé.

Quelques instants plus tard, Minnie était assoupie et ses bébés avec elle. Je ne perdis pas une minute. Je fis bouillir de l'eau pour laver toute la vaisselle. Et pour mettre à tremper torchons et tabliers sales. Je remplis également d'eau la grande lessiveuse noire, y jetai un plein seau de couches souillées qui traînaient dans la cuisine, allumai un feu dessous dans le jardin. Il faudrait du temps pour que l'eau arrive à ébullition, mais au moins Minnie n'aurait pas à tout transporter seule. Puis je nettoyai la table et balayai la pièce. Je mis aussi le couvert, songeant que les hommes ne tarderaient pas à venir dîner, et je plaçai mon bouquet de fleurs au centre de la table. Lorsque j'eus terminé, la maison sentait bon et avait bien meilleure apparence, contrairement à moi. J'entendis alors une carriole s'arrêter à l'entrée de l'allée. Je jetai un coup d'œil par la fenêtre. C'était Royal. Déjà ! Il bavardait avec Jim, mais je ne pouvais pas le faire attendre trop longtemps. Je n'avais même pas eu l'occasion de parler de lui à Minnie.

Tandis que je me recoiffais à la hâte, je pris conscience que, sous ses dehors modestes, Emily Dickinson était un sacré génie.

Se cloîtrer dans la maison paternelle sans jamais se marier, mener une existence de plus en plus recluse : je n'y avais d'abord vu qu'une capitulation, mais plus j'y réfléchissais, plus il me semblait que ce renoncement était un combat. Et connaissant ses poèmes comme je les connaissais, je la croyais parfaitement capable d'une telle duplicité. Peut-être se sentait-elle parfois solitaire et à la merci de son père, mais je pariais qu'à minuit, une fois les lumières éteintes et son père endormi, elle descendait la rampe de l'escalier à califourchon et se suspendait au lustre, ivre de liberté.

J'ai lu presque cent poèmes d'Emily, et j'en ai appris dix par cœur. Mlle Wilcox assure qu'elle en a écrit près de mille huit cents. Je regardai mon amie Minnie, toujours assoupie. Un an plus tôt, c'était une jeune fille comme moi. Dans la cuisine de ma mère nous pouffions de rire, nous taquinant et jetant des épluchures de pomme par-dessus notre épaule pour voir si elles formeraient sur le sol l'initiale de notre amoureux. Il ne restait plus trace de cette jeune fille. Elle avait disparu. Et je savais au fond de moi que jamais Emily Dickinson n'aurait écrit un seul poème si elle avait eu deux bébés braillards, un mari déterminé à lui en faire un autre, une maison à tenir, un jardin à planter, trois vaches à traire, et vingt poulets plus quatre ouvriers saisonniers à nourrir.

Je compris alors pourquoi ni Emily Dickinson, ni Jane Austen, ni Louisa May Alcott ne s'étaient mariées. J'en fus remplie d'effroi. Je savais ce que signifiait la solitude, et je ne voulais pas rester seule toute ma vie. Mais je ne voulais pas davantage renoncer à mes mots. Pourquoi aurais-je dû faire un choix ? Mark Twain, lui, n'avait pas eu à choisir. Ni Charles Dickens. Ni John Milton qui aurait pourtant pu faciliter ainsi la tâche d'innombrables générations d'écoliers.

Soudain Royal m'appela et je dus réveiller Minnie pour prendre congé d'elle. En sortant de la maison, je retrouvai le soleil de l'après-midi, et Royal me tint par la main tout le long du trajet jusqu'aux terres de son frère. Il m'expliqua que lui aussi posséderait un jour ses terres, sa maison, ses vaches, ses poulets, sans oublier une vieille commode en chêne que lui avait promise sa grand-mère, et même un lit en pin. Il ajouta qu'il avait quelques économies, et je lui annonçai fièrement qu'entre l'argent mis de côté avant d'aller travailler au Glenmore, mes deux semaines de salaire (moins les quatre dollars donnés à papa) et mes pourboires, je disposais de dix dollars et soixante cents. Royal déclara que cela suffisait presque pour acheter un bon fourneau. Ou alors un veau. Ravi du tour de la conversation, il sourit et me prit par la taille, sensation des plus agréables. Un mélange de soulagement et **de** sécurité. Comme lorsqu'on réussit à rentrer les bêtes juste avant l'orage. Nichée contre Royal, je m'imaginais déjà étendue près de lui, la nuit, sur notre lit en pin, et soudain rien d'autre ne sembla plus avoir d'importance.

as.saison.ner

— Nom d'un chien, Weaver, pas une autre ! s'écria Mme Hennessey, ponctuant sa phrase d'un coup de spatule en bois sur le plan de travail.

— Désolé.

Weaver se baissa pour ramasser les morceaux de l'assiette qu'il venait de casser. La deuxième de la matinée. Plus un verre.

— Non, tu n'es pas désolé. Pas le moins du monde. Mais tu ne vas pas tarder à l'être. La prochaine fois que tu casses quelque chose, je le déduis de ta paye. Ma patience est à bout. Descends à la cave chercher de nouvelles assiettes. Et ne t'avise pas d'en faire tomber une seule !

C'était le jour de congé de Bill, notre plongeur, et il nous manquait terriblement. Nous ne l'avions pas apprécié à sa juste valeur. Son efficacité souriante et silencieuse passait inaperçue. Nous en prîmes cependant conscience ce matin-là, car Mme Hennessey avait chargé Weaver – dont le visage était toujours aussi tuméfié qu'un fruit blet – de la vaisselle, et il ne se montrait ni souriant ni silencieux. Il marmonnait, grommelait, jurait et se lamentait sans fin.

Quatre jours s'étaient écoulés depuis que M. Sperry l'avait envoyé à la cuisine, ce qui aurait dû lui suffire pour ravaler sa contrariété, mais il restait d'une humeur

250

massacrante. Fran avait tenté à plusieurs reprises de le dérider et j'avais essayé de l'entraîner dans des duels de mots. Sans succès.

Ce matin-là, j'avais fait un effort particulier. Je lui avais expliqué tout ce que je savais sur « assaisonner », mon mot du jour, qui signifie à la fois : « relever le goût d'un mets grâce à divers ingrédients de saison », « donner de l'agrément, du piment à ses actes, ses discours, ses écrits », ou encore : « rudoyer quelqu'un, le réprimander ». Je trouvais ces précisions fascinantes, mais pas Weaver. Il continuait de bouder, de se disputer avec Mme Hennessey, et de transformer la cuisine en un endroit détestable.

Ce nouvel arrangement ne satisfaisait personne. Fran, Ada et moi en étions presque aussi mécontentes que Weaver, car nous devions nous relayer pour servir Table Six. Ainsi avions-nous surnommé l'horrible occupant de la table en question. Il s'enhardissait chaque jour un peu plus. Ada avait un bleu de la taille d'une pièce de un dollar sur la fesse, là où il l'avait pincée.

C'était Mme Hennessey qui supportait le plus mal la situation. Elle ne voulait pas davantage de Weaver dans sa cuisine qu'il n'avait lui-même envie d'y être. Le premier jour, elle lui avait demandé de saler une marmite de bouillon de poule et il y avait vidé la moitié de la salière. Le deuxième jour, elle lui avait donné un litre de crème à fouetter et il en avait fait du beurre. Le troisième jour, elle lui avait dit de changer les pièges à mouches suspendus aux lampes à gaz et il en avait laissé tomber un dans une casserole de sauce béarnaise.

Là, elle avait explosé. Elle lui avait reproché sa négligence et sa maladresse, le traitant d'incapable et ajoutant qu'il avait du toupet de se plaindre sans cesse alors que ce qui lui arrivait était entièrement sa faute. S'il préférait faire le service plutôt que de travailler à la cuisine, il n'avait qu'à éviter de se battre.

— Tu as cherché la bagarre, Weaver, maintenant il faut en assumer les conséquences !

— Je n'ai rien cherché du tout !

— Bien sûr que si !

251

— Ah bon ? Je me suis insulté moi-même ? Je me suis fait tomber de la carriole ? Je me suis roué de coups ?

Pour toute réponse, Mme Hennessey l'avait envoyé s'asseoir sur l'escalier de la cuisine avec un couteau à éplucher et quatre boisseaux de pommes de terre. On ne gagnait jamais à se disputer avec elle.

Sans la visite de M. Higby, Weaver aurait sûrement rechigné toute la semaine et Mme Hennessey, Bill ou n'importe lequel d'entre nous aurait peut-être fini par lui tordre le cou.

M. Higby, propriétaire de l'hôtel du même nom, situé sur la rive sud de Big Moose Lake, était notre juge de paix. C'était aussi le beau-frère de M. Sperry et, quand il fit son entrée dans la cuisine alors qu'on finissait de servir le petit déjeuner, tout le monde crut deviner qui il venait voir. Mme Hennessey le salua.

— Bonjour, Jim ! Avez-vous déjà mangé ? Mattie, va chercher M. Sperry !

— Inutile, madame Hennessey. Je sais où le trouver. De toute façon, c'est d'abord à Weaver que je dois dire un mot.

Notre cuisinière se dirigea vers l'entrée de la cave avec un soupir.

— Seigneur, qu'a-t-il encore fait ? Weaver ! Remonte-moi ces assiettes immédiatement ! M. Higby veut te parler !

Weaver réapparut et posa bruyamment les assiettes neuves sur l'égouttoir. Mme Hennessey eut un sourire crispé.

— Fais-moi plaisir, Weaver. Annonce-moi que tu as dévalisé une banque ou attaqué un train, et que Jim t'emmène sur l'heure et te met en prison pour vingt ans.

Weaver ne daigna pas répondre. Il se contenta de redresser le menton, de croiser les bras et d'attendre que M. Higby prenne la parole.

— Je me suis dit que tu serais heureux de savoir que j'ai retrouvé les auteurs de tes blessures, Weaver. Ils faisaient le coup de poing au Summit Hotel alors que j'allais chercher des clients à la gare. Ils ont cassé plusieurs vitres et un tabouret. Je leur ai aussitôt collé une amende de cinq dollars pour payer les dégâts, et quand le serveur m'a appris que c'étaient ces mêmes individus qui t'avaient agressé, je les ai arrêtés. Ils ont passé la nuit enfermés au sous-sol du Summit Hotel. John Denio y est allé et les a formellement reconnus. Maintenant, j'aimerais que tu les identifies toi aussi. Ensuite, je leur offrirai quelques jours de vacances à Herkimer, aux frais de l'État de New York. On leur donnera une petite chambre confortable et de nouveaux vêtements. À rayures, si tu vois ce que je veux dire.

Pour la première fois depuis des jours, Weaver sourit.

— Merci, monsieur Higby. J'apprécie que vous ayez pris le temps de vous occuper de cette histoire.

— Je n'ai fait que mon travail. Il faut que je trouve Dwight, je dois parler affaires avec lui. Je passerai te chercher en partant.

M. Higby alla voir M. Sperry, et Weaver retourna à son évier. La tête haute. Le dos bien droit. Dans ses yeux, assombris par la colère depuis quatre jours, brillait la fierté retrouvée.

Parfois, il suffit de surprendre l'expression de quelqu'un au bon moment pour pouvoir prédire ce qu'il ou elle deviendra. Une nuit, j'ai vu Beth dresser l'oreille en entendant le cri d'un coyote au clair de lune. Devant ses yeux écarquillés par la peur et l'émerveillement à la fois, j'ai su qu'un jour elle serait belle. Pas seulement jolie, non, vraiment belle. J'ai deviné l'instabilité de Lawton longtemps avant qu'il s'en aille. Je la percevais déjà quand, petit garçon, il jetait des feuillages et des brindilles dans les eaux tumultueuses de la Moose River et les regardait voguer vers des lieux qu'il ne pouvait atteindre. Quand Royal s'interrompait dans son travail pour s'éponger le front, j'entrevoyais quel fermier il serait. Meilleur que son père, meilleur que le mien. De ceux qui sentent venir la pluie par une journée ensoleillée, et peuvent dire rien qu'au bruissement des feuilles de leur maïs s'il est à maturité.

À cet instant précis, j'entrevis ce que Weaver serait, lui aussi. Je l'imaginai dans un tribunal, s'adressant aux jurés d'une voix tonitruante, captant toute leur attention, enflammant leur cœur, leur âme et leur esprit par la force de ses convictions, par l'ardeur de ses plaidoiries.

Weaver n'était pas encore cet homme-là, il n'était qu'un adolescent dégingandé en train de récurer une lèchefrite pleine de graisse. Mais il le deviendrait. Weaver ne ferait pas la vaisselle toute sa vie.

Le visage renfrogné, Mme Hennessey le regardait s'activer. Elle ne supportait pas d'avoir tort. Weaver avait dû sentir son regard sur lui, car il tourna la tête vers elle.

— Tout ça ne change rien, tu sais, déclara-t-elle.

— Au contraire, ça change tout, répliqua-t-il. Voilà trois hommes qui y réfléchiront désormais à deux fois avant d'insulter les gens et de se déchaîner contre eux.

— Trois sur un million...

— Dans ce cas, je n'en ai plus que neuf cent quatre-vingt-dix-neuf mille quatre-vingt-dix-sept à remettre dans le droit chemin, n'est-ce pas ?

Tel était Weaver. Déterminé à changer le monde. En commençant par trois bons à rien de trappeurs crasseux et ivres morts. Le cœur plein d'une immense tendresse, je lui souris : je savais que les centaines de milliers de brutes restantes n'avaient qu'à bien se tenir.

ex.pier

Lorsque Tommy Hubbard apparut à la porte de la cuisine du Glenmore à sept heures du matin, je pressentis qu'il apportait de mauvaises nouvelles. Je préparais des noix de beurre pour les tables du petit déjeuner quand je l'entendis.

— Bonjour ! Mattie est là ? Est-ce qu'elle est là ? s'égosillait-il.

— Qui es-tu ? Cesse de crier ! cria à son tour Mme Hennessey.

— C'est moi, Tommy Hubbard ! Il faut que je voie Mattie.

— Ne mets pas les pieds dans ma cuisine, Tom !

— Je n'ai pas de puces, je le jure, je…

— Reste là ! Je vais te chercher Mattie.

— Me voici, dis-je, ouvrant la porte-moustiquaire.

Les larmes avaient tracé des sillons sur le visage crasseux de Tom. Il soufflait comme un cheval hors d'haleine.

— J'ai couru aussi vite que j'ai pu, Mattie… aussi vite…, expliqua-t-il entre deux sanglots.

— D'où viens-tu ? De chez toi ?

Il y avait quatre lieues à travers bois de la maison de Tommy jusqu'à Big Moose Road, et vingt de plus jusqu'au Glenmore.

Tommy me tira par la manche.

— Il faut que tu rentres. Immédiatement...

— Je travaille, Tommy. C'est impossible ! Calme-toi et raconte-moi ce qui se passe.

— C'est à cause de ton père et de tes sœurs, Matt. Ils sont très malades...

Je lâchai le couteau que j'avais à la main.

— ... Je suis allé voir si Lou voulait m'accompagner à la pêche, mais j'ai eu beau frapper, personne n'est venu. Les vaches meuglaient à qui mieux mieux, alors j'ai foncé à l'étable. Daisy va mal. Elle n'a pas été traite. Ni aucune des autres bêtes. Je ne savais pas que faire, Matt. Je suis entré dans la maison... Ils sont tous vraiment mal en point. J'ai trouvé Lou dans l'herbe près des cabinets, je l'ai ramenée à l'intérieur, mais...

Je n'en entendis pas davantage car j'étais déjà partie. Je dévalai l'escalier de la cuisine et m'élançai dans l'allée menant à Big Moose Road, Tommy sur mes talons. J'avais à peine fait cent mètres que je vis une carriole approcher.

Je courus vers elle en criant et en agitant les bras. Le conducteur s'arrêta. C'était John Denio, qui arrivait de sa maison de Big Moose Station pour sa journée de travail.

— S'il vous plaît, monsieur Denio, mon père est malade. Toute ma famille... Il faut que je rentre chez moi...

— Monte ! dit-il, m'attrapant par une main et m'aidant à passer sur le siège à côté de lui.

Tommy grimpa à l'arrière. M. Denio fit rebrousser chemin à ses chevaux et leur donna un bon coup de rênes.

— Une cliente du Lakeview Hotel est tombée malade l'autre jour, m'expliqua-t-il. Une forte fièvre et des frissons. Ton père était venu livrer du lait, et le directeur lui a demandé de conduire cette dame chez le docteur Wallace. Elle a donné deux dollars à ton père pour le dédommager. Et apparemment autre chose en prime.

M. Denio avait beau aller bon train, même un carrosse à quatre chevaux n'aurait pu me ramener chez moi assez vite. Je mourais d'inquiétude. D'après Tommy les vaches meuglaient, personne ne les avait traites. Or, papa n'oubliait jamais de traire ses vaches. Jamais. J'avais la bouche sèche. Mon sang, mes os, tout en moi se figeait.

« Non, pas mon père, implorai-je. Je vous en prie, pas mon père. »

Alors que nous nous engagions sur le chemin de la maison, une seconde carriole tourna derrière nous. C'était Royal.

— Je faisais une livraison au Waldheim. En revenant, j'ai vu Mme Hennessey. Elle m'a tout raconté. Va à l'intérieur. Je m'occupe des vaches.

Je sautai à terre avant même que la carriole de M. Denio soit arrêtée. J'entendis Royal ordonner à Tommy d'attacher les chevaux. Les vaches mugissaient de douleur, les veaux apeurés leur répondaient. Ils étaient tous à l'étable, ce qui signifiait que papa avait fait la traite, mais quand ? La veille ? Deux jours plus tôt ? Il suffit d'une journée, parfois moins, pour que le lait s'accumule dans les mamelles et provoque des abcès.

« On va les perdre, l'une après l'autre », pensai-je, affolée.

Je me précipitai dans la remise.

— Papa ! Abby ! hurlai-je.

Pas de réponse. J'ouvris la porte de la cuisine à la volée, plongeant droit dans la puanteur épaisse de la maladie. À ma vue, Barney leva la tête et agita faiblement la queue. L'évier était envahi de casseroles sales. La table disparaissait sous les assiettes de nourriture à moitié mangée. Agglutinées sur les restes desséchés, les mouches festoyaient.

— Papa !

Je traversai la cuisine et découvris une silhouette recroquevillée au pied de l'escalier.

— Lou ! Ô Seigneur Dieu !… Lou !

Elle se redressa et cligna des yeux. Elle avait le regard vitreux, les lèvres crevassées. Le haut de sa salopette était enduit de vomi.

— Mattie… soif, Mattie, articula-t-elle d'une voix rauque.

— Tout va bien, Lou, je suis là. Tiens bon.

Je la soulevai, passai son bras autour de mon cou, la hissai dans les escaliers jusqu'à notre chambre. L'odeur devenait plus pestilentielle à chaque marche. En ouvrant la porte, j'eus un haut-le-cœur. Il faisait sombre, les rideaux étaient tirés.

— Beth ? Abby ? murmurai-je.

Toujours pas de réponse. J'étendis Lou sur notre lit, puis j'allai ouvrir les rideaux. C'est alors que je vis Beth. Couchée dans le lit qu'elle partageait avec Abby. Immobile et blême. Des mouches se promenaient sur elle. Sur son visage, sur ses mains, sur ses pieds.

— Beth !

Je courus vers elle. Elle battit des paupières et je sanglotai de soulagement. Elle referma les yeux, se mit à pleurer, et je m'aperçus qu'elle avait souillé ses draps. Je touchai son front et ses joues. Brûlants de fièvre.

— Chut, Beth, tout va bien. Je vais te remettre d'aplomb, je te le promets...

Mais elle ne m'entendit pas. Je retournai au chevet de Lou.

— Où est Abby ? demandai-je.

Elle se passa la langue sur les lèvres.

— Avec papa.

Je sortis en trombe de notre chambre et longeai le petit couloir jusqu'à celle de papa. Tout raide sur son lit, il grelottait et marmonnait. Ma sœur était affalée sur lui.

— Abby ! Réveille-toi, Abby ! criai-je.

Elle leva la tête. Elle avait les yeux enfoncés dans leurs orbites, la peau tendue sur ses pommettes saillantes.

— Papa va très mal, Mattie, souffla-t-elle.

— Depuis quand ?

— Deux jours. La fièvre est encore montée ce matin.

— Va te reposer, Ab. Je m'occupe de lui.

— Je veux t'aider, Matt...

— Va te coucher ! dis-je d'un ton sans réplique.

Elle se mit debout et marcha vers la porte d'un pas aussi lourd et traînant que celui d'une vieille femme. J'effleurai le front de mon père. Sa peau était sèche et brûlante.

— Papa... Papa..., appelai-je doucement.

Il ouvrit les yeux sans me voir et s'agrippa nerveusement aux draps.

— Papa, tu m'entends ?

— ... tuée, je l'ai tuée... c'est ma faute, bredouilla-t-il.

Le visage dans les mains, je gémis de désespoir. Je ne savais que faire. Ils étaient tous si malades. Ils ne pouvaient compter que sur moi, et j'ignorais comment les soigner.

— L'achillée, Mattie, suggéra Abby d'une voix sourde, depuis la porte. Fais-lui boire de la tisane d'achillée. Il a de la fièvre, des sueurs froides et une toux grasse. Essaye aussi les oignons...

— ... la graisse d'oie et l'essence de térébenthine, enchaînai-je, me rappelant soudain comment maman soignait la toux.

La voix d'Abby, toujours aussi calme malgré les circonstances, m'apaisait et m'aidait à réfléchir.

— Sans oublier les bains. Je vais lui faire des enveloppements frais, ajoutai-je.

— Beth et Lou ont la courante. Je leur ai donné du sirop de mûre, mais ça n'a pas suffi. Trouve des racines.

— Des racines ? Quelles racines ?

Je criais presque.

— De ronce, Matt. Haches-en une poignée et laisse bouillir doucement jusqu'à ce que l'eau devienne marron. Ensuite fais-la leur boire.

Les jambes d'Abby se mirent à trembler, l'obligeant à se retenir au chambranle pour ne pas tomber. Je l'aidai à se coucher près de Lou. Elle me serra très fort la main, ferma les yeux, et je me retrouvai seule. Totalement seule.

Je descendis l'escalier quatre à quatre et m'élançai dehors avec l'intention d'aller chercher une bêche dans la grange pour déterrer quelques racines de ronces. Je m'arrêtai au milieu de la cour. Les buissons de ronces se trouvaient derrière les champs de maïs, à un bon quart d'heure de marche. Et il fallait aussi faire boire Lou, donner de la tisane d'achillée à papa. Sans parler de Beth dans ses draps souillés... Je retournai à l'intérieur et mis la bouilloire à chauffer sur le fourneau. Puis je tirai de l'eau dans une grande bassine émaillée, remontai l'escalier et déshabillai Beth. Je la fis descendre du lit pour la laver à même le sol.

Elle grelottait et me suppliait d'arrêter.

— C'est froid, Mattie. Ça fait mal, pleurnichait-elle, tremblant de tout son petit corps maigre et se débattant pour m'échapper.

— Chut, Beth, je sais bien. Calme-toi, fais un effort.

Je tentai de penser à mon mot du jour, « expier », pour chasser ma peur. Il signifiait « subir, endurer un châtiment pour réparer ses fautes », mais quelle importance ?

Lorsque Beth fut lavée, je lui enfilai une chemise de nuit propre et la remis au lit avec Abby et Lou. Son propre lit dégageait une odeur fétide, mais il attendrait. Je retirai à Lou sa salopette tachée de vomi et recouvris mes trois sœurs de l'édredon. Abby ruisselait de sueur, à présent. Ses sous-vêtements étaient trempés, ses cheveux plaqués sur son crâne. Je lui ferais prendre un bain tiède. Dès que j'aurais mis la soupe à cuire. Je me souvins que maman préparait toujours du bouillon de poule quand l'un de nous tombait malade. Je frémissais à l'idée de tuer une de nos poules, mais je n'avais pas le choix.

Je redescendis, tirai de l'eau dans une cruche, attrapai un verre au passage et remontai à l'étage. Je donnai un grand verre d'eau à chacune de mes sœurs, leur tenant la tête pour les aider à boire. J'eus du mal à faire avaler une seule goutte à Beth, mais Lou, Abby et papa ne se firent pas prier. Le linge sale empestait et je savais qu'il était mauvais de respirer un air vicié, aussi rassemblai-je tous les vêtements et draps souillés pour les emporter dehors. Dans la cour, je lançai un coup d'œil vers l'étable. Trois veaux avaient été mis au pré. Un quatrième se dirigeait vers le chemin. Deux autres étaient dans le champ de maïs, où ils piétinaient les jeunes plants. Mon cœur se serra. Nous aurions besoin de chaque épi pour passer l'hiver. Quelque chose bougea près des ruches. C'était Tommy. Il s'efforçait de pousser un autre veau – Baldwin – vers le pré, mais celui-ci ne l'entendait pas de cette oreille. Il s'immobilisa, leva la tête et mugit lamentablement. Un jet de bouse jaillit de son arrière-train, éclaboussant Tommy qui lâcha un juron et décocha un coup de poing à l'animal. Puis un autre, et encore un autre. Les mugissements de Baldwin se transformèrent en bêlements terrifiés. Ses pattes de devant se dérobèrent sous lui.

— Arrête, Tommy ! hurlai-je, me ruant vers eux.

À ma vue, Tommy eut un mouvement de recul et rougit de honte. Il avait les yeux brillants de larmes. Une ecchymose se formait sous l'un d'eux. Il se mit à pleurer.

— J'ai eu peur. Je ne voulais pas qu'ils sortent tous ensemble... Ils ont foncé sur moi...

— Tommy, qui t'a frappé ?

Je tendis la main vers lui, mais il m'échappa et courut après le veau qui était sur le chemin. Baldwin poussait désormais de petits cris plaintifs. Il saignait sous l'œil.

— Allez, Baldwin. Viens, maintenant, dis-je en le remettant doucement sur ses pattes.

Je lui donnai mes doigts à lécher, ce qui l'apaisa, puis je réussis à le conduire au pré pas à pas. Lorsqu'il fut derrière la clôture, j'allai chercher les deux autres veaux dans le champ de maïs. Ils étaient côte à côte, leur tête dépassant des jeunes plants.

— Viens, Bertie ! Viens, Allie !

C'étaient des jumeaux, et je savais que si je pouvais en attirer un, l'autre suivrait. Hélas, ils partirent dans des directions opposées dès qu'ils m'entendirent, écrasant de nouvelles rangées du précieux maïs.

— Voyons, Bertie, reviens. Je t'en supplie...

Ma voix se brisa. Le veau s'arrêta, me dévisagea, et repartit. Beth les avait baptisés Albert Edward et Alexandra en l'honneur du roi et de la reine d'Angleterre, après avoir vu ces derniers en photo dans *Harper's Magazine*. Notre Beth si bruyante et turbulente, dont la voix n'était plus qu'un gémissement inaudible, dont les petites mains fébriles voletaient comme des colombes pour m'empêcher de la laver... J'en eus les larmes aux yeux. Je les séchai aussitôt.

Lorsque je voulais attirer une de nos vaches, je ramassais une grosse poignée d'herbe et je l'agitais devant elle, mais les deux veaux ne consommaient pas encore d'herbe. Papa leur donnait un mélange de lait, de graines de lin et d'avoine. J'eus soudain une idée. Je courus à la laiterie, empoignai les seaux métalliques dans lesquels papa préparait leur bouillie et les fis s'entrechoquer. Bertie dressa l'oreille. Il trotta dans ma direction. Allie lui emboîta le pas et je pus enfin les mener au pré.

Ils se mirent à meugler en découvrant que je n'avais rien à manger pour eux. Ils devaient être affamés. Dieu seul savait quand ils avaient été nourris pour la dernière fois. Et quand ils le seraient de nouveau. Si les vaches avaient les pis engorgés, leur lait serait mêlé de sang et de pus. Où trouverais-je du lait frais pour les veaux ? Comment guérirais-je les abcès ? J'étais incapable de soigner les vaches ; seul papa savait le faire.

« Un problème à la fois, Mattie ; chaque chose en son temps », me raisonnai-je pour contenir la panique qui me gagnait.

Je retournai à la cuisine au pas de course. La bouilloire menaçait de déborder. Je pris une poignée d'achillée dans la boîte où maman la conservait, la jetai dans une théière que je remplis d'eau bouillante. La tisane serait prête quand les pétales coloreraient l'eau. Maman connaissait les pouvoirs de l'achillée grâce à Mme Traversy, une Indienne Abénaki qui l'avait guérie d'une fièvre puerpérale contractée après la naissance de Beth. Mme Traversy était restée avec nous le temps que maman reprenne des forces, et nous avait appris quantité de choses sur la médecine indienne. Je regrettais amèrement de ne pas l'avoir mieux écoutée.

L'achillée infusée, je mis sur un plateau la théière, plusieurs tasses et un pichet d'eau fraîche. Débrouille-toi pour qu'ils avalent cette tisane, me dis-je en montant à l'étage. Ensuite ils s'endormiraient, et je pourrais nourrir les cochons et les poulets, faire du feu sous la lessiveuse, interroger Royal et M. Denio sur l'état des vaches. Dresser un plan d'action me redonnait du courage.

Il s'envola dès que j'arrivai dans les chambres. Papa grelottait si fort que son lit vibrait sur le plancher. Les veines de son cou avaient doublé de volume, et il s'accusait de plus belle d'avoir tué quelqu'un. C'était la fièvre. Elle le brûlait vif.

Je posai le plateau sur la commode et remplis une tasse d'infusion d'achillée.

— Papa ? murmurai-je en lui caressant la joue. Papa, il faut que tu boives cette tisane.

Il ne m'entendait pas, ne s'apercevait même pas de ma présence.

— Papa ? répétai-je plus fort. Papa ?

Il ouvrit les yeux. Il brandit les mains vers moi, referma les doigts sur mon corsage. Je hurlai lorsqu'il m'attira à lui. L'infusion brûlante me coula sur les jambes, la tasse vola en éclats.

— Robertson, espèce de salaud ! cria-t-il. Qu'est-ce que tu dis ? Que je suis un bon à rien ? Tu lui as dit ça ? Fils de garce ! Écoute-moi, vieux, écoute-moi bien...

Je me dégageai, regagnai la commode d'un pas chancelant et remplis une seconde tasse.

— Bois ça, papa ! Tout de suite ! Cesse de raconter n'importe quoi et bois cette tisane !

Il me dévisagea en clignant des yeux, soudain calmé.

— Où est Lawton, Mattie ? Il n'est pas revenu ? J'entends les vaches...

Je préférai mentir.

— Si, papa, il est revenu. Il est à l'étable, pour la traite.

— Très bien. Tant mieux.

Je vis des larmes rouler sur ses joues, ce qui me terrifia. Mon père ne pleurait jamais.

— Il s'est enfui, Mattie. Parce que je l'ai tuée.

— Chut, papa. Ne dis pas ça. Tu n'as tué personne.

Il délirait, mais plus il parlait, plus il s'énervait. J'eus peur qu'il redevienne violent.

Il haussa le ton.

— Je ne l'ai pas tuée, Mattie. Non, je ne l'ai pas tuée !

— Bien sûr que non, papa. Personne ne t'accuse de rien.

— Si, Lawton. Il prétend que c'est ma faute. Que je l'ai tuée à la tâche. Que j'aurais dû déménager avec vous tous à Inlet et travailler à la scierie. Que c'est moi qui ai tué ta mère, mais que lui ne se laissera pas faire.

Ses traits se crispèrent et il se mit à sangloter comme un enfant.

— Mais je ne l'ai pas tuée. Je l'aimais...

Je dus m'appuyer à la commode. J'avais les jambes coupées. « Voilà donc pourquoi Lawton et lui se disputaient ! » m'exclamai-je intérieurement. Et pourquoi papa avait menacé de donner un coup de serpe à Lawton, provoquant le départ de mon frère. Voilà pourquoi papa ne souriait plus jamais, était toujours en colère, et nous regardait sans nous voir. Oh, Lawton, il y a des choses qu'on ne devrait jamais dire, sous aucun prétexte, songeai-je. Royal a beau affirmer que les mots ne sont que des mots, ils sont plus puissants que tout.

— Lawton ne pensait pas ce qu'il a dit, papa. C'est le cancer qui a tué maman, pas toi.

Mon père acquiesça de la tête, mais il avait les yeux dans le vague, et je savais qu'il croyait davantage les paroles de mon frère que les miennes. Cette agitation l'avait pourtant épuisé. J'en profitai pour lui faire avaler quelques gorgées de tisane. En l'aidant à boire, je m'aperçus qu'il avait la tête en feu. Je le déshabillai, recouvris du grand napperon de la commode les parties de son anatomie que je n'étais pas censée voir. Je le lavai à l'eau fraîche, appliquant un linge humide sur ses poignets, à la saignée du coude et au pli du genou pour faire baisser la fièvre.

Je n'avais jamais vu mon père nu. Nous n'avions pas le droit d'entrer dans la cuisine lorsqu'il prenait son bain. La peau de son torse était douce et recouverte d'un fin duvet noir, son dos constellé de cicatrices des épaules jusqu'à la taille : d'épaisses marques blanchâtres laissées par la boucle du ceinturon de son beau-père. J'appliquai la main sur son sternum et sentis les battements accélérés de son cœur. Lui aussi portait des cicatrices. Je les devinais même sans les voir. Mon père grelotta et serra les dents tout le temps que je lui faisais sa toilette, mais il ne tenta plus de m'étrangler. C'était mieux que rien. Quand j'eus terminé, je remontai sur lui le drap et la couverture, ajoutai deux édredons et lui fis boire une dernière tasse de tisane. Je ne connaissais pas grand-chose aux fièvres, mais je savais qu'il devait suer pour se débarrasser de la maladie.

— Tu vas me manquer, Mattie, lança-t-il soudain.

— Je traverse juste le couloir, papa.

Il hocha la tête.

— La vache va avec le taureau, pas avec le bélier. Ne va jamais avec un bouc, Mattie. Les boucs n'aiment pas la lecture, ils n'ouvrent jamais un livre...

Il recommençait à délirer.

— Chut, papa... Essaie de dormir.

Dès que ses yeux se fermèrent, je portai le plateau à mes sœurs. Je chassai de mon esprit les accusations de Lawton. Je préférais ne pas y penser. J'avais si bien appris à ne plus penser à rien.

En arrivant dans notre chambre, je découvris que Lou avait vomi l'eau que je lui avais fait boire, et qu'Abby s'était levée tant bien que mal pour tenter de changer Beth, qui avait de nouveau souillé les draps. C'était ma faute. Je leur avais donné trop d'eau.

— Mattie ! Où es-tu, Matt ? appela une voix au pied de l'escalier.

— À l'étage !

Des pas résonnèrent sur les marches et Royal apparut dans le couloir. La puanteur le fit grimacer.

Je sortis de la chambre.

— Qu'y a-t-il ?

— Une des vaches est très mal en point. Celle avec une tache en forme d'étoile entre les yeux...

— C'est Daisy. Et ce n'est pas une étoile, mais une fleur, dis-je bêtement.

— Elle souffre, Matt. Terriblement. John voudrait... Il voudrait savoir où ton père range son fusil.

— Non, Mattie, non ! Empêche-le ! hurla Lou du fond de son lit.

Je secouai la tête. Royal me prit par les épaules.

— Elle va très mal, Matt... C'est cruel de la laisser ainsi.

— Dans la remise. Au-dessus de la porte.

Il disparut dans l'escalier et je revis les grands yeux sombres de Daisy, ses babines veloutées toujours en mouvement qui lui donnaient l'air de marmonner. Elle ne m'avait jamais donné un seul coup de pied quand je la trayais, me laissant appuyer la joue contre ses flancs soyeux.

265

Je pensai au pauvre Baldwin. Et au taureau noir à l'air féroce, là-bas, dans le pré des Loomis. Il avait beau effrayer Daisy et Baldwin, ils défonçaient la clôture à la première occasion pour aller le rejoindre.

J'entendis un coup de feu claquer, Lou crier mon prénom, puis lâcher un juron. J'entendis le pot de chambre se renverser dans la chambre voisine, et mon père ordonner à un certain Armand d'abattre cette saleté d'ours.

Et puis j'entendis des sanglots étouffés tandis que je m'asseyais sur la première marche pour pleurer tout mon soûl.

fu.gace

— Tu prends bien l'huile de foie de morue que j'ai
laissée chez toi ? me demanda Mme Loomis.

Assise sous le porche, elle écossait des petits pois dans
une bassine en émail bleu. J'étais installée en face d'elle sur
un vieux canapé en osier et Royal étirait ses jambes à côté
de moi.

— Oui, madame.

C'était faux : je la vidais dans l'évier, un petit peu chaque
jour. Je préférais encore attraper la grippe plutôt qu'avaler
une cuillerée supplémentaire d'huile de foie de morue.
Mme Loomis m'en avait fait absorber jusqu'à la nausée.
Une semaine plus tôt, dès que Royal lui avait appris ce
qui nous arrivait, elle était venue chez nous avec toute la
pharmacopée traditionnelle : racines de ronce et décoction
d'orge contre la diarrhée ; sirop d'oignon, whisky et
gingembre pour faire tomber la fièvre ; plus un baume à
base de saindoux, de camphre et de térébenthine pour
dégager les bronches. Selon elle, c'était l'un des pires cas
de grippe qu'elle ait vus. Elle nous avait soignés et nourris
jusqu'à ce que nous soyons tous tirés d'affaire. Avec l'aide
de la mère de Weaver. Sans elles, j'ignore ce que nous
serions devenus. Papa avait encore quelques quintes de
toux et Beth restait trop faible pour se lever, mais ils
étaient hors de danger.

— Tu penses bien à donner à Beth de la décoction de gingembre ?

— Oui, madame. Elle va beaucoup mieux. Papa m'a priée de vous dire qu'il ne vous remercierait jamais assez. Et qu'il viendrait vous rendre visite dans un jour ou deux.

— Je n'attends pas de remerciements, Mattie. Avoir aidé un voisin en difficulté me suffit. De toute façon, je n'étais pas seule. La maman de Weaver en a fait autant que moi.

— Oui, madame.

— À propos, elle m'a raconté les déboires de Weaver. C'est épouvantable. Il paraît que Jim Higby a envoyé ces individus à la prison du comté. Mieux vaut ne pas plaisanter avec la justice, on dirait.

— Oui, madame.

— Tu vas bientôt retourner au Glenmore, j'imagine ?

— Papa m'y reconduit demain matin. Voilà pourquoi je vous rapporte votre panier et vos bocaux. Je tenais à vous les rendre avant mon départ.

Elle leva la tête et me fixa de ses yeux d'un bleu délavé.

— On t'apprend beaucoup de choses, là-bas ? La cuisine ? Le repassage ?

— Un peu de tout.

— Parfait. Eileen Hennessey fait très bien la pâte à tarte. Ainsi que le gâteau Baltimore. D'après mes souvenirs, c'est une cuisinière très méthodique. Elle note absolument tout. Tu devrais lui demander quelques-unes de ses recettes.

Mme Loomis se redressa. J'entendis craquer ses vertèbres. Elle empoigna sa bassine.

— Eh bien, je crois que j'ai fini ! Royal, tu porteras les cosses aux cochons avant de rentrer.

— Entendu.

La porte-moustiquaire claqua et je me retrouvai seule avec Royal.

— Tu retournes vraiment au Glenmore demain ? s'enquit-il.

— Oui. Dès le lever du soleil.

— Tu auras bientôt un jour de congé ?

— Ça m'étonnerait. Je n'oserai jamais en demander un. Pas après avoir passé une semaine entière à la maison.

— Je vois…

Il y eut une ou deux minutes de silence. J'admirai les pivoines de Mme Loomis. Certaines fleurs perdaient déjà leurs pétales. Je n'avais eu ni le temps ni l'envie de chercher des mots nouveaux alors que toute ma famille luttait contre la maladie et, quand bien même, mon dictionnaire était resté au Glenmore. Mais « fugace », l'un de mes derniers mots du jour, signifie « qui dure très peu, qui disparaît vite ». Il me revint en mémoire à la vue des pivoines presque fanées.

— Eh bien dans ce cas, tiens ! déclara soudain Royal.

Il me tendit un petit carré de papier de soie plié en quatre. Il y avait quelque chose à l'intérieur. Je l'ouvris et découvris une bague en or à l'éclat terni ornée de trois pierres semi-précieuses : une opale ébréchée entre deux minuscules grenats. Elle avait dû être jolie autrefois.

Je dévisageai Royal.

— Est-ce que… Est-ce que tu m'aimes, Royal ?

— Voyons, Matt ! Je t'ai acheté une bague, oui ou non ?

Je regardai à nouveau la bague, me rappelant que ma famille avait perdu deux vaches et que, sans Royal, elle en aurait perdu encore plus. Les bêtes qui restaient avaient été très malades. Elles recommençaient tout juste à donner du bon lait. Royal les avait nourries et soignées durant toute une semaine. Il s'était aussi occupé des veaux. Pour les empêcher de mourir de faim, il leur avait amené trois vaches laitières de son père. Aucun ne s'était fait prier, sauf Baldwin. Il refusait de téter le lait de ces trois vaches, n'acceptant de le boire que dans un seau. Et il gardait la tête basse. Au lieu de gambader avec les autres veaux, il restait tout seul, jour après jour. Dès qu'elle en fut capable, Lou alla le rejoindre dans le pré. Elle lui apporta de petits morceaux de sucre d'érable, sans succès. Elle le gratta derrière les oreilles et lui caressa l'encolure, mais il se détourna. Ce n'était pas elle qu'il voulait, mais Daisy. Voyant qu'elle ne revenait pas, il finit par se contenter de ce qu'on lui offrait.

Comme nous tous.

— J'ai mis dix dollars de côté, Mattie. Maman a également quelques économies. Elle nous aidera. Toi aussi tu auras un peu d'argent à la fin de l'été, non ? L'un dans l'autre, ce sera assez pour commencer.

Je ne quittais pas la bague des yeux.

— Veux-tu m'épouser, Mattie ?

Je passai la bague à mon doigt. Elle m'allait parfaitement.

— Oui, Royal. Et maintenant, tu ferais mieux de me raccompagner chez moi pour que nous annoncions la nouvelle à mon père.

South Otselic, le 2 juillet 1906

Lundi soir

Mon cher Chester,
J'espère que tu me pardonneras si je n'écris pas droit, car je suis assise sur mon lit. J'ai travaillé dur, aujourd'hui... Ce matin, j'ai aidé maman à faire la lessive, puis à préparer le déjeuner. Cet après-midi, j'ai cueilli des fraises. C'était amusant, mais très fatigant. Ici, il y a des champs entiers de petites baies bien rouges. Ce soir, maman fait des confitures en même temps que du pain et des cookies. Nous mangeons des fraises presque tous les jours depuis mon retour. Maman prétend que je deviens un vrai cordon-bleu. Qu'en dis-tu ? J'ai préparé toute seule le dîner de ce soir. Au menu : salade de pommes de terre, pain perdu, et quantité d'autres bonnes choses...

J'interromps ma lecture et je scrute les ténèbres. Ma propre mère me manque tellement que mon cœur se serre. Avec nos fraises, elle aussi faisait des confitures, ainsi qu'une succulente génoise fourrée dont le parfum avait la douceur de ses baisers sur mes joues. Parfois elle ramassait un panier de fraises dans l'après-midi et nous les servait, encore chaudes du soleil de la journée, avec une jatte de

271

crème fraîche et une autre de sucre d'érable, sur la table de la cuisine où elles embaumaient. Nous les trempions d'abord dans la crème, puis dans le sucre, avant d'y mordre avec délices. Curieusement, elles n'avaient pas seulement goût de fraise, mais aussi celui de mon père rentrant le soir des champs en sifflotant, ou celui d'un veau nouvellement né se hissant pour la première fois sur ses pattes, ou encore celui de Lawton nous racontant des histoires de fantômes au coin du feu. Je crois qu'elles avaient surtout le goût du bonheur.

Un jour, maman en avait préparé rien que pour elle et moi. Juste après mes premières règles. Elle m'avait fait asseoir à la table de la cuisine, avait posé sa main sur la mienne, puis m'avait expliqué que désormais je n'étais plus une petite fille, mais une femme, et qu'une femme ne possédait pas de trésor plus précieux que sa vertu : je ne devais jamais, au grand jamais, donner la mienne à un autre homme que mon mari.

— Tu comprends, Mattie ?

Je pensais que oui, sans en être vraiment sûre. Je savais ce que signifiait la « vertu » – à la fois la bonté, la chasteté et l'excellence – car ç'avait déjà été mon mot du jour. Mais je ne croyais pas que les hommes voulaient s'en emparer, depuis que Fran m'avait dit qu'une seule chose les intéressait : mettre la main sur nos seins.

— Où est-elle, ma vertu ? avais-je fini par demander à maman.

Elle avait un peu rougi.

— Sous tes jupes.

J'avais rougi moi aussi, car il me semblait comprendre. Enfin presque. Du moins savais-je où se trouvait la vertu d'une vache, ou celle d'une poule, et à quoi elle servait.

— Et comment sait-on qu'un homme vous aime, maman ?

— On le sent.

— Mais toi, comment l'as-tu su ? Parce que papa t'a dit : « Je t'aime » et qu'il t'a offert une jolie carte ?

Maman éclata de rire.

— Est-ce que ça ressemble à ton père ?

— Alors comment as-tu su ?

— Je le savais, c'est tout.

— Et moi, comment le saurai-je ?

— Tu le sentiras.

— Mais comment, maman ? Comment ?

Elle ne me donna jamais la réponse. Elle se contenta de hocher la tête en disant :

— Tu poses trop de questions, Mattie !

Grace devait beaucoup aimer Chester pour lui avoir donné sa vertu avant qu'ils soient mariés. Je comprends pourquoi elle l'aimait. Il était très séduisant. Un grand brun aux lèvres gourmandes, avec ce genre de sourire charmeur qui vous fait battre le cœur. Toujours élégant, il marchait les mains dans les poches d'un pas nonchalant, presque traînant. J'essaie de me rappeler à quoi ressemblaient ses yeux, mais en vain. Jamais il n'a croisé mon regard.

Je me demande comment Grace a pu croire que Chester l'aimait. Et si elle a gardé ses illusions jusqu'à la fin. Rares sont les hommes qui vous disent franchement qu'ils vous aiment. D'après Minnie, il faut chercher les preuves qu'ils donnent à leur insu. Se lavent-ils avant de venir vous voir ? Vous laissent-ils monter seule dans leur carriole, ou vous aident-ils ? Vous offrent-ils des confiseries sans que vous le leur suggériez ?

Royal se lave. Il met toujours une chemise propre. S'il dit qu'il passe me chercher à dix-neuf heures, il ne me fait pas attendre. Il a aussi d'autres attentions. Calée contre mon oreiller, je les énumère longuement en silence, encore et encore, comme une litanie, mais à quoi bon ? Maman m'avait assuré que je saurais s'il m'aimait. Et je le sais. Peut-être même depuis le début.

— Pauvre idiote de Grace ! dis-je tout bas dans l'obscurité. Et pauvre idiote de Matt !

thrène

— Mattie, as-tu récupéré le colis qui est arrivé pour toi ?
me demanda Mme Morrison.

Debout à la réception, elle triait le courrier. Il était
quinze heures. Les clients avaient fini de déjeuner ; la salle
à manger resterait fermée jusqu'au dîner, servi à partir de
dix-huit heures. Nous ne nous croisions pas les bras
pour autant, et j'allais justement regarnir l'armoire à linge
du premier étage avec une pile de draps fraîchement
repassés.

— Non, madame. Quel colis ?

— Celui qu'a déposé ton institutrice. Elle est venue il y
a environ une heure, mais je n'ai pas pu te trouver. J'ai prié
Ada de te le monter.

Je remerciai Mme Morrison et gravis à toute vitesse
l'escalier jusqu'à notre dortoir sous les combles, me débar-
rassant des draps au passage. J'étais dévorée de curiosité.
Personne ne m'avait encore envoyé de colis. Sur mon lit,
je découvris un lourd paquet enveloppé de papier bistre
et fermé par une ficelle. Sous la ficelle était glissée une
enveloppe, à l'en-tête du Glenmore. J'ouvris d'abord le
colis, impatiente de voir ce qu'il contenait. Il y avait trois
livres : *Sister Carrie*, de Theodore Dreiser ; *La Jungle*,
d'Upton Sinclair ; et *Thrène*, un recueil de poèmes d'Emily
Baxter. Mlle Wilcox avait donc publié un nouveau livre,

malgré l'interdiction de son mari ! Sous le coup de l'émotion, je serrai le mince ouvrage sur mon cœur. Comme j'ignorais la signification du mot « thrène », je tirai mon dictionnaire de sous mon lit et cherchai la définition. Il s'agissait d'un « chant de deuil », d'une « complainte funèbre ». Je souris, rassurée d'apprendre que je n'étais pas seule dans cette partie du monde à décrire l'aspect morbide et déprimant de l'existence. Puis je déchirai l'enveloppe, retenant mon souffle quand un billet de cinq dollars s'en échappa. Je le ramassai. Il y avait aussi une lettre, que je dépliai.

Chère Mattie,
Je me suis dit que tu aimerais peut-être ces quelques livres. (Prends soin de cacher le Dreiser.) J'espère en particulier que tu apprécieras le recueil de poèmes, car je souhaite te laisser un souvenir. Je quitte Eagle Bay demain. Je n'y enseignerai plus l'an prochain. J'aurais préféré te l'annoncer de vive voix, mais Mme Morrison n'a pas réussi à te trouver. Je te donne l'adresse d'Annabelle, ma sœur. Je lui ai beaucoup parlé de toi, et elle se réjouit de tout son cœur de t'avoir comme pensionnaire. Le billet ci-joint t'aidera à arriver jusqu'à elle...

La lettre se poursuivait, mais je n'allai pas plus loin.

— Vous ne pouvez pas partir ainsi ! Vous ne pouvez pas ! m'écriai-je.

Je quittai la pièce en trombe et, quelques secondes plus tard, je fis irruption dans la cuisine. Assis à la grande table, Weaver mangeait de la crème glacée. Son visage gardait la trace des coups des trappeurs. Son œil n'était pas complètement guéri, ses lèvres restaient tuméfiées. Mme Hennessey et M. Sperry, debout devant le fourneau dont ils avaient enlevé la plaque, regardaient à l'intérieur en fronçant les sourcils.

— S'il vous plaît, monsieur Sperry, pourrais-je avoir la carriole ? demandai-je, hors d'haleine. Il faut que j'aille à Inlet. Impérativement.

— Où as-tu la tête ? On sert le dîner dans quelques

heures. Et puis tu ne peux pas conduire Démon toute seule ! répondit Mme Hennessey.

— Je reviens aussitôt, je vous le promets. Et je saurai me faire obéir de Démon. J'en suis sûre. Je vous en prie, madame Hennessey...

— C'est non. Inutile d'insister.

— Alors j'y vais à pied.

— Il n'en est pas question.

— Mattie, de quoi s'agit-il ? s'enquit M. Sperry.

— C'est au sujet d'une amie. Elle... elle a des ennuis et il faut absolument que j'aille la voir.

— Tu ne peux pas y aller seule. Mme Hennessey a raison, Démon donne parfois du fil à retordre. Je t'emmènerais bien, mais je dois réparer ce fourneau avant le dîner.

— Il faut pourtant que j'y aille. C'est indispensable, sanglotai-je.

M. Sperry, Mme Hennessey et Weaver me dévisagèrent tous les trois. Les autres serveuses pleurnichaient pour un oui ou pour un non – une contrariété, une dispute –, mais personne ne m'avait encore jamais vue pleurer. Pas une seule fois.

Weaver posa sa cuiller.

— J'accompagne Mattie.

Le regard de M. Sperry alla de Weaver à moi. Il hocha la tête.

— Allez-y, dans ce cas. Mais soyez de retour à six heures précises pour servir le dîner. Sinon gare à vous.

J'attelai Démon, le cheval de M. Sperry, et je roulai à bride abattue sur Big Moose Road, puis sur la grand-route jusqu'à Inlet. En chemin, je parlai à Weaver du colis et je lui appris qui était véritablement Mlle Wilcox.

Devant le chalet du docteur Foster, Weaver prit les rênes et me dit d'entrer.

— Je t'attends dehors. Les effusions féminines me mettent mal à l'aise.

Je savais que c'était sa façon de me laisser en tête à tête avec notre institutrice et j'appréciai sa discrétion. Je gravis

276

les marches, me frayai un passage entre les caisses empilées sous le porche et frappai à coups redoublés.

Mlle Wilcox vint ouvrir.

— C'est toi, Mattie ? Comment es-tu arrivée jusqu'ici ?

— Pourquoi partez-vous, mademoiselle ? Restez, je vous en supplie !

Elle me prit dans ses bras.

— Allons, Mattie... Entre, et assieds-toi.

Elle me précéda dans la bibliothèque. Je m'installai près d'elle sur le canapé et j'inspectai la pièce du regard. Les livres avaient disparu. Jusqu'au dernier. Le bureau avait été vidé. Le beau papier, les stylos et crayons étaient tous dans des caisses.

Une allumette craqua et je sentis l'odeur du soufre. Mlle Wilcox avait besoin d'une cigarette.

— Veux-tu du thé ? proposa-t-elle.

Je retins mes larmes à grand-peine.

— Pourquoi partez-vous, mademoiselle ? C'est impossible. Je n'ai que vous.

J'entendis tinter ses bracelets, puis sa main se posa sur mon bras.

— Voyons, Mattie, ce n'est pas vrai. Tu as ta famille, et Weaver, et tous tes autres amis.

— Ils ne vous arrivent pas à la cheville ! répliquai-je avec colère. Durant toutes ces semaines où j'espérais obtenir l'aide de tante Josie et d'oncle Fifty pour aller à Barnard College, où vous avez tenté en vain de convaincre mon père, le seul fait de vous savoir dans cette pièce en train de lire et d'écrire des poèmes me redonnait courage. Pourquoi faut-il que vous partiez ? Pourquoi ?

— Parce que mon mari a mis ses menaces à exécution. Il est furieux de la publication de mon dernier recueil. Il m'a coupé les vivres. Et il a veillé à ce que je ne puisse plus gagner ma vie. Pas ici, en tout cas. Il a écrit aux autorités compétentes pour leur révéler qui je suis. J'ai dû remettre ma démission.

— Mais vous êtes une excellente institutrice ! La meilleure que nous ayons jamais eue !

277

— Hélas, Mattie, tel n'est pas l'avis des autorités. On m'accuse d'exercer une influence pernicieuse sur de jeunes esprits.

— Pourtant vous étiez maintenue dans vos fonctions. On vous l'a confirmé en mai par courrier. C'est vous qui me l'avez dit.

— On voulait garder Emily Wilcox, pas Emily Baxter.

— Et si vous restiez quand même ? Vous pourriez donner des conférences au Glenmore. Ils organisent des soirées littéraires. Vous pourriez aussi...

— Mon mari est en route, Mattie. Ma sœur m'a envoyé un télégramme pour me prévenir qu'il arriverait dans vingt-quatre heures au plus tard. S'il me trouve ici, la prochaine étape pour moi sera le cabinet d'un médecin. Puis un sanatorium, où l'on me gavera tellement de médicaments que je ne saurai même plus dire mon nom, et encore moins écrire des poèmes.

— Il n'a pas le droit !

— Bien sûr que si ! C'est un homme influent, qui a des amis haut placés.

— Où irez-vous ? demandai-je, soudain inquiète pour elle.

Elle se cala au fond du canapé et souffla un long panache de fumée.

— Ma grand-mère m'a laissé un peu d'argent. Il est placé à mon nom et mon mari ne peut pas y toucher. Une petite somme, mais c'est mieux que rien. Et puis j'ai aussi ma voiture, et quelques bijoux. Je les mettrai au clou pour pouvoir aller à Paris. Je ne regretterai pas trop les bijoux, mais ma voiture va me manquer...

Elle tira une nouvelle fois sur sa cigarette.

— ... Je la ramène demain matin à New York. J'irai par la grand-route à McKeever, où je prendrai la Moose River Road jusqu'à Port Leyden. De là, je rejoindrai Rome par les petites routes, et je continuerai tout droit vers New York. Je ne veux pas courir le risque de croiser Teddy. La voiture est assez grande pour contenir mes vêtements et quelques caisses de livres. Dans l'immédiat, c'est tout ce dont j'ai besoin. J'expédie le reste de mes affaires chez ma sœur. Je me cacherai chez elle le temps de vendre ma voiture. Une fois en France, je me débrouillerai pour obtenir le divorce. Teddy ne veut pas en entendre parler, mais j'espère le pousser suffisamment à bout pour qu'il change d'avis. Encore deux ou trois recueils de poèmes, et le tour sera joué.

Mlle Wilcox sourit en prononçant ces mots, mais sa cigarette tremblait dans sa main.

— Je vous demande pardon, dis-je.

— De quoi ?

— De m'être mise en colère. C'était de l'égoïsme.

Mon institutrice me serra très fort la main.

— Tu es tout sauf égoïste, Mathilda Gokey.

Nous restâmes assises quelques minutes en silence, Mlle Wilcox fumant et gardant ma main dans la sienne. J'aurais voulu ne jamais quitter cette pièce. Ni mon institutrice. Mais je savais qu'en m'attardant je l'empêchais de finir ses bagages. Or, il fallait qu'elle soit partie le lendemain matin.

— Je vais y aller, murmurai-je enfin. Weaver m'attend dehors. Si nous ne sommes pas de retour avant le dîner, nous aurons des ennuis.

— Ce n'est pas le moment, Mattie. Tu as besoin de ton salaire. Peut-être viendras-tu un jour me voir à Paris. À moins que je ne rentre plus tôt que prévu si tout va bien. Alors nous pourrons déjeuner ensemble sur le campus de Barnard College.

— Ça m'étonnerait, mademoiselle, bredouillai-je, les yeux rivés au sol.

— Pourquoi cela ?

— Je ne vais pas à Barnard College. Je reste ici.

Mon institutrice me lâcha la main.

— Grand Dieu, Mattie, mais pourquoi ?

Il me fallut quelques instants pour répondre.

— Royal Loomis m'a demandée en mariage, avouai-je enfin. Et j'ai accepté.

Mlle Wilcox blêmit comme si elle s'était vidée de son sang.

— Je vois…

Elle allait ajouter quelque chose, mais je la devançai.

— Je vous rends vos cinq dollars, dis-je, sortant le billet de la poche de ma jupe. Je vous remercie, mademoiselle, c'était très généreux de votre part, mais je n'en aurai pas besoin.

— Au contraire, Mattie, garde ce billet. Les jeunes mariés ont souvent un budget serré. Garde-le pour ton usage personnel. Pour acheter du papier et des stylos.

— Merci.

Je savais que c'était ce qu'elle voulait entendre. Je savais aussi que cet argent servirait plutôt à acheter des semences de maïs ou des poulets que du papier et des stylos.

Mon institutrice me raccompagna jusqu'à la porte.

— Prends soin de toi, Mattie.

— Vous aussi, mademoiselle.

Elle fit ses adieux à Weaver pendant que je grimpais dans la carriole. Elle le serra dans ses bras et lui recommanda de travailler dur à Columbia University. Elle ajouta qu'elle allait séjourner quelque temps à Paris, qu'elle espérait avoir sa visite. Alors que la carriole s'ébranlait, je me retournai et vis sa silhouette s'encadrer dans l'embrasure de la porte. Elle me parut petite. Fragile et sans défense. Je n'avais pas eu cette impression en arrivant.

— Hue ! criai-je à Démon.

Je fis claquer les rênes et il partit au trot.

— Ça va ? me demanda Weaver.

— Ça va, répondis-je tandis que nous descendions la grand-rue, laissant derrière nous le saloon, les magasins Payne et O'Hara, la boutique du coiffeur, la poste et l'école.

À la sortie du village, je tirai assez fort sur les rênes pour que Démon s'arrête, et j'enfouis mon visage dans mes mains.

Weaver me tapota l'épaule.

— Voyons, Matt. Elle n'est pas morte. Tu la reverras.

— C'est tout comme. Jamais je ne la reverrai. Je le sais.

— Bien sûr que si. Elle ne passera pas sa vie en France. Un jour, elle reviendra à New York.

— Mais moi je n'y serai pas, dis-je doucement.

— Quoi ?

Je ne voulais pas lui en parler, pourtant il le fallait. Je lui cachais la vérité depuis des semaines, et je ne pouvais pas lui mentir éternellement.

— Je ne pars plus, Weaver... Je ne vais plus à New York.

— Tu n'y vas plus ? Mais pourquoi ?

— Royal et moi... on est fiancés. Je vais... Il... Je reste ici. Je vais me marier.

— Avec Royal ? Royal Loomis ?

— Tu en connais un autre ?

— Bon sang, Mattie ! Ce n'est pas vrai ! Je voyais bien qu'il venait te chercher, que vous vous promeniez ensemble, mais jamais je n'aurais cru que c'était sérieux. Pourquoi ne pas épouser Démon, tant que tu y es ? Ou Barney ? Ou même ce rocher ?

— Tais-toi, Weaver.

— Mais il n'est pas assez bien pour toi ! Est-ce qu'il lui arrive d'écrire ? De réussir une nouvelle aussi bien que toi ? Aime-t-il la lecture ? Sait-il seulement lire ?

Je me taisais.

— Lui as-tu déjà montré ton cahier de composition anglaise ? A-t-il déjà lu tes nouvelles ? Dis-le-moi. Réponds juste à cette question.

Mais je ne répondis pas. À quoi bon ? Je ne pouvais pas lui expliquer que si j'avais besoin de livres et de mots, j'avais aussi besoin de quelqu'un qui me serre dans ses bras, qui me regarde comme Jim regardait Minnie quand elle lui avait donné un fils et une fille. Et que quitter ma famille, trahir la promesse faite à ma mère me briserait le cœur.

Weaver fulmina tout le long du chemin. Je l'écoutai sans rien dire. Que pouvais-je faire d'autre ?

Si l'on attelle deux chevaux ensemble et que l'un des deux est plus fort que l'autre, le plus faible sera bousculé et meurtri. Voilà à quoi ressemblait mon amitié avec Weaver. Le fermier peut régler son joug de façon à soulager le plus faible des deux chevaux en faisant tirer l'essentiel de la charge par le plus fort. Malheureusement, on ne peut régler ainsi ni le cœur ni l'âme des humains. J'aurais voulu pouvoir partir à New York sur-le-champ. J'aurais voulu être aussi forte que Weaver, et aussi intrépide.

Mais j'en étais loin.

de.vi.ser

— Ada ! Weaver ! Mattie ! Frances ! Emportez-moi ces tartes dehors ! Et cette crème glacée aussi ! rugit Mme Hennessey depuis le couloir.

Nous répondîmes d'une seule voix.

— Oui, madame !

— N'oubliez pas la limonade !

— Non, madame !

— Et cessez de crier ! C'est un hôtel, bon sang, pas un camp de bûcherons !

— Oui, madame !

Nous pouffions encore de rire tous les quatre au sortir de la cuisine, puis en gagnant l'escalier du porche par la salle à manger pour rejoindre la grande pelouse de l'hôtel.

— « Bavarder », me lança Weaver au passage.

— « Converser », répliquai-je.

Nous étions le 4 juillet, le soir de la fête de l'Indépendance, point culminant de la saison, et aucun hôtel de Big Moose Lake, de Fourth Lake ou de n'importe quel autre lac de l'État de New York n'organisait de fête plus réussie que celle du Glenmore. Nous avions une centaine de clients, auxquels s'ajoutaient ceux des autres hôtels, qui avaient traversé le lac en barque pour l'occasion, plus la quasi-totalité des habitants de Big Moose Station, d'Eagle Bay et d'Inlet. La fête leur était ouverte et la plupart ne l'auraient manquée pour rien au monde. Il leur en coûtait un dollar par adulte et cinquante cents par enfant, mais ils économisaient toute l'année pour venir en famille. En échange, ils pouvaient manger à volonté du poulet rôti en plein air, des travers de porc, des épis de maïs bouillis, de la salade de pommes de terre, aux trois haricots ou aux macaronis, des gâteaux, des tartes et de la glace à la fraise. Le tout arrosé de bière ou de limonade, au son des cuivres d'une fanfare d'Utica. Ceux qui le souhaitaient pouvaient danser. Ou se promener dans les bois, ou encore aller en barque sur le lac. Et lorsque la nuit tombait enfin, vers neuf heures et demie, un véritable feu d'artifice était tiré depuis le quai.

Le Glenmore ressemblait à un hôtel de carte postale. On avait décoré le porche et tous les balcons de guirlandes bleues, blanches et rouges, assorties aux hortensias et aux roses en pleine floraison. Toutes les fenêtres étaient éclairées, même le quai avait ses lampions. Les grandes tables à tréteaux, couvertes de nappes aux couleurs de la bannière étoilée, ployaient sous le poids de la nourriture et des boissons. Partout on entendait de la musique et des rires.

La pelouse grouillait de monde : des dizaines de touristes en costume de lin et robe du soir, des gens du cru dans leur tenue du dimanche passée et rapiécée. Même le chien Hamlet arborait pour la circonstance un ruban tricolore autour du cou. Mon père était là. Il discutait avec Frank Loomis, George Burnap et quelques autres fermiers. Il me fit un petit signe de tête en m'apercevant. La mère de Weaver bavardait avec Alma McIntyre. Tante Josie soumettait le pauvre Arn Satterlee à un interrogatoire en règle à propos des terres d'Emmie Hubbard et de leurs acheteurs éventuels. Je l'évitais soigneusement. Elle avait raconté à tout le comté que j'étais une sale petite égoïste d'avoir accepté une place au Glenmore. En réalité, elle m'en voulait parce que papa refusait d'envoyer Abby faire le ménage chez elle, et qu'elle devait payer une jeune fille du village à la place. Oncle Vernon était en grande conversation avec le révérend Miller, son épouse, et

M. et Mme Becker. Mme Loomis remplissait son assiette de salade de macaronis. L'œil hagard, Emmie Hubbard gesticulait pour écarter ses enfants de la table des desserts. Elle n'avait pas de quoi payer pour les amener, mais M. Sperry les laissait toujours entrer gratuitement. Personne n'était censé le savoir, car il ne voulait pas qu'on le croie trop généreux. Mme Hill, la mère de Fran, avait pris sa fille à part et la réprimandait. Peut-être d'être allée en cachette au Waldheim Hotel retrouver Ed Compeau. Fran ouvrait des yeux ronds, prenant son air le plus innocent.

Weaver repassa près de moi à toute vitesse, un pichet vide dans chaque main.

— « Discuter », me souffla-t-il.

— « Dialoguer », répondis-je.

« Deviser » était mon mot du jour et l'enjeu de notre duel. Il signifie « discourir, s'entretenir familièrement ». Je l'aime bien parce qu'il est porteur d'une certaine insouciance, comme s'il voulait rappeler la gaieté et la spontanéité de la plupart des conversations.

— Matt ? Où dois-je les mettre ? Mme Hennessey me les a confiées à mon arrivée.

C'était Royal, une tarte dans chaque main. Je sentis les regards converger sur nous. J'en fus toute fière. Je le débarrassai des deux tartes et les plaçai sur la table des desserts.

Il me prit par le bras.

— Je vais parler avec Tom L'Espérance. À tout à l'heure.

Et il disparut.

En regagnant la cuisine, je croisai Belinda Becker. Vêtue d'une jolie robe à pois avec une ceinture bleu ciel, elle s'appuyait au bras de Dan Loomis comme si elle avait besoin de lui pour tenir debout. Martha Miller les accompagnait. Elle me dévisagea longuement avec une aigreur visible.

J'aperçus Minnie et Jim au bord du lac. Minnie levait les yeux vers son mari. Elle me parut encore fatiguée, mais elle souriait. Jim aussi, et, avant de remonter vers la pelouse, il se pencha vers elle pour lui offrir un baiser. Sur la bouche.

Je sus qu'un véritable amour les unissait, malgré toutes leurs difficultés. J'espérais connaître quelque chose d'approchant.

— Moi qui croyais que tu le détestais ! m'exclamai-je en voyant Minnie me faire signe et courir vers moi.

Elle m'embrassa sur la joue.

— Tu comprendras quand tu seras mariée !

— Vilaine cachottière !

— Cachottière toi même ! Pourquoi ne m'as-tu jamais parlé de Royal Loomis ? Il n'est question que de vous deux !

— Ce n'est pas faute d'avoir essayé ! Tu as eu une crise de larmes, après quoi tu t'es endormie. J'ai beaucoup de choses à te raconter, Min. Vraiment beaucoup...

— Minnie ! Quelle tarte préfères-tu ?

— J'arrive, Jim !

Elle m'embrassa de nouveau et fila retrouver son mari.

En la voyant se joindre ensuite à ces longs palabres inutiles entre femmes sur des sujets aussi futiles que la pâtisserie et la limonade, je me rappelai avec une pointe de jalousie l'époque où elle et moi étions tout l'une pour l'autre. Désormais, c'étaient ses enfants qui représentaient tout pour elle, avec Jim, leur maison et leur vie de famille. Pas moi.

Je reçus une tape sur la tête. Weaver apparut, un plateau à la main.

— « Parler » !

— « Causer », dis-je, l'écartant d'un geste.

— C'est faible.

— « Parler » aussi !

— Mattie ! Apporte encore du poulet, s'il te plaît !

C'était Henry, qui s'occupait du barbecue.

— Tout de suite, Henry.

Je relevai légèrement mes jupes pour courir plus vite à la cuisine. Une fois encore, Henry aiguisait un couteau à la tombée de la nuit. J'aurais préféré ne pas le voir. Même s'il ne s'agissait que d'une superstition ridicule, je me sentis soudain mal à l'aise.

Avant que j'aie pu partir vers l'hôtel, Ada m'intercepta et prit ma main dans les siennes.

— Royal vient de se disputer avec Martha Miller !

J'écarquillai les yeux.

— Royal ? Impossible. Il était ici il y a un instant. Tu as assisté à cette dispute ?

— Non.

— Alors, comment…

— Par mon frère à qui rien n'échappe. Il se soulageait derrière le hangar à bateaux. Personne ne se doutait de sa présence. Il prétend n'avoir rien vu et pas tout entendu, mais une chose est sûre : Martha a fait remarquer à Royal qu'apparemment il n'avait pas souffert trop longtemps de son cœur brisé.

Je crus que mon cœur à moi s'arrêtait.

— Royal m'a dit qu'il allait parler avec Tom L'Espérance.

— Tom L'Espérance ? Il n'est même pas là. Je vais retrouver Mike pour voir s'il en sait davantage. Peut-être que je mettrai la main sur Royal par la même occasion.

— Non, Ada…, commençai-je.

Alors quelqu'un cria mon prénom et je sentis des bras autour de ma taille. Ceux de ma petite sœur.

— Pour l'amour du ciel, Beth, de quoi t'es-tu barbouillée ?

— De tarte aux fraises, Matt ! C'est tellement bon !

Puis elle repartit, piaillant et gloussant avec deux autres fillettes. Je me réjouissais de la voir guérie et en pleine forme.

Abby me fit signe de la main. Elle était avec les deux plus jeunes sœurs de Minnie, qui avaient chacune un des jumeaux dans les bras.

— Demande à Mattie, elle devrait le savoir, suggéra l'une d'elles tandis que je les rejoignais.

— Savoir quoi ? marmonnai-je.

L'esprit ailleurs, je cherchais Royal du regard. Ainsi que Martha.

— Pourquoi Mlle Wilcox a disparu du jour au lendemain, chuchota Clara Simms sur un ton mystérieux.

Elle adorait dramatiser.

— Elle a décidé d'aller à Paris, répondis-je.

Je n'avais aucune envie de parler de Mlle Wilcox. Elle me manquait trop.

Clara fronça les sourcils.

— Ce n'est pas ce qu'on m'a dit. Il paraît qu'elle écrivait des poèmes pornographiques sous un pseudonyme, et qu'en apprenant qu'elle en était l'auteur, les autorités l'ont aussitôt renvoyée.

Je me hérissai.

— Elle écrivait des poèmes magnifiques, Clara. En as-tu déjà lu un ?

— Sûrement pas. Jamais de la vie. D'après ma mère, ses livres sont indécents, voire dangereux.

Mlle Wilcox elle-même m'avait dit un jour que les livres étaient dangereux. Sans doute pas dans n'importe quelles mains. Dans celles de Clara Simms, un livre ne serait dangereux que si elle assommait quelqu'un avec.

— Mon poulet, Mattie ! s'écria Henry.

— Je reviens, dis-je, m'élançant vers l'hôtel.

Je rapportai le poulet et fis un second voyage pour aller chercher du maïs, des petits pains et de la salade de haricots, évitant Table Six au passage. Il se livrait à l'un de ses stratagèmes habituels : se pencher pour enlever de ses chaussures de la poussière inexistante. Lorsqu'une fille relevait ses jupes pour ne pas trébucher en montant les marches, il avait une vue idéale sur ses jambes.

Dès que je me fus assurée que Henry ne manquait de rien, je retournai auprès d'Abby et des sœurs Simms.

— Où est Lou ? demandai-je, la cherchant des yeux.

— Tu ne l'as pas encore vue ? s'exclama Abby.

— Non, pourquoi ?

Abby désigna un tonnelet de bière et un garçon décharné aux cheveux mal coupés qui se remplissait discrètement un verre.

— Quel rapport entre ce type et Lou ?

— Ce « type », Mattie, n'est autre que Lou.

— Seigneur, Abby ! Qu'a-t-elle fait à ses cheveux ?

— Elle se les est coupés elle-même. À ras. Elle menace encore de quitter la maison. Si seulement c'était vrai...

Je m'approchai de Lou par-derrière.

— Que fais-tu là ? dis-je d'un ton sec, lui arrachant le verre des mains.

— Je bois de la bière.

Elle me reprit le verre, en avala le contenu d'un trait, puis laissa échapper un rot si sonore et prolongé que ses lèvres frémirent. Je la retins par le poignet.

— Tu me fais honte, Louisa Anne Gokey !

— Je m'en fiche.

— Regarde tes cheveux ! Tu es à moitié chauve ! Qu'a dit papa en te voyant ?

— Rien. Il n'a même pas remarqué. Il ne remarque jamais rien. Lâche-moi, Matt, à la fin !

D'un geste brusque, elle dégagea son bras maigre de mon étreinte et s'enfuit, aussi légère qu'un moineau, pour aller commettre quelque mauvais coup avec Jim et Will Loomis.

— Que lui arrive-t-il ? Elle a la gale ?

C'était Royal. Il me tendit son assiette pour m'offrir une brioche que j'acceptai.

— Elle s'est coupé les cheveux. Encore une fois.

— Pourquoi ?

— Parce qu'elle est en colère.

Tellement en colère qu'elle me faisait peur. Elle devenait ingouvernable. Pourquoi papa ne s'en rendait-il pas compte ? Pourquoi ne réagissait-il pas ?

— Elle n'aime pas la couleur de ses cheveux ?

— Non, Royal, cela n'a rien à voir avec la couleur de ses cheveux, répliquai-je, agacée. Plutôt avec la disparition de notre mère, et celle de Lawton...

Voyant qu'il s'intéressait davantage à sa salade de haricots qu'à moi, je capitulai.

— Où étais-tu ?

— Parti chercher quelque chose à manger. Et parler avec Tom.

— Il est là ?

— Tom ? À quelques mètres.

Royal tendit le bras en direction du porche. C'était vrai. Adossé à une colonne, Tom s'entretenait avec Charlie Eckler.

« Ada a dû se tromper », pensai-je. Au fond, son frère n'avait rien vu de cette dispute ; il l'avait seulement entendue. Sans doute avait-il fait erreur. Martha se disputait peut-être avec quelqu'un d'autre que Royal.

— Ton père ne devrait pas défricher ses terres les plus au nord comme il en avait l'intention, déclara Royal entre deux bouchées.

— Ah bon ? Pourquoi ça ? m'enquis-je distraitement, cherchant toujours Martha du regard malgré moi.

— Je cueillais des baies dans le coin, l'autre jour. Là où nos terres, les vôtres et celles des Hubbard se touchent. Il y a beaucoup de myrtilles à cet endroit. Il faudrait les garder. Les hôtels en réclament pour les tartes et les crêpes.

Minnie, qui avait réussi à échapper à Jim, vint nous rejoindre, ainsi qu'Ada et Fran. Elles passèrent en revue qui était là, et avec qui. Mal à l'aise au milieu de ces commérages féminins, Royal s'en alla parler avec son frère. Dès qu'il fut trop loin pour nous entendre, Ada soupira.

— Ce qu'il est beau, Mattie ! Comment l'as-tu séduit ?

Ada avait posé la question sans arrière-pensées ; cela me troubla néanmoins. Je me la posais souvent moi-même.

— En se laissant embrasser sur une barque au milieu de Big Moose Lake, lança Fran pour me taquiner.

— Comment le sais-tu ? Tu n'y étais pas !

Fran m'adressa un large sourire.

— Ne te fais jamais conter fleurette à la campagne, Matt. Les pommes de terre ont des yeux…

— … et les murs des oreilles, enchaîna Ada, hilare.

— Sous peu, elle s'appellera Mattie Loomis, affirma Minnie. Avez-vous fixé une date ? Je parie que ce sera avant le nouvel an. Avant même que les foins soient rentrés, j'en suis sûre !

— Pas moi.

Surprise par cette voix, je me retournai. C'était Martha Miller. Elle et Belinda Becker venaient de se joindre à notre groupe. Belinda plissait le nez d'un air dégoûté. Martha semblait toute pâle, elle avait les traits tirés.

— J'espère pour toi que tu as une dot, Mattie Gokey. Et une belle, continua-t-elle.

— Contrairement à certaines, Mattie n'a pas besoin de dot, rétorqua Minnie.

— Pas avec une aussi belle paire de seins, gloussa Fran.

Je devins écarlate et tout le monde pouffa de rire. Même Belinda. Mais pas Martha. Elle me fixait de ses yeux méchants. Je remarquai ses paupières gonflées. Elle avait pleuré.

— Royal n'est que le cadet, reprit-elle. Pour l'essentiel, c'est Dan qui héritera de la ferme des Loomis. Or, les terres des Loomis touchent celles de ton père, n'est-ce pas, Matt ?

— Viens, Martha. Partons, souffla Belinda.

Martha poursuivit sur sa lancée.

— Si Royal t'épouse, il réussira peut-être à convaincre son père, et le tien, de lui céder quelques hectares. Cinq ou six en tout. Peut-être même mettra-t-il un jour la main sur la ferme de ton père, qui sait ? Après tout, Lawton a l'air d'être parti pour de bon, non ?

— Martha ! protesta Belinda, la tirant par le bras.

Martha se dégagea d'un coup d'épaule.

— Et puis il y a aussi les terres d'Emmie Hubbard. Six hectares. C'est pratique, qu'ils soient nichés entre les terres des Loomis et celles de ton père, tu ne trouves pas ? Par un curieux hasard, elles sont justement mises aux enchères le mois prochain...

— Qui veux-tu que ça intéresse, Martha ? Pourquoi ne pas verser du poison dans le punch, tant que tu y es ! s'exclama Fran.

Mon sang se glaça dans mes veines.

— Où veux-tu en venir, Martha ?

— Emmie ne paie pas ses impôts à temps quatre ou cinq fois de suite, et tout le monde s'en moque. Mais cette année, Arn décide subitement de mettre ses terres aux enchères. Ça ne t'étonne pas ?

— C'est juste qu'un acheteur potentiel s'est manifesté, répondis-je. Quelqu'un de New York, en quête de terres bon marché.

Je revoyais tante Josie et Alma McIntyre ouvrant à la vapeur la lettre destinée à Emmie.

Martha eut un petit sourire.

— Il y a bel et bien un acheteur potentiel, mais qui ne vient pas de New York. Il vit ici même, à Eagle Bay, et son nom est Royal Loomis.

Fran éclata de rire.

— Tu racontes vraiment n'importe quoi, Martha ! Royal n'aurait jamais une somme pareille.

— Lui, non, mais sa mère, si. Voilà deux ans qu'Iva économise. Vingt-cinq cents par-ci, cinquante cents par-là sur la vente de ses œufs ou de son beurre. L'hiver dernier, elle a confectionné deux courtepointes et les a vendues au magasin Cohen's. Elle fait aussi de la couture pour les touristes. C'est elle qui a poussé Arn à envoyer une mise en demeure à Emmie. Elle a écrit à son supérieur à Herkimer. En disant qu'Emmie n'avait pas à bénéficier sans cesse de délais supplémentaires alors que tout le monde paie ses impôts dans les temps.

— Pourquoi aurait-elle fait une chose pareille ? demanda Ada.

Martha haussa les épaules.

— Elle a ses raisons. Plus pas mal d'argent de côté, qu'elle compte donner à Royal pour qu'il puisse acheter la terre des Hubbard et la cultiver. Comme je le disais, si on l'ajoute aux quelques hectares donnés par ton père et celui de Royal en cadeau de mariage, cela fera une jolie superficie, non ?

J'étais incapable de répondre. Les mots restaient coincés dans ma gorge comme des glaires.

— Tu te croyais très maligne, Mattie, hein ? Toi qui as toujours le nez dans un livre... Royal dit que tu connais beaucoup de mots, mais que tu ne saurais même pas plaire à...

— Encore un mot, Martha, et je te gifle jusqu'au sang ! Je le jure devant Dieu, s'écria Fran.

— Viens, Martha. Allons-nous-en. Dan me fait signe, insista Belinda.

Elle tira de nouveau son amie par le bras et l'entraîna.

— N'écoute pas ces absurdités, Matt. Elle a tout inventé. Elle est tellement jalouse de toi qu'elle en pisse du vinaigre, ajouta Minnie.

— « Discourir » !

C'était Weaver. Il avait surgi derrière moi. Je le dévisageai, hébétée.

— « Cancaner », dis-je tristement. « Broder ». « Affabuler ». « Mentir ». Aux autres. Et à soi-même. Surtout à soi-même.

— Quoi ? Tu t'égares, Mattie. Je te donne une dernière chance. Si tu ne la saisis pas, tu seras aussi morte que...

— Oh, fiche le camp, Weaver ! Tu ne vois pas que nous sommes entre femmes ! le rabroua Minnie.

— Bon sang, Minnie, qu'est-ce qui vous prend !

— Allez, ouste ! Disparais !

La fierté que j'avais ressentie plus tôt, lorsque Royal m'avait apporté les tartes à la vue de tout le monde, s'évanouissait à la vitesse d'une biche effarouchée. J'avais la nausée. Mes amies pouvaient bien me défendre et me dire toutes les gentillesses qu'elles voulaient, la voix de Royal résonnait encore à mes oreilles : « Ton père ne devrait pas défricher ses terres les plus au nord... Il y a beaucoup de myrtilles à cet endroit... » Je m'en voulais tellement d'avoir imaginé qu'il oublierait mes cheveux brun terne et mes yeux marron pour essayer de voir ce que j'avais dans le cœur. Et y accorder du prix.

— Viens, allons chercher un dessert. Mme Hennessey n'en saura rien. Le feu d'artifice va commencer et je meurs d'envie de goûter ce gâteau à la fraise, suggéra Ada pour me dérider.

— Je n'ai pas très faim...

Minnie m'interrompit :

— Ne t'en fais pas, Mattie. C'est toi qui auras le dernier mot le jour où tu seras mariée, avec dix enfants et une ferme, et Martha toujours vieille fille, condamnée à

293

ramasser les recueils de cantiques après les offices religieux de son père.

Je me forçai à sourire.

— Dis-moi, Matt, Mme Hennessey vous laisse-t-elle assister au feu d'artifice ?

C'était Royal.

Toutes les quatre – Fran, Ada, Minnie et moi –, nous le dévisageâmes sans un mot.

— Jim va se demander où je suis passée ! s'exclama Minnie en s'éclipsant.

Fran lui emboîta le pas.

— Mme Hennessey a besoin de nous. Viens, Ada.

— J'ai dû marcher dans le fumier, lâcha Royal en les regardant s'éloigner.

J'eus beau scruter le sol, je n'en vis pas trace. En revanche, un épisode qui s'était déroulé le jour où j'étais rentrée chez moi en catastrophe pour soigner mon père et mes sœurs malades me revint en mémoire. Je l'avais oublié jusqu'à cet instant. Je revis Tommy Hubbard, aux prises avec Baldwin. En larmes, il frappait le veau. Mais quelqu'un l'avait frappé lui, avant. Il avait une affreuse marque rouge sous l'œil. Or, Royal détestait Tommy, ainsi qu'Emmie et toute la famille Hubbard.

— Royal…

— Oui ?

— Martha Miller vient de… me raconter certaines choses.

Il renifla avec mépris.

— Et tu la crois ?

Je ne me laissai pas intimider.

— Royal, est-ce vraiment toi qui envisages d'acheter les terres d'Emmie Hubbard ?

Il détourna le regard, cracha par terre, puis dirigea sur moi ses beaux yeux couleur d'ambre.

— Oui, Matt. C'est bien moi.

i.dé.al

— Sapristi, Mattie, ça va être ta fête ! Pourquoi as-tu laissé le balai au milieu de la cuisine ? s'exclama Fran.

— Pas du tout ! Je l'ai rangé aussitôt après avoir balayé !

Je pliais des serviettes dans la salle à manger et préparais les tables pour le petit déjeuner du lendemain.

— Mme Hennessey vient de trébucher dessus, et de renverser une pleine marmite de bouillon de viande. Elle veut te voir immédiatement.

— Mais ce n'est pas moi qui…

— Dépêche-toi d'y aller, avant qu'elle vienne te chercher !

Fran repartit vers la cuisine. Je restai clouée sur place, avec une énorme boule dans la gorge, à me dire qu'un sermon de Mme Hennessey serait la conclusion calamiteuse d'une journée calamiteuse. Mon mot du jour était « idéal », c'est-à-dire « un degré de perfection, un modèle d'excellence n'existant que dans l'imaginaire ». Le dictionnaire avait dû me faire une blague. Cette journée n'avait rien de parfait ni d'excellent. Nous étions le 5 juillet, jour de mon anniversaire. Je venais d'avoir dix-sept ans, et tout le monde semblait frappé d'amnésie. Ada et Fran connaissaient parfaitement la date. Weaver aussi. Mais pas un seul d'entre eux n'y avait pensé. J'avais broyé du noir toute la journée. À plus d'un titre, d'ailleurs. À cause des horreurs que Martha Miller m'avait révélées la veille. Et de ma dispute avec Royal, juste après que je lui eus demandé si c'était lui l'acheteur potentiel des terres d'Emmie Hubbard.

« Je ne tiens pas à en parler, m'avait-il répondu.

— Eh bien moi, si. Pourquoi fais-tu ça ? Ce n'est pas bien. »

Me prenant par le bras, il m'avait entraînée à l'écart des tables, de la foule et de la fanfare assourdissante qui jouait *Yankee Doodle Dandy*. Nous nous étions enfoncés dans les bois.

« Pourquoi veux-tu acheter les terres d'Emmie ? avais-je repris dès que nous nous étions retrouvés seuls.

— Parce que ce sont de bonnes terres. Aussi bien pour les cultures que comme pâturages. »

Je me tus quelques instants, prenant mon courage à deux mains pour poser ma question suivante :

« C'est vraiment la seule raison ? »

J'appréhendais la réponse.

« Non, Mattie. Il y en a une autre... »

Je fixai le sol. Martha avait dit vrai. C'étaient les terres de papa que Royal convoitait, pas moi.

« ... Je veux me débarrasser d'Emmie Hubbard. »

Je revis alors Emmie penchée sur le poêle, et le postérieur velu de Frank Loomis.

« Royal, tu... tu es au courant ?

— Pour l'amour du ciel, Mattie ! Tout le comté est au courant !

— Moi, je n'en savais rien jusqu'à ces derniers temps.

— Rien d'étonnant ! Tu t'intéresses bien trop aux aventures de Blueberry Finn, d'Oliver Dickens et autres personnages inventés de toutes pièces pour voir ce qui se passe autour de toi.

— Ce n'est pas vrai ! »

Il leva les yeux au ciel.

« C'est pour nous deux que tu achètes ces terres, Royal ? Pour que nous en vivions ?

— Oui.

— Je n'en veux pas. Comment pourrons-nous y construire notre vie commune en sachant que nous les avons arrachées à une veuve et à ses sept enfants ? C'est tout ce qu'ils possèdent. Si tu acquiers ces terres et que tu chasses les Hubbard, où iront-ils ?

— Au diable, j'espère.

— Mais le petit Lucius... »

Faute de trouver les mots, je m'interrompis. Puis je me ressaisis, car les choses devaient être dites.

« Ce bébé... c'est ton demi-frère, non ?

— Je n'ai rien à voir avec aucun des garnements d'Emmie.

— Il n'a pas demandé à naître. Ce n'est qu'un bébé », murmurai-je.

Royal me foudroya du regard comme si j'étais Judas en personne.

« Et si c'était ton père, Mattie ? Si c'était lui qui portait le premier bidon de lait de l'année à Emmie avant même que toi et tes sœurs ayez pu y goûter ? Si c'était lui qui mentait à ta mère, l'abandonnant en sanglots dans l'étable ? Tu crois que tu t'inquiéterais autant du sort de la famille Hubbard ? »

L'émotion voilait sa voix. Je sentis qu'il lui en coûtait de me faire ce genre de confidences.

« Quant à ma mère... elle n'ose même pas quitter la maison certains jours, tellement elle a honte. On te dit quel effet ça fait, dans tes livres ? Peut-être que si **tu** en lis suffisamment, tu auras la réponse. »

Sur ces mots, il s'était éloigné, me laissant seule.

J'avais passé une nuit horrible. Je n'avais même pas entendu le feu d'artifice et, une fois la fête terminée, lorsque tout avait été rangé et que j'avais enfin pu aller me coucher, le sommeil avait refusé de venir. Les yeux grands ouverts, j'avais tourné et retourné le problème dans ma tête sans trouver de solution. Je ne voulais pas voir Emmie chassée de ses terres. Elle nous compliquait la vie, mais je l'aimais bien, et ses enfants aussi. Surtout Tommy. Il venait si souvent chez nous que mes sœurs et moi le considérions presque comme un frère. J'avais pitié de lui et de sa famille. Nous aussi n'avions qu'un seul parent. Nous aurions très bien pu connaître le même sort qu'eux si papa n'avait pas travaillé aussi dur. Et pourtant je comprenais la réaction de Royal. À sa place, si mon père avait passé trop de temps à la ferme voisine et fait pleurer ma mère, j'aurais moi aussi cherché à me débarrasser d'Emmie.

La porte de la cuisine s'ouvrit à la volée, me faisant sursauter.

— Pour l'amour du ciel, Mattie, Mme Hennessey t'attend ! Dépêche-toi ! insista Fran.

Je posai la serviette que j'avais à la main. La boule au fond de ma gorge grossit encore un peu plus. Ce n'était pas juste d'être accusée d'une erreur que je n'avais même pas commise. Et le jour de mon anniversaire, par-dessus le marché ! Je poussai la porte de la cuisine, m'attendant à être accueillie par la voix stridente de Mme Hennessey, au lieu de quoi j'eus le choc de ma vie quand vingt personnes s'écrièrent en chœur :

— Surprise !

Tout le monde se mit à chanter tandis que Mme Hennessey apportait de l'office un gâteau couvert d'un glaçage blanc, avec une bougie plantée au milieu et tout autour les mots : HAPPY BIRTHDAY, MATTIE. Je souris jusqu'aux oreilles, remerciai et fis un vœu. Ensuite on m'offrit de la crème glacée et de la limonade pour accompagner le gâteau, ainsi qu'un bouquet de fleurs sauvages cueilli par Ada, Fran et les autres.

Mme Hennessey demanda qu'on porte un toast et Mike Bouchard se proposa aussitôt.

— Chère Mattie, commença-t-il en brandissant son verre de limonade, je t'aime de tout mon cœur. Je rêve de voir mon pyjama à côté de ta chemise de nuit. Mais surtout ne le prends pas mal : je voulais dire sur le fil à linge, pas au lit.

Je devins rouge brique. Tout le monde éclata de rire et poussa des hourras, sauf Mme Hennessey qui donna à Mike une tape sur l'oreille, et l'envoya en pénitence sur les marches de l'escalier de la cuisine. Ada et Fran me taquinèrent, me décrivant l'air de chien battu que j'avais eu toute la journée, puis elles se félicitèrent d'avoir su garder le secret.

Après cet intermède, Mme Hennessey nous ordonna d'une voix de stentor de nous remettre au travail et Mme Morrison me tendit un petit sac en toile de jute.

— Ton père l'a déposé ce matin avec le lait, m'expliqua-t-elle.

À l'intérieur se trouvait un minuscule tableau représentant ma maison avec sa cour, son jardin, ses pins et ses érables, et les champs de maïs derrière. Il était magnifique et me rendit nostalgique. Un mot l'accompagnait : *Maman a peint ceci pour toi. Joyeux anniversaire. Tommy Hubbard.* Le sac contenait également une carte d'anniversaire faite maison, décorée de fleurs séchées et de cœurs dessinés à la main. Toutes mes sœurs y avaient écrit un message sympathique, sauf Lou qui me disait que je vivais dans un zoo, et que j'avais l'odeur et l'apparence d'un singe. Il y avait aussi une petite boîte de caramels offerte par tante Josie et oncle Vernon. Et tout au fond un mince paquet plat, emballé dans du papier bistre comme j'en avais vu sur le bateau-épicerie de Charlie Eckler. Je l'ouvris. C'était un cahier de composition tout neuf. Il ne portait aucun message, mais je sus qu'il venait de mon père. C'était gentil de sa part et j'aurais dû me réjouir de cette attention, au lieu de quoi j'en eus les larmes aux yeux.

— Mattie, une visite pour toi, annonça Fran d'un ton narquois.

Levant la tête, j'aperçus Royal dans l'embrasure de la porte, l'air aussi emprunté qu'un cochon sur des échasses. Je fus à la fois heureuse et inquiète de le voir. Je me demandai s'il m'en voulait encore de notre dispute et s'il venait réclamer sa bague.

— Tiens, Royal Loomis ! Tu m'apportes encore de tes excellentes fraises ? s'enquit Mme Hennessey.

— Euh, non... Non, madame. Je... C'est quelque chose... pour Matt.

Il brandissait un paquet.

— En tout cas, il me faut des fraises demain matin. Et viens ici en premier, avant d'aller chez Burdick. Je ne veux pas des restes.

— Oui, madame.

— Aimerais-tu une part de gâteau d'anniversaire ? Il en reste un peu. Va chercher une part de gâteau pour ton visiteur, Mattie. Avec une boule de glace et un verre de limonade. Assieds-toi une minute, Royal.

Mme Hennessey était visiblement sous le charme. Je servis à Royal du gâteau et des rafraîchissements, et m'installai près de lui. Il poussa son paquet vers moi.

— Pour toi. C'est un livre, déclara-t-il.

Je n'en revenais pas. Il aurait aussi bien pu me dire que c'était un collier de diamants.

— Vraiment ? murmurai-je.

Il haussa les épaules, content de ma réaction mais s'efforçant de ne pas le montrer.

— Je sais que tu aimes les livres.

Mon cœur fit un bond dans ma poitrine. J'étais aux anges ! Martha se trompait. Et moi aussi. Royal s'intéressait bel et bien à mes goûts. Il ne m'aimait pas seulement à cause des terres de mon père, mais pour ce que j'étais, moi. Dire qu'il avait pris la peine de se rendre dans un magasin – peut-être chez O'Hara, à Inlet, ou chez Cohen, à Old Forge – pour l'acheter ! Rien que pour moi. Mes mains tremblaient en dénouant la ficelle. Que m'avait-il choisi ? Un roman de Jane Austen ou des sœurs Brontë ? D'Émile Zola ou de Thomas Hardy ?

Je défis le papier et vis que l'auteur s'appelait Farmer. Une certaine Fanny Farmer. C'était un livre de cuisine.

Royal se pencha vers moi.

— Je me suis dit que tu risquais d'en avoir bientôt besoin.

Je l'ouvris. Un nom inconnu était inscrit sur la page de garde. Je tournai les pages. Quelques-unes étaient tachées.

— Il n'est pas neuf, d'occasion seulement. Je l'ai trouvé chez Tuttle. Il y a plusieurs rubriques, tu vois ? Viandes et volailles… pâtisseries…

Je lus dans ses yeux son espoir que ce livre me plairait. Il avait fait un effort, et c'était encore pire.

Mme Hennessey me donna une bourrade.

— Dis-moi, Mattie, en voilà un beau cadeau ! Quelle charmante attention ! Et pratique, avec ça. Les filles d'aujourd'hui ne savent plus faire la cuisine. J'espère au moins que tu as remercié Royal !

— Merci, Royal... Merci beaucoup, articulai-je, souriant à m'en faire mal.

dé.né.ga.tion

— Il paraît que Royal est passé hier soir, lança Weaver.

Il était dix heures. Le petit déjeuner venait de se terminer. Nous écossions des petits pois sur les marches de l'escalier de la cuisine.

— En effet.

— Il paraît aussi qu'il t'a offert un livre pour ton anniversaire.

— Parfaitement.

— Un roman ?

Je ne répondis pas.

— Je vois...

— Qu'est-ce que tu vois au juste, Weaver ?

— Je me demandais seulement...

— Quoi donc ?

— S'il existait un mot dans ton dictionnaire pour les situations où l'on connaît la vérité, mais où l'on refuse de la regarder en face.

— MATTIE ?

— Mmmm ?

Il est très tard. Ou très tôt, je ne sais pas trop. Quoi qu'il en soit, je suis endormie. Enfin. Et j'entends le rester. Mais des talons de bottine résonnent sur le plancher. Les pas se rapprochent de mon lit. Sûrement Ada ou Fran qui viennent me réveiller. Je ne veux pas me lever. Je veux dormir.

— Mattie ?

— Allez-vous-en...

Alors, j'entends quelque chose d'étrange. Un bruit d'eau. Une sorte de ruissellement.

— Mattie ?

J'ouvre les yeux. Grace Brown est debout à mon chevet. Elle tient mon dictionnaire. Ses yeux sont aussi noirs et insondables que les eaux du lac.

— Dis-moi, Mattie... Pourquoi le mot « gravide » est-il aussi lugubre ?

hors pair

— Hamlet a fait ses besoins ? me demanda Fran.

— Aucun doute.

— La grosse commission ?

— Grosse comme une montagne.

— Comment me trouvez-vous ?

— Encore plus irrésistible que Lillian Russell, répondis-je en lui glissant une rose derrière l'oreille.

Ada lui pinça les deux joues.

— Ne bouge plus... Et maintenant mords-toi les lèvres.

Fran s'exécuta.

— Bon, résuma-t-elle, vous savez toutes les deux ce qui vous reste à faire : vous cacher derrière un arbre et attendre. Si tout se passe comme prévu, on se retrouve au lac. Sinon, pour l'amour du ciel, venez à mon secours !

— Va le chercher, Frannie, dis-je.

Elle tira sur la jupette de son costume de bain, tendit le lainage sur ses seins et nous fit un clin d'œil avant de partir vers les chalets des pensionnaires. Ada et moi, en costume de bain également, attendîmes qu'elle eût disparu pour nous enfoncer dans les bois.

Table Six avait passé les bornes.

La veille au soir, la pauvre Ada était descendue au hangar à bateaux chercher les assiettes et les verres après la démonstration hebdomadaire de pêche à la mouche. Elle se croyait seule. Les guides étaient déjà partis. Les clients de l'hôtel aussi. Sauf un : celui de la table six. Ada avait réussi à lui échapper avant qu'il lui montre ce qu'elle ne voulait pas voir, mais il lui avait quand même demandé de lui « astiquer le manche » et autres grossièretés que je préfère ne pas rapporter.

Fran voulait tout raconter à Mme Hennessey ou à M. Sperry. Elle prétendait que l'avant-veille le vieux saligaud avait coincé Jane Miley derrière une porte alors qu'elle faisait le ménage de sa chambre, et que ce petit jeu avait assez duré. Mais Ada n'était pas d'accord. Elle affirmait que si cette histoire arrivait aux oreilles de son père, il s'en prendrait à elle. Dans ce genre de cas, les pères rejetaient souvent la faute sur leur fille. D'après Ada, le sien l'obligerait à démissionner et à rentrer à la maison, ce qu'elle voulait éviter par tous les moyens.

Malgré notre indignation, nous ne savions que faire. Lorsque Ada nous eut donné tous les détails, c'était l'heure de la promenade nocturne de Hamlet. Ada et Fran m'accompagnèrent. Ada avait le hoquet, et Fran pensait que l'air frais lui ferait du bien. Elles traversèrent la pelouse avec moi et me suivirent dans les bois jusqu'à l'emplacement favori de Hamlet : un grand carré de fougères dans un endroit isolé, à une cinquantaine de mètres du lac.

La puanteur était telle qu'Ada cessa instantanément d'avoir le hoquet. Elle se boucha le nez avec une grimace. Moi aussi, mais pas Fran. Écartant les fougères, elle sourit à la vue de ce qui recouvrait le sol.

— On va régler son compte à Table Six. Et en beauté ! s'exclama-t-elle.

— À nous trois ? fit Ada, sceptique.

— Avec son aide, répliqua Fran en désignant Hamlet. Voici ce que nous allons faire. Écoutez-moi bien…

Fran nous exposa son plan. Il était astucieux, mais pas sans risques. Il pouvait facilement tourner au désastre. Si tout se passait comme nous le souhaitions, en revanche, Table Six ne nous importunerait plus de sitôt.

Ce soir-là, nous fourbîmes nos armes. Fran demanda à Mme Hennessey si nous pouvions nous baigner dans le lac le lendemain matin après le petit déjeuner. Permission accordée. Aucune de nous ne possédait de costume de bain, mais l'hôtel avait quelques vieux modèles que Mme Morrison autorisait le personnel à utiliser. Fran en emprunta trois qu'elle cacha sous nos oreillers. Ada prétexta avoir oublié un plateau pour pouvoir retourner au hangar à bateaux et rapporter une corde, dissimulée sous ses jupes. Je montai à notre dortoir, sortis mon stylo plume et mon cahier de composition de sous mon lit, puis rédigeai un petit mot. « Charmeur, mais pudique, avait dit Fran. Tu sais bien, un billet doux. » Je ne savais pas, mais je fis de mon mieux.

Avant que nous allions nous coucher, Fran nous donna ses dernières instructions :

— Ada, emporte la corde dans les bois demain matin, assez tôt pour que personne ne soit levé et ne te surprenne. Mattie, arrange-toi pour nourrir Hamlet en conséquence.

Je m'y engageai, et je tins parole. En plus de son repas habituel, Hamlet eut droit à deux brioches, quatre tranches de bacon et un œuf au plat qui restaient dans la cuisine. Ensuite il m'arracha presque le bras pour arriver plus vite à son carré de fougère, et là il se surpassa.

Le petit déjeuner terminé, Fran, Ada et moi montâmes nous changer. Les costumes de bain étaient une abomination. Taillés dans un lainage informe qui démangeait horriblement, ils avaient une jupette ridicule, des manches et des jambières qui recouvraient coudes et chevilles. Ainsi harnachées, les cheveux retenus par un foulard, nous descendîmes l'escalier de service quatre à quatre, disparaissant par la porte de derrière avant que Mike Bouchard ou Weaver aient pu nous voir et se moquer de nous.

— Tu crois qu'il viendra ? interrogea Ada, hors d'haleine, tandis que nous nous enfoncions dans les bois au pas de course.

— À coup sûr. Fran lui a fait de l'œil pendant le petit déjeuner et lui a glissé ton billet.

Montrez-moi tout, je ne dirai rien. Retrouvez-moi devant le dernier chalet après le petit déjeuner, avais-je écrit.

Ada et moi arrivâmes pantelantes et en nage au carré de fougères. Il était à peine dix heures, mais il faisait déjà chaud et lourd. J'inspectai le sol autour de nous.

— Où as-tu mis la corde ? demandai-je.

— Ici même !

Ada la tira de sous un bosquet d'épicéas.

— Où pouvons-nous la nouer ?

— Autour de ce pin ?

— Le tronc est trop nu. Table Six la verra.

Ada scruta les environs en se mordillant la lèvre.

— Et ce sapin, là-bas ? Ses branches touchent presque terre.

Nous y attachâmes la corde, avant de découvrir qu'elle était trop courte. Il fallait qu'elle serpente sur le sol, longeant le carré de fougères du sapin jusqu'au bosquet d'épicéas où nous avions prévu de nous cacher, mais il manquait plusieurs centimètres.

Ada lançait des regards inquiets en direction de l'hôtel.

— Qu'allons-nous faire, Mattie ? Ils seront bientôt là.

— On va devoir se contenter de l'attacher au pin, en espérant que Table Six ne remarquera rien. Viens, dépêchons-nous.

Je m'empressai de défaire le nœud et de le refaire bien serré autour du pin, à une quinzaine de centimètres du sol. Puis je regagnai les épicéas en déroulant la corde derrière moi. Ada la recouvrait au fur et à mesure de terre, de feuilles et d'aiguilles de pin.

— Ce que ça peut sentir mauvais ! Il ne risque pas de se douter de quelque chose ?

— Il sera bien trop occupé. Voilà ! Regarde, Ada, on y est ! Et on a encore un peu de corde.

Je lui montrai qu'il nous en restait environ un mètre sur lequel tirer depuis notre bosquet d'épicéas.

— Tant mieux, se félicita-t-elle. Aide-moi à finir de la recouvrir.

Nous la fîmes complètement disparaître avant de reculer de quelques pas pour juger de l'effet produit. Ce n'était pas parfait, mais pour quelqu'un qui ignorait la présence de cette corde – ce qui était le cas de notre ennemi personnel – elle serait invisible. Unique problème : le pin. L'extrémité nouée autour du tronc se détachait trop sur l'écorce.

Une voix chantante s'éleva au loin.

— Suivez-moi ! Par ici !

C'était Fran.

— Sapristi, Matt ! Les voilà ! Qu'allons-nous faire ? se lamenta Ada.

Prise de panique, je regardai autour de moi. Mes yeux se posèrent sur les fougères. Je courus en arracher quelques-unes. À la main, je creusai un petit trou au pied du pin, y enfonçai les tiges des fougères, remis la terre en place. On aurait dit un jeune plant, elles dissimulaient complètement la corde.

Nous entendîmes Fran glousser. Elle approchait.

— Vite ! souffla Ada.

Elle m'entraîna par le bras vers les épicéas. Les branches s'agitèrent en tous sens. Nous tentâmes fébrilement de les immobiliser.

— Par ici ! Par ici ! Qu'attendez-vous donc ? chantonnait Fran.

Ada s'accroupit et jeta un coup d'œil entre les branches. Je m'agenouillai et enroulai autour de mon poignet l'extrémité de la corde.

— Il arrive. Prépare-toi, Matt…

Dès qu'Ada me donnerait le signal, je devais tirer sur la corde.

— … Il n'est plus qu'à une dizaine de mètres.

J'écarquillai les yeux derrière les branches, grimaçai en recevant une aiguille de pin. Je pouvais surveiller le carré de fougères à ma droite, mais à gauche je ne voyais rien.

— Je ne vous trouve pas ! s'écria une voix masculine.

C'était celle de Table Six. Mes entrailles se recroquevillèrent comme du bacon en train de frire. Alors que notre plan m'avait paru si simple, je me demandais à présent comment il pouvait réussir, et je regrettais que notre colère ait été si mauvaise conseillère. Il fallait que Fran se place pile au bon endroit, et notre homme aussi. Quant à la corde... Ne l'avions-nous pas enfouie trop près des fougères ? Ou trop loin ?

— Je suis ici ! Allez, venez ! insista Fran.

Elle eut un petit rire aguicheur, et j'aperçus un mélange de lainage noir et de peau blanche tandis qu'elle contournait le carré de fougères. Quelques secondes plus tard, elle était derrière.

— Où ça ? appela Table Six.

— Ici même !

— Plus que cinq mètres, annonça Ada – un murmure à peine audible.

Fran cassa une fougère dont elle se caressa le visage, puis elle la lança vers Table Six et lui envoya un baiser. Elle agitait sa jolie main tout en jouant avec les boutons de son costume de bain. Une révélation. Mon mot du jour était « hors pair », ce qui signifie « incomparable », et ce qualificatif lui allait comme un gant. Ni Lillie Langtry ni même la grande Sarah Bernhardt n'auraient pu mieux faire. Ses gestes à la fois audacieux et pudiques eurent sur Table Six le même effet qu'un chiffon rouge sur un taureau. Je ne le voyais toujours pas, mais je l'entendais. Il se précipita droit vers le carré de fougères.

— Vas-y, Mattie ! chuchota Ada.

Je tirai de toutes mes forces sur la corde, mais rien ne se produisit. On ne l'a pas mise au bon endroit, me dis-je. On a tout gâché. Oh, non ! Seigneur ! Ce vieux cochon va attraper Fran et alors...

Alors la corde se tendit d'un coup sec, avec une brutalité qui me projeta en avant comme si je venais de ferrer un poisson gigantesque. Le poignet cisaillé par les fibres, je laissai échapper un gémissement auquel vinrent s'ajouter d'autres sons : les hurlements de surprise, puis d'effroi, puis d'horreur de Table Six, qui trébucha et tomba la tête la première, avec un bruit sourd, au milieu d'un énorme tas de crottes de chien.

Un nuage de mouches dérangées dans leur activité s'éleva au-dessus des fougères. Fran se figea, bouche bée comme moi. J'émergeai de ma cachette d'un pas chancelant et desserrai aussitôt la corde autour de mon poignet. Ada surgit derrière moi. Aucune de nous ne prononça un seul mot. On n'entendait que le bourdonnement des mouches et les cris stridents d'un homme au comble du désespoir.

Sa tête jaillit hors des fougères. Ses lunettes pendaient de son oreille gauche. À sa vue, Fran éclata de rire, imitée par Ada et moi. Il se mit à genoux, puis se releva et contempla d'un œil incrédule ses paumes souillées, tartinées des déjections de Hamlet tout comme sa cravate et le devant de son veston blanc.

Fran fut prise d'un fou rire incoercible.

— Maintenant, vous avez l'air aussi dégoûtant que vous l'êtes ! s'esclaffa-t-elle.

Il ouvrit des yeux ronds.

— Ça, par exemple… espèce de petite garce ! cracha-t-il. Tu l'as fait exprès ! Je te ferai renvoyer ! Je vous ferai renvoyer toutes les trois !

Fran ne se laissa pas impressionner.

— Je vous conseille de garder le silence et votre pantalon fermé, monsieur, sinon je raconte tout à mon père et il vous infligera une correction cent fois pire !

Il s'agissait sans doute de menaces en l'air, mais Table Six l'ignorait.

Fran tourna les talons et s'élança vers le lac, suivie de près par Ada et moi, pliées de rire tout le long du chemin. Derrière nous, j'aperçus notre homme qui repartait en titubant vers l'hôtel. Je regrettai de ne pouvoir assister à son arrivée. Jamais Mme Morrison ne le laisserait mettre un pied à l'intérieur du Glenmore dans cet état. Elle lui dirait d'aller se jeter dans le lac avant. Au sens propre.

Une fois au bord de l'eau, Fran arracha son foulard et le lança sur le sable. Elle secoua ses boucles rousses, piqua une tête, puis réapparut quelques secondes plus tard, toujours hilare. Elle aspira une gorgée d'eau qu'elle recracha aussitôt, telle une fontaine. Ada et moi aussi, et après avoir nagé le plus loin possible, nous fîmes la planche en cercle, savourant notre victoire. Ada et moi ne cessions de féliciter Fran, qui répétait que jamais elle ne se serait lancée sans nous dans cette aventure, que nous étions très fines mouches d'avoir si bien caché la corde et tiré dessus au bon moment.

Nous nageâmes encore un peu, nous éclaboussant et barbotant comme des loutres. J'exposais mon visage au soleil. J'avais beau savoir qu'il ne fallait pas – maman m'avait répété cent fois que mes taches de rousseur se verraient encore plus –, je m'en moquais. J'étais si heureuse. Mieux, j'exultais. Nous avions réglé son compte à Table Six.

Nous restâmes sur le dos quelque temps, profitant de la fraîcheur du lac avant de sortir nous sécher. Alourdis par l'eau, nos costumes de bain paraissaient plus informes que jamais. Dans le sien, Fran ressemblait à un pingouin. Lorsque nous lui en fîmes la remarque, elle se mit à marcher en canard, ce qui déclencha de nouveau notre hilarité. Nous finîmes par nous écrouler ensemble sur le sable et nous ébrouer avant de laisser sécher nos cheveux au soleil sur nos épaules. Soudain silencieuses, nous écou-tâmes le chant des grillons. Le parfum des sapins, rendu entêtant par la chaleur nous faisaient somnoler. Une famille de colverts vint voir si nous avions quelque chose à manger, mais nous nous taisions toujours.

Ce fut moi qui rompis le silence.

— Il faudrait penser à rentrer. Mme Hennessey nous écorchera vives si nous sommes en retard pour le déjeuner.

— Je ne veux pas rentrer, Matt, répondit Ada. Tout est si beau et tranquille. Si calme.

— Le calme avant la tempête, annonça Fran. Mme Hennessey m'a prévenue que nous attendions cent cinq convives pour le déjeuner. Et quatre-vingt-dix pour le dîner.

Ada et moi poussâmes un grognement. Fran nous adressa un sourire narquois.

— Et qui va s'occuper de Table Six, aujourd'hui ? demanda-t-elle.

— Moi ! dis-je.

— Non, moi ! protesta Ada.

— Faisons la course. La première arrivée à l'escalier de la cuisine ! suggéra Fran.

Ada gagna la course, mais n'eut pas la satisfaction de servir notre vieil ennemi. Lorsque nous descendîmes à la cuisine après nous être changées, Mme Hennessey nous informa que l'un des pensionnaires, un certain M. Maxwell, avait eu un ennui quelconque dans les bois, et qu'il se sentait si mal qu'il s'était retiré dans sa chambre pour le reste de la journée avec une bouillotte et un grog. Notre cuisinière ajouta que Mme Morrison avait attribué la table six à une famille de quatre personnes.

J'eus toutes les peines du monde à me retenir de rire. Ada aussi. La regardant à la dérobée, je vis qu'elle se mordait la lèvre jusqu'au sang.

Fran, elle, resta de marbre.

— Il devait vraiment être très mal en point, madame Hennessey, déclara-t-elle.

— En effet. Je lui ai proposé de descendre au moins déjeuner, mais il n'a pas voulu en entendre parler. Je ne comprends pas. Il y a du poulet frit au menu, un plat qu'il adore. J'ai même préparé son dessert préféré, mais quand je lui en ai parlé, il a blêmi.

— Ah bon ? Et quel est ce dessert ? s'enquit Fran.

— De la crème au chocolat. J'y ai mis encore plus d'œufs que d'habitude, du bon lait frais, et... et... Fran ? Ressaisis-toi immédiatement, Frances Hill ! Mais qu'est-ce qui te prend ? Ada, tu devrais avoir honte de rire aussi bêtement ! Quant à toi, Mattie Gokey, veux-tu bien me dire ce qu'il y a de si drôle ?

af.flic.tion

Notre euphorie dura deux journées entières, puis s'envola aussi vite que les oiseaux avant la pluie lorsque mon père vint au Glenmore à la fin du déjeuner, par un bel après-midi, nous apprendre que la maison de la mère de Weaver avait brûlé.

Weaver quitta l'hôtel à toutes jambes. Avec Fran, Ada et Mike, je dus finir de servir le déjeuner et préparer la salle à manger pour le dîner avant que Mme Hennessey laisse John Denio nous emmener dans sa carriole.

Pour me changer les idées durant le trajet, je pensai à mes mots et à leur signification comme cela m'arrive dès que je suis inquiète ou angoissée. Mon mot du jour était « affamé », terme sans grand intérêt. Je décidai qu'« affliction », sur lequel j'étais tombée quelques pages après, serait un meilleur choix compte tenu des circonstances. Il a pour synonymes « chagrin », « détresse », et vient du latin *affligere*, qui veut dire « abattre ».

Sur la route, en descendant la colline, nous avions fini par conclure à un accident. Une lampe à pétrole avait dû se renverser. Ou quelque braise jaillir de sous la lessiveuse et atterrir sur le toit, même si la mère de Weaver prenait toujours soin de faire du feu à bonne distance de sa maison. Mais en voyant la porcherie saccagée, le sol jonché de cadavres de poulets, et Lincoln, le bardot, qui gisait sur la chaussée dans une mare de sang, nous comprîmes qu'il ne s'agissait pas d'un accident.

Mon père se tenait près des ruines fumantes en compagnie de MM. Loomis, Pulling, Sperry et Higby. Quelques voisins de Fourth Lake étaient là eux aussi. Je courus vers le petit groupe.

— Que s'est-il passé, papa ?

— Mattie ! Que fais-tu là ? Ce n'est pas un spectacle pour toi.

— Il fallait que je vienne, papa, que je voie la mère de Weaver. Elle n'a rien ?

— Elle est en face, chez les Hubbard.

Je m'élançai vers la maison d'Emmie.

— Attends, Mattie...

— Quoi donc ?

— Sais-tu quelque chose sur ces hommes qui ont rossé Weaver ?

— Seulement que c'étaient des trappeurs. Et que M. Higby les a jetés en prison. Pourquoi ?

— On vient sans doute de les relâcher. D'après la mère de Weaver, ce sont eux qui ont tué son bardot et tous ses poulets jusqu'au dernier. La truie s'en est tirée, au moins. Elle s'est enfuie à travers champs et a disparu dans les bois. Les frères Loomis sont partis à sa recherche.

Je n'en croyais pas mes oreilles.

— C'est impossible, papa.

— La mère de Weaver prétend qu'ils étaient fous furieux d'être allés en prison. Et qu'après avoir mis le feu à la maison, ils se sont enfoncés dans les bois, vers le nord. C'est du moins ce que j'ai cru comprendre. Pour l'instant, elle ne dit pas grand-chose de sensé. Elle est mal en point, Mattie. Elle s'est battue. L'un d'eux lui a cassé le bras...

Je me cachai le visage dans mes mains et hochai la tête.

— Écoute-moi bien, Matt. Personne ne sait avec certitude où ces individus sont passés. Je t'interdis de quitter l'hôtel après la tombée de la nuit. Tant qu'on ne les a pas retrouvés, du moins. Et tu empêches aussi Weaver de sortir, tu m'entends ?

J'acquiesçai, puis filai chez Emmie.

Mme Hennessey, déjà là, cherchait du café ou du thé en maugréant à cause du désordre. Il y avait aussi Mme Burnap et Mme Crego, ainsi que le docteur Wallace. Et Weaver. Les enfants Hubbard, entassés sur le canapé défoncé ou assis par terre, ouvraient des yeux ronds. Le bébé Lucius jouait sur un tas de linge sale.

— Voyons, maman, il faut laisser le docteur t'examiner le bras, déclara Weaver.

Sa mère secoua la tête. Installée sur le lit d'Emmie, elle berçait doucement son bras droit. Emmie la serrait contre elle et lui murmurait des paroles apaisantes, lui assurant que tout allait s'arranger. Mais la mère de Weaver ne semblait pas l'entendre – ni elle ni personne. La tête basse, elle répétait :

— Il n'est plus là, tout a disparu ! Ô Seigneur, aidez-moi, tout a disparu...

Weaver s'agenouilla devant elle.

— Maman, je t'en supplie...

— Madame Smith, il faut absolument que j'examine ce bras, insista le docteur Wallace.

Emmie l'écarta d'un geste.

— Si vous la laissez un peu tranquille, elle reviendra à la raison. Je sais de quoi je parle.

— Elle a une fracture grave. Je le vois à la façon dont l'os est placé.

— Il n'ira pas plus loin. Vous pourrez vous en occuper dans quelques minutes. Asseyez-vous donc un peu. Vous énervez tout le monde !

Le docteur Wallace se renfrogna, mais obtempéra. Weaver se redressa et se mit à faire les cent pas dans la petite pièce.

Mme Crego fouilla au fond de son panier.

— Une gorgée de mon sirop de houblon la remettra d'aplomb.

— Inutile, répliqua le docteur. Cela ne fera que nuire à l'action du laudanum que je vais lui administrer.

Mme Crego le foudroya du regard. Il la fixa d'un œil noir. Mme Hennessey dénicha enfin de la chicorée dans une boîte de conserve. Lucius gazouillait sur son tas de linge sale. Mme Burnap le prit dans ses bras, mais fit une grimace en découvrant qu'il avait souillé sa couche. Pendant tout ce temps, la mère de Weaver continuait de se lamenter et de bercer son bras blessé.

Je m'approchai de Weaver, serrai sa main dans les miennes.

— De quoi parle-t-elle ? Pourquoi se comporte-t-elle ainsi ? À cause de la maison ?

— Aucune idée, répondit-il. C'est peut-être la perte de ses bêtes... ou de ses affaires. Elle avait beaucoup de photos. À moins que ce ne soit quand même la maison...

— Au diable la maison ! s'écria soudain Mme Smith. Si tu crois que je regrette cette vieille bicoque !

Elle releva la tête, les yeux rougis par les larmes et la fumée.

— Ils ont trouvé l'argent que j'économisais pour t'envoyer à l'université, Weaver ! Ils ont tout pris. Jusqu'au dernier cent. Tout a disparu, tout ! Seigneur Dieu, tout a disparu...

lé.o.nin

— Où est Weaver ? Où est-il passé ? me demanda Mme Hennessey. Il essaie toujours de me soutirer une part de tarte à la noix de coco, et aujourd'hui que je lui en garde une, il disparaît ! Va me le chercher, Mattie, s'il te plaît.

Mme Hennessey n'était pas du genre à nous garder des parts de tarte, mais elle s'inquiétait pour Weaver. Comme nous tous. Je devinais où il avait dû se réfugier et le retrouvai sans peine. Il était assis sur le ponton, les jambes de son pantalon retroussées et les pieds dans l'eau.

Je m'installai près de lui.

— Pourquoi la vraie vie ne ressemble-t-elle pas à ce qu'on lit dans les livres, Weaver ? Pourquoi faut-il que les gens soient si compliqués ? Pourquoi ne sont-ils jamais comme on les imagine, contrairement aux personnages de roman ?

Je retirai mes chaussures, mes bas, et trempai moi aussi mes pieds dans l'eau.

— Que veux-tu dire, Matt ?

— Eh bien chez Dickens, par exemple, on sait que M. Murdstone est un méchant. Et Bill Sikes ou Fagin aussi. Alors qu'Oliver Twist, Pip ou la Petite Dorrit sont des gentils.

Weaver réfléchit quelques instants.

317

— Peut-être, mais Heathcliff est les deux à la fois, et même plus. Tout comme Rochester. On ne sait jamais ce qu'ils vous réservent...

Il me regarda bien en face.

— C'est à cause d'Emmie, n'est-ce pas ? Tu ne sais plus que penser d'elle, désormais.

— En effet.

Emmie Hubbard nous laissait tous perplexes. Elle avait pris la mère de Weaver chez elle, refusant d'envisager qu'elle puisse aller chez MMmes Loomis ou Burnap, ou ailleurs. Elle lui avait donné son propre lit et s'occupait d'elle avec dévouement. Elle avait même eu la présence d'esprit, le jour de l'incendie, de faire aussitôt plumer et vider par ses gosses tous les poulets tués par les trappeurs. Elle en avait préparé quelques-uns à la cocotte, d'autres à la poêle, et avait vendu le reste à l'hôtel d'Eagle Bay avant qu'ils ne s'abîment. Avec l'argent ainsi gagné, elle put payer le docteur Wallace qui avait soigné le bras de la mère de Weaver.

— Je n'y comprends rien, Weaver. J'ai vu papa ce matin quand il est venu livrer du lait. Il m'a dit qu'aucun enfant Hubbard n'était revenu prendre son petit déjeuner à la maison depuis l'incendie.

— Et selon Mme Hennessey, Emmie était à la gare l'autre jour. En train de vendre des tartes et des brioches. Elle a dit que ma mère lui avait expliqué comment faire, et qu'elle avait suivi ses conseils.

Je donnai un coup de pied dans l'eau.

— Bizarre. Peut-être qu'elle a envie d'être courageuse, pour une fois. Et que l'occasion ne s'était encore jamais présentée. À moins qu'elle en ait assez d'être la risée du village. Ça doit finir par être lassant.

Weaver éclata de rire, mais le cœur n'y était pas, je le sentais bien.

Sa mère avait perdu sa maison. Et certains prétendaient que c'était à cause de lui, parce qu'il avait porté plainte. Les mêmes disaient qu'il ne se serait rien passé s'il avait commencé par tenir sa langue au passage des trappeurs.

M. Austin Klock, l'adjoint du shérif, arriva de Herkimer pour enquêter sur l'incendie. À son départ, une nouvelle série de délits vinrent s'ajouter à ceux dont Weaver avait initialement accusé les trois trappeurs. Nul ne pensait vraiment qu'ils en répondraient un jour devant la justice. On ne les avait pas revus depuis l'incendie. M. Klock en personne avait reconnu qu'il serait quasiment impossible d'attraper trois individus qui connaissaient chaque arbre, chaque rocher et chaque recoin de nos forêts. À l'en croire, ils devaient déjà approcher de la frontière canadienne et s'apprêter à prendre du bon temps avec les économies de la mère de Weaver.

Depuis l'incendie, celui-ci touchait à peine à sa nourriture. Il ne parlait ni ne souriait pratiquement plus.

— Mme Hennessey t'a gardé une part de tarte. À la noix de coco. Ta préférée.

Il ne répondit pas.

— Et je ne t'ai pas donné mon mot du jour ! C'est l'adjectif « léonin ». Il signifie « qui évoque le lion »...

Weaver effleura l'eau du bout du pied.

— Il peut servir à décrire quelqu'un avec une chevelure pareille à une crinière. Ou qui pousse des rugissements... C'est un mot intéressant.

Toujours pas de réponse.

— ... Enfin, peut-être pas si intéressant que ça.

— Je vais rester ici après le Labor Day, Matt, finit par avouer Weaver. Je viens d'en parler avec M. Morrison. Il m'a dit qu'il avait du travail pour moi.

— Mais comment vas-tu faire ? Il faut que tu sois à New York bien avant le Labor Day. Tes cours commencent dès la première semaine de septembre, non ?

— Je n'y vais pas.

— Quoi ?

Je me demandai si j'avais bien entendu.

— Je ne vais pas à Columbia University. Pas avant que ma mère ne soit guérie. Je ne peux pas la laisser dans l'immédiat. Pas toute seule.

— Elle n'est pas toute seule. Emmie s'occupe d'elle.

— Pour combien de temps ? Encore un mois, et les

terres d'Emmie seront mises aux enchères. Par ailleurs, je n'ai plus de quoi me payer une chambre, ni un billet de train, ni des livres, ni quoi que ce soit d'autre.

— Et ton salaire ? Tu ne l'as pas mis de côté ?

— J'en aurai besoin pour nous louer une chambre, à ma mère et à moi. Ma maison a brûlé, tu as oublié ?

— Et ta bourse, Weaver ? Tu ne risques pas de la perdre ?

— Je pourrai toujours tenter ma chance l'année prochaine. Peut-être que l'université m'accordera un sursis d'un an, déclara-t-il, mais j'entendis au son de sa voix que lui-même n'y croyait pas.

Je n'avais pas pleuré quand Mlle Wilcox était partie. Ni quand Martha Miller m'avait débité toutes ses méchancetés. Ni même quand papa m'avait giflée si fort que j'étais tombée de ma chaise. Je ne pleurais pas non plus la nuit en pensant à Barnard College. Mais là, je ne pus me retenir. Je sanglotai comme un bébé. Comme si quelqu'un venait de mourir.

Ce qui était d'ailleurs le cas.

Je le voyais d'ici, un grand Noir au regard fier, avec un costume et une cravate. L'air digne et imposant. Un homme capable de retourner toute une salle d'audience en sa faveur par la seule force de son éloquence. Je le voyais marcher à grands pas dans une rue de New York, le visage grave, un cartable sous le bras. Il me jetait un bref coup d'œil, gravissait un escalier de marbre et disparaissait.

— Oh non, Weaver, non ! sanglotai-je.

— Voyons, Matt, qu'y a-t-il ?

Je me relevai d'un bond. C'était insupportable de l'imaginer cloué ici. Condamné à travailler dans une salle à manger d'hôtel, une tannerie ou un camp de bûcherons. Jour après jour. Année après année. Jusqu'à ce qu'il soit vieux, usé, avec tous ses rêves restés lettre morte.

— Pars, Weaver, pars pour New York ! m'écriai-je. Je m'occuperai de ta mère. Avec Royal, Minnie, Jim, papa et Mme Loomis. Tous ensemble. Je te le promets. Pars vite ! Avant d'être coincé ici pour toujours. Comme une fourmi prise dans la glu.

Comme moi.

IL DOIT ÊTRE PLUS DE QUATRE HEURES DU MATIN, à présent.
Je n'ai pas réussi à me rendormir. Pas depuis la visite de
Grace Brown. Par la fenêtre, je vois le ciel toujours aussi
sombre, mais j'entends le bruissement des créatures de la
nuit regagnant leur repaire, et les premiers chants timides
des oiseaux.

J'ai lu toutes les lettres de Grace, sauf la dernière.

South Otselic, le 5 juillet 1906

Mon cher Chester,
Je suis recroquevillée au coin du feu dans la cuisine, et tu
me gronderais si tu me voyais. Le reste de la famille est au
lit. Mes amies sont venues et nous avons tiré les fusées
qui restaient du feu d'artifice. Notre pelouse est à peu près
aussi verte que le parc de Cortland House. Je te racon-
terai en détail ma journée du 4 Juillet quand nous serons
ensemble. J'espère que tu t'es bien amusé. C'est la dernière
lettre que je t'écris, mon chéri. J'ai l'impression que tu
ne viendras pas. J'ai sans doute tort, mais je ne peux
m'empêcher de penser que je ne te reverrai jamais. Comme
j'aimerais déjà être à lundi ! Je vais passer la nuit de
dimanche chez Maud, et le lendemain matin, je partirai
pour DeRuyter où j'arriverai vers dix heures. En prenant

à Lehigh le train de 9 heures 45, tu devrais y être vers onze heures. Je suis désolée de n'avoir pu aller à Hamilton. Papa et maman ne voulaient pas, et il y a tant de choses que j'ai dû me mettre en quatre pour obtenir ces deux dernières semaines. Mes parents croient que je vais à DeRuyter pour rendre visite à une amie.

Dès mon arrivée, j'irai à l'hôtel où j'espère ne voir personne. Si je croise quelqu'un et qu'on me demande de me présenter à la réception, je trouverai une excuse pour ne pas éveiller les soupçons. J'expliquerai que j'attends un ami qui vient de Cortland, et que nous devons nous retrouver pour aller à un enterrement ou à un mariage dans une autre ville... Je ne formulerai peut-être pas les choses exactement de cette manière, mais ne t'inquiète pas, je me débrouillerai...

Aujourd'hui, j'ai dit adieu à certains de mes endroits préférés. Il y a tant de coins et de recoins, mon chéri, et tous si chers à mon cœur. J'ai vécu ici presque toute ma vie. J'ai d'abord pris congé de la resserre avec son toit moussu, et du pommier qui abritait la cabane où nous jouions, enfants ; puis de l'adorable maisonnette située dans le verger et surnommée « la ruche » ; et enfin de tous les voisins qui réparaient les accrocs de mes robes, pour m'épargner une correction bien méritée.

Tu ne mesures pas ce que tout cela représente pour moi, Chester. Je sais que je ne reverrai jamais ni ces gens, ni ces lieux, ni même maman ! Et pourtant, Dieu sait que je l'aime ! Je me demande ce que je vais devenir sans elle. Elle ne se met jamais en colère, et vole toujours à mon secours. Parfois, je me dis que je devrais tout lui avouer, mais je n'y arrive pas. Elle a déjà bien assez de soucis, et je ne veux pas lui briser le cœur. Si on lui ramène mon cadavre, peut-être qu'en apprenant la vérité, elle ne m'en voudra pas. Je ne serai plus jamais heureuse, mon chéri. Je voudrais mourir. Tu n'imagines pas combien tu m'as fait souffrir. Même si tu me manques, même si j'ai envie de te voir, je voudrais mourir. Je vais me coucher, maintenant ; s'il te plaît, viens vite, ne me fais pas trop attendre. Nous devons être là-bas tous les deux...

Elle savait. Curieusement, Grace Brown savait qu'elle ne retournerait jamais chez ses parents. Elle espérait que Chester l'emmènerait et tiendrait ses engagements, mais en son for intérieur, elle savait bien que non. Voilà pourquoi elle envisageait dans sa lettre de ne jamais revoir les lieux ni les gens qu'elle aimait. Et pourquoi elle parlait du retour de son cadavre chez elle. Pourquoi elle tenait tant à ce que je brûle sa correspondance.

Je remets la feuille dans l'enveloppe. Je rassemble toutes les lettres et noue le ruban autour avec soin. J'entends encore la voix de Grace Brown. J'entends encore son chagrin, son désespoir, sa détresse. Pas à mes oreilles, dans mon cœur.

La voix, d'après Mlle Wilcox, ce n'est pas seulement le son produit par notre larynx, mais aussi les sentiments qui émanent de nos paroles. Dans un premier temps, je n'avais pas compris ce qu'elle voulait dire.

« Pourtant, mademoiselle, c'est avec les mots qu'on écrit une nouvelle, pas avec la voix, avais-je objecté.

— On écrit avec ce qui vient de l'intérieur, Mattie. C'est-à-dire avec sa voix. La vraie voix. Celle qui fait que les romans de Jane Austen ne ressemblent à ceux d'aucun autre écrivain, que l'on ne confond pas les poèmes de Shelley ou de Yeats avec ceux d'un autre poète, et que les nouvelles de Mattie Gokey ne peuvent avoir été écrites que par Mattie Gokey. Tu as une voix merveilleuse, Mattie. Je le sais, je l'ai entendue. Sers-t'en. »

« Regardez où vous a conduit votre voix, mademoiselle, me dis-je. Et regardez où l'a conduite celle de Grace Brown. »

Immobile, serrant les lettres dans mes mains, je regarde longuement par la fenêtre. Dans une heure environ, le soleil se lèvera et Mme Hennessey fera irruption dans la pièce pour nous réveiller. Nous descendrons préparer la salle à manger pour le petit déjeuner. Mon père viendra livrer du lait et du beurre, suivi de Royal qui apportera des œufs et des fraises. Je nourrirai Hamlet et lui ferai faire sa promenade. À leur tour, les clients descendront pour le petit déjeuner. Puis les policiers et les journalistes de

323

Herkimer arriveront. Mme Hennessey nous houspillera sans relâche et, au milieu de toute cette agitation, je tenterai une nouvelle fois de descendre à la cave où se trouve la chaudière.

Je contemple la pile de lettres dans mes mains. Le ruban bleu ciel. L'écriture appliquée, tellement semblable à la mienne.

Si je brûle ces lettres, qui entendra la voix de Grace Brown ? Qui lira son histoire ?

ter.gi.ver.sa.tion

— Tu veux une tasse de thé, Mattie ? Et toi, Weaver ? demanda Emmie Hubbard.

Son expression calme et souriante ne trahissait pas le moindre égarement.

— Oui, merci, répondis-je en posant sur la table la tarte au chocolat que j'avais apportée.

— Moi aussi, dit Weaver.

Emmie descendit de l'étagère une boîte de thé, des tasses et des soucoupes. Lorsqu'elle se retourna, j'entrevis la peau blanche de sa nuque, d'une pâleur laiteuse au-dessus de son col. Ses cheveux étaient remontés en un chignon soigné. D'habitude, elle ne les attachait pas ou les tressait à la hâte. Sa vieille robe en coton tombait impeccablement. Elle avait été repassée. Peut-être même amidonnée.

Weaver et moi échangeâmes un coup d'œil étonné. Visiblement, lui non plus n'en revenait pas.

La maison d'Emmie était en ordre, le sol balayé, le lit fait. Ses enfants semblaient à peu près propres. Myrton avait toujours le nez qui coulait, Bill les oreilles sales et Lucius les mains poisseuses, mais ils s'étaient débarbouillés et leurs vêtements avaient été lavés.

— S'il te plaît, Mattie, remercie Mme Hennessey pour la tarte, déclara Emmie.

— En... entendu, bafouillai-je, honteuse de mon regard inquisiteur.

Weaver et moi avions demandé à M. Sperry la permission de prendre Démon pour rendre visite à la mère de mon ami après le déjeuner. Il avait accepté, et Mme Hennessey nous avait confié une tarte.

Weaver s'assit sur le lit près de sa mère. Elle avait voulu se lever pour aider Emmie à préparer le thé, mais celle-ci avait refusé d'un geste.

— Comment te sens-tu, maman ?

— J'ai un peu mal au bras, mais ça va.

— Il paraît que tu as récupéré la truie.

— C'est vrai. Les frères Loomis l'ont retrouvée. Et ils ont aussi réparé son enclos. Je suis tellement contente de ne pas l'avoir perdue !

La bouilloire siffla. Emmie se pencha pour l'attraper. Je la revis penchée ainsi quelques semaines plus tôt, pour une tout autre raison. J'avais l'intuition que Frank Loomis ne reviendrait pas réparer le poêle de sitôt. Enfin, pas tant que la mère de Weaver serait là. C'était une femme vertueuse, intègre. Si jamais elle le voyait les fesses à l'air dans cette pièce, elle lui tannerait le cuir.

Emmie servit le thé et coupa une part de tarte pour chacun. Ses enfants adoraient le chocolat. Même Lucius. Il était trop petit pour manger la croûte, mais quand Emmie lui donna un peu de chantilly et de crème chocolatée, il sourit et battit des mains. Nous bavardâmes un moment. La mère de Weaver nous raconta qu'Emmie confectionnait des tartes aux fruits en suivant ses indications et les vendait sans difficulté à la gare, pendant qu'elle-même s'occupait des enfants. Mais elle s'en tenait là, précisat-elle, car Emmie ne lui laissait pas lever le petit doigt. L'intéressée sourit, rougit et protesta : la veille encore, elles étaient allées ensemble cueillir des haricots verts dans le potager des Smith, miraculeusement épargné par les trappeurs. En parlant, Emmie ne quittait pas des yeux la mère de Weaver. Comme si elle quêtait son approbation. Mme Smith hocha la tête et lui adressa un sourire rassurant.

C'était un tel plaisir d'être assis dans la maison bien rangée d'Emmie, à la regarder s'affairer tandis que ses gosses dévoraient avec gourmandise la tarte de Mme Hennessey ! Quel contraste entre cette atmosphère agréable et paisible et l'époque où j'avais le plus grand mal à tirer Emmie de sous son lit !

Hélas, dans un moment d'étourderie, Weaver lui demanda pourquoi elle ne plantait pas son propre potager. Il ne serait pas trop tard pour récolter des haricots, dit-il, après quoi un silence de mort s'installa dans la pièce. Je vis à son expression qu'il venait de se rappeler la proximité de la vente aux enchères. Personne n'avait envie d'aborder le sujet. Surtout pas moi, qui connaissais le nom du futur acquéreur.

— Il faut pourtant qu'on en parle, maman...

La mère de Weaver jeta un coup d'œil furtif à Emmie.

— Chut, Weaver ! Je le sais bien. Mais pas pour le moment.

Emmie nous dévisageait. Elle se mordilla la lèvre inférieure, tira nerveusement sur une mèche de cheveux.

— Où est Tommy ? demandai-je pour changer de sujet.

— Chez toi, Mattie. Il aide ton père, répondit la mère de Weaver. Ils ont trouvé un arrangement. Tom aide à labourer et à défricher, en échange de quoi ton père lui donne du lait et du beurre.

— J'adore le beurre, déclara Myrton en reniflant la morve qui lui coulait du nez.

— Myrton, n'oublie pas que tu as un mouchoir, mon chéri, intervint la mère de Weaver.

— Oui, c'est vrai !

Il sortit de sa poche un morceau de cotonnade, se moucha dedans et m'en montra le contenu. Je m'efforçai de sourire avec admiration.

Quelques minutes plus tard, il fallut reprendre la route du Glenmore. Weaver restait silencieux. Ce fut moi qui pris la parole la première.

— Elle a du tempérament, ta mère !

— À qui le dis-tu !

— Jamais je n'aurais cru possible de remettre Emmie

Hubbard dans le droit chemin. Dieu seul sait comment elle y est arrivée ! Et avec un bras cassé, par-dessus le marché !

Weaver sourit tristement.

— Tu sais, Matt, parfois j'aimerais bien que les dénouements heureux existent.

— Ça arrive. Tout dépend de l'écrivain.

— Je te parle de la vraie vie. Pas des romans.

« Tergiversation », mon mot du jour, signifie « hésitation, faux-fuyant, atermoiement ». À cet instant précis, j'avais bel et bien l'impression d'user de faux-fuyants. En vérité, je ne croyais pas aux dénouements heureux. Ni dans les romans, ni dans la vraie vie. J'étais désabusée. Alors je revis la petite maison misérable d'Emmie, désormais si accueillante et chaleureuse. J'imaginai mon père montrant à Tommy comment conduire une charrue, et Tommy, l'air important, rapportant chez lui le beurre et le lait qu'il avait gagnés. Je pensai à la mère de Weaver qui, pour une fois, pouvait laisser quelqu'un s'occuper d'elle. Et à la fierté d'Emmie d'être ce quelqu'un.

Malheureusement, je pensai aussi à Mme Loomis en larmes dans sa grange, à Jim et à Will trop heureux de tourmenter les Hubbard à la première occasion, à la mâchoire crispée de Royal quand il disait vouloir se débarrasser d'eux.

Je poussai un soupir.

— Moi aussi, Weaver, j'aimerais que les dénouements heureux existent. Moi aussi…

lu.ci.fé.rien

— Que t'arrive-t-il, Mattie Gokey ? Tu es aussi lente et
stupide qu'un escargot ! Emporte la commande de la table
huit ! Et que ça saute ! hurla Mme Hennessey.

En cette fin de journée, le service du dîner allait bon
train. La salle à manger était pleine à craquer et notre cuisinière d'une humeur massacrante. J'avais à peine servi la
table huit que je revins avec une nouvelle commande. En
l'annonçant, je vis John Denio en train de dîner sur le plan
de travail de Mme Hennessey.

Il examina une bouchée de nourriture sur sa fourchette
et appela Henry.

— Quoi donc ?

— Tu mets du poivre dans tes petits pains, maintenant ?

Henry avait préparé un ragoût et des petits pains frais
pour le repas du personnel. Nous avions tous fini de
manger depuis une heure, mais John, parti chercher des
clients arrivant par le dernier train, avait raté le dîner.
Henry lui avait gardé les restes au chaud.

— Quel poivre ?

— Tu sais bien, du poivre noir. Du poivre en grains.

— Je ne vois pas de quoi tu parles. Je ne mets pas de
poivre dans mes petits pains.

John posa sa fourchette et recouvrit son assiette de sa
serviette.

— Alors fais-moi plaisir, Henry ! Chasse les souris de la huche qui contient la farine, nom d'un chien !

Weaver fut pris d'un fou rire, et moi aussi.

— Je me demande ce qu'il y a de si drôle, grommela John. Vous aussi, vous avez mangé des petits pains.

Nous cessâmes de rire. Soudain, je ne me sentis pas très bien. Mais je n'eus guère le temps de m'apitoyer sur mon sort.

— Mattie ! La commande de la table sept ! Tout de suite ! aboya Mme Hennessey.

J'emportai quatre bols de soupe, en renversant un peu au passage. Je me tordis le cou pour apercevoir le hangar à bateaux par les fenêtres de la salle à manger. Toutes les embarcations étaient rentrées pour la nuit. Le quai était désert.

— Ils ont dû revenir, murmurai-je. Ils sont forcément revenus. Alors où sont-ils ?

Du potage au céleri coulait sur le rebord des bols. Les croûtons étaient tombés au fond. Les occupants de la table sept n'apprécièrent pas.

— Tu as des semelles de plomb, ce soir ? demanda Mme Hennessey lorsque je regagnai la cuisine.

— Non, madame.

— Alors réveille-toi !

Les portes s'ouvrirent à la volée.

— Il me faut du thé pour la chambre douze, Mme Hennessey ! Et une assiette de pain trempé dans du lait. Un des petits Peterson est souffrant, lança madame Morrison, faisant irruption dans la pièce.

— Et depuis quand ai-je la charge d'un dispensaire en plus de la cuisine ? Coupe-moi deux tranches de pain blanc, Mattie...

— Mme Peterson exige que vous vous en occupiez personnellement. Elle affirme que, l'été dernier, votre pain trempé a guéri les troubles intestinaux du jeune Teddy.

— Il n'y a qu'à lui donner les petits pains aux crottes de souris de Henry. Guérison assurée, grogna John Denio.

— Autre chose ? Dois-je redresser l'oreiller de Teddy ? Lui chanter une berceuse ? ironisa Mme Hennessey.

Elle sortit du gril plusieurs côtelettes d'agneau, maugréant dès que Mme Morrison eut le dos tourné.

— Mattie, fais du thé, s'il te plaît. À moins que « lady » Peterson n'exige que je fasse bouillir l'eau moi-même... Quatre-vingt-cinq convives pour le dîner, dont cinquante en même temps, plus un repas d'anniversaire pour douze, et voilà maintenant que je dois jouer les infirmières !

En fait, c'étaient quatre-vingt-sept convives, et non quatre-vingt-cinq, que nous aurions dû avoir au dîner. Deux d'entre eux ne s'étaient pas montrés : ceux des chambres 42 et 44. Carl Grahm et Grace Brown. Ils occupaient normalement la table neuf. J'avais mis le couvert, mais, malgré l'heure tardive, ils n'étaient toujours pas rentrés de leur promenade en barque.

C'était moi qui les avais servis au déjeuner. Ils avaient commandé de la soupe et des sandwiches, et s'étaient disputés durant tout le repas. Je les avais entendus en leur apportant les plats demandés.

— ... mais à Utica, il y avait une église tout près de l'hôtel. Nous aurions pu y aller et le faire là-bas, disait Grace Brown.

— On peut aussi bien s'en occuper ici, Billy. On demandera s'il y a une chapelle.

— Dès aujourd'hui, Chester. Je t'en supplie. C'était décidé. Tu me l'avais promis. J'ai assez attendu. Je n'en peux plus.

— D'accord, inutile de te mettre dans un état pareil. Et si on faisait d'abord une promenade en barque, par cette belle journée ? On demandera s'il y a une chapelle au retour.

— Non, Chester ! Je ne veux pas faire de promenade en barque !

Je revins deux ou trois fois m'assurer qu'ils n'avaient besoin de rien. L'homme mangea tout son repas, plus la soupe à laquelle la jeune femme n'avait pas touché, et il commanda un dessert. Il me pria de mettre l'addition à son nom.

— Grahm... Carl Grahm. Chambre 42.

J'avais entendu Mme Morrison prononcer ce nom un

peu plus tôt. Elle m'avait expliqué qu'un couple de touristes, un M. Grahm et une Mlle Brown, étaient arrivés sans réservations qu'elle les avait installés au dernier étage et que je devais préparer leurs lits pour la nuit.

Quand ils eurent terminé, je débarrassai leur table. Plus tard, j'avais revu Grace sous le porche, elle m'avait confié ses lettres que j'avais cachées sous mon matelas et oubliées, comme je les avais oubliés, elle et Carl Grahm, car Mme Hennessey m'avait fait éplucher des pommes de terre tout l'après-midi.

Je ne m'étais souvenue d'eux qu'au dîner, devant leur table vide. Depuis je ne cessais de penser à eux.

— Mattie ! L'eau bout ! Prépare un plateau pour la chambre douze ! me cria Mme Hennessey.

Tout en veillant à ne pas la gêner, je saisis une théière, y versai une cuillerée de thé, enlevai la bouilloire du feu. Alors que je remplissais la théière, M. Morrison vint chercher une tasse de café à la cuisine.

— Je ne vous ai pas vu dîner, ce soir, Andy, fit observer Mme Hennessey. Tout va bien ?

— J'ai oublié l'heure. Trop occupé à attendre que deux fieffés imbéciles me ramènent ma barque.

Mme Hennessey s'esclaffa.

— Quels imbéciles ? Le Glenmore en est plein.

— Un certain Grahm. Chambre 42. Il avait une jeune femme avec lui. Ils sont partis en barque après déjeuner et ne sont jamais revenus.

Je lâchai la théière. Elle vola en éclats, projetant de l'eau bouillante partout.

— Regarde ce que tu as fait ! rugit Mme Hennessey.

Elle me donna un coup de cuiller en bois sur le postérieur.

— Mais qu'est-ce qui te prend, aujourd'hui ? Nettoie-moi tout ça !

En ramassant les débris de la théière, je pensai à mon mot du jour, « luciférien ». Étymologiquement, il signifie « qui porte la lumière ». Mais son sens courant est : « qui tient de Lucifer ». Or, grâce à mon bon ami John Milton, je savais tout sur Lucifer. C'était un très bel ange que Dieu avait chassé du paradis pour le punir de s'être révolté. Il se retrouva précipité en enfer, mais, au lieu de se repentir d'avoir déchaîné sur lui la colère divine, il prépara sa vengeance. Il se rendit au jardin d'Éden et persuada si bien Ève de goûter au fruit de l'arbre de la Connaissance que toute l'humanité fut à jamais bannie du paradis.

Il avait commis une faute impardonnable, et il est difficile de l'admirer, mais à cet instant précis je crus comprendre pourquoi il avait agi de la sorte. J'eus même vaguement pitié de lui. Peut-être ne cherchait-il après tout qu'un peu de compagnie, car on se sent très seul lorsqu'on sait quelque chose que tout le monde ignore.

SANS BRUIT, JE ME LÈVE, M'HABILLE, j'attache mes cheveux, rassemble mes affaires. Je ne sais pas au juste quelle heure il est, sans doute autour de cinq heures du matin. Une fois prête, je compte mes économies. Entre l'argent que j'avais au départ, mes gages, les pourboires et ce que j'ai gagné en promenant Hamlet, plus les cinq dollars donnés par Mlle Wilcox, je possède trente et un dollars et vingt-cinq cents.

Je quitte le dortoir sous les combles le plus silencieusement possible, et je descends le grand escalier. Le vieux sac de voyage de maman à la main, j'arrive dans le bureau de M. Morrison alors que les premières lueurs de l'aube blanchissent le ciel. Je place les lettres de Grace au centre de la table de travail, puis, sur le papier à en-tête du Glenmore, j'écris un mot expliquant comment je suis entrée en leur possession.

Je rédige trois autres mots, les mets sous enveloppe, les dépose dans le panier à courrier. Le premier, destiné à mon père, contient deux dollars – la somme qu'il doit encore rembourser pour l'achat de Réglisse, notre mulet – et la promesse que je donnerai des nouvelles. J'adresse le deuxième, accompagné de douze dollars et soixante-dix cents, à la mère de Weaver, et lui demande de payer les impôts d'Emmie avec cet argent. Le troisième renferme une

334

bague : un petit anneau terne orné d'une opale entre deux grenats. Il est pour Royal Loomis, à qui je suggère de voir si le magasin Tuttle's ne reprendrait pas la bague ; je lui demande pardon et lui souhaite d'être un jour propriétaire d'une fromagerie.

En quittant le bureau, je passe près du portemanteau, celui fait de branches mortes et de sabots de cerf. Dans la pénombre du hall d'entrée, on dirait un arbre sombre et maléfique tout droit sorti d'un conte de fées, et durant quelques secondes, j'ai l'impression qu'il veut refermer sur moi ses membres noueux. Un canotier de femme y est suspendu. Le bord en est usé, son ruban noir s'effiloche. Grace l'a accroché là le jour de son arrivée avec Chester. Je décroche le petit chapeau miteux, me retiens pour ne pas l'écraser d'un coup de talon. Je l'emporte au salon et le place près du cadavre de Grace.

Je prends la main de Grace dans les miennes. Elle est douce et froide. Je sais qu'on ne doit pas trahir une promesse, mais je crois désormais qu'il est pire de la laisser vous détruire.

— Je ne ferai pas ce que tu m'as demandé, Grace, lui dis-je à l'oreille. Tu reviendras peut-être me hanter, mais je ne le ferai pas.

Derrière l'hôtel, en lisière de la forêt, se trouve le chalet où dorment serveurs et aides-cuisiniers. Tout est silencieux et plongé dans l'obscurité. Je ramasse une poignée de cailloux, en lance un contre une fenêtre du premier étage. Rien. Personne ne vient, alors j'en lance un deuxième, puis un troisième. Enfin la fenêtre s'ouvre et le visage ensommeillé de Mike Bouchard apparaît.

— C'est toi, Mattie ? Qu'y a-t-il ?
— Va chercher Weaver, Mike. Il faut que je le voie.
— Comment ? demande-t-il dans un bâillement.
— Weaver ! Va chercher Weaver !

Il hoche la tête. Son visage disparaît, et à sa place surgit celui de Weaver, l'air peu amène.

— Qu'est-ce que tu me veux ?

— Je m'en vais.

— Quoi ?

— Je pars, Weaver.

Il rentre la tête à l'intérieur et, moins d'une minute plus tard, la porte du chalet s'ouvre sur lui. D'un haussement d'épaules, il finit de remonter ses bretelles sur sa chemise à moitié boutonnée.

— Où vas-tu ?

En guise de réponse, je cherche dans la poche de ma jupe sept dollars que je lui glisse dans la main.

— Pour quoi faire ?

— Tu achèteras ton billet de train pour New York. Avec l'argent que tu as gagné ici, tu pourras louer une chambre en pension complète pendant quelques mois. Ensuite, tu devras trouver un emploi, mais c'est déjà un début.

Weaver secoue la tête.

— Je ne veux pas de ton argent. Reprends-le.

Il me le tend. Je le jette par terre.

— Tu ferais mieux de le ramasser avant que quelqu'un d'autre ne le fasse, dis-je.

— Il n'y a pas que le coût du billet et de la location d'une chambre, Mattie. Tu le sais bien. Il y a aussi ma mère. Je ne peux pas la laisser seule.

— Elle se débrouillera.

— Bien sûr que non. Elle n'aura nulle part où aller quand la ferme d'Emmie sera vendue.

— Les impôts d'Emmie sont payés. La vente aux enchères n'aura pas lieu. Tu n'es donc pas au courant ?

Weaver me dévisage longuement.

— Non.

— Eh bien tu ne tarderas pas à l'apprendre.

— Mattie...

— Au revoir, Weaver. Il faut que j'y aille. Et vite. Avant que Mme Hennessey soit debout.

Weaver se baisse pour ramasser l'argent. Puis il me prend dans ses bras et me serre de toutes ses forces, comme s'il allait me casser en deux. Je réponds à son étreinte, les bras noués autour de son cou pour tenter de retenir un peu de sa force et de son audace.

— Mais pourquoi, Matt ? Pourquoi partir maintenant ?

Je contemple le Glenmore. J'aperçois la mince lueur derrière la fenêtre de la petite chambre qui jouxte le salon.

— Parce que Grace Brown, elle, ne peut plus partir.

Nous nous séparons. Weaver a les larmes aux yeux.

— Non, Weaver. Si tu pleures, jamais je n'y arriverai. Je me précipiterai à l'intérieur de l'hôtel, remettrai mon tablier, et tout sera terminé.

Il hoche la tête, déglutit à grand-peine. Il braque vers moi son index et son majeur à la manière d'un pistolet.

— À mort, Mathilda Gokey !

Sourire aux lèvres, je l'imite.

— À mort, Weaver Smith !

Il est un peu plus de dix heures. Le soleil s'est levé sur une splendide matinée d'été. J'attends, inquiète mais résolue, sur le quai de la gare d'Old Forge.

Y a-t-il un mot pour cela ? Pour ce mélange de crainte et d'impatience devant l'avenir ? *Terricipation ? Jubiquié-tude ? Appréhenphorie ?* S'il existe, je le trouverai.

Mon sac de voyage me paraît très lourd. Il contient à peu près tout ce que je possède. Plus mon billet de train, l'adresse de Mlle Annabelle Wilcox à New York, et deux dollars vingt-cinq cents. Tout ce qui reste de mes économies. Ce n'est pas grand-chose. Il me faudra trouver un emploi aussitôt.

Il faisait à peine jour quand j'ai quitté le Glenmore, mais sur la route j'ai rencontré Bill Jarvis, le propriétaire du Jarvis Hotel de Big Moose Station, qui m'a conduite en carriole jusqu'à Eagle Bay. Il allait voir le docteur Wallace pour une rage de dents qui le rendait taciturne. Je m'en félicitai. Je n'avais aucune envie de répondre à des questions gênantes.

À notre arrivée, le *Clearwater* était toujours à quai, ce qui m'a permis d'avoir une place pour rallier Old Forge par le lac. Je préférais ne pas y aller en train pour éviter d'avoir à donner des explications à M. Pulling. Les pilotes des vapeurs changent sans cesse ; je ne connaissais pas celui qui faisait le circuit du matin. Sur mes gardes à l'approche du bateau-épicerie, je me suis recroquevillée sur mon siège si bien que Charlie Eckler ne m'a pas vue. Je me suis retournée une seule fois, juste avant qu'Eagle Bay ne disparaisse à l'horizon, et me suis sentie plus seule et terrifiée que jamais. À Old Forge, j'ai failli rebrousser chemin, mais je me suis ravisée. Une fois parti, on ne revient pas en arrière.

Alors que j'attends mon train, l'écho des mots de Grace Brown résonnent dans ma mémoire. *Aujourd'hui, j'ai dit adieu à certains de mes endroits préférés. Il y a tant de coins et de recoins, mon chéri, et tous si chers à mon cœur. J'ai vécu ici presque toute ma vie... Tu ne mesures pas tout ce que cela représente pour moi. Je sais que je ne reverrai jamais ni ces gens ni ces lieux...*

Un train à destination du nord s'arrête. Un express. Avec peu de passagers. Une poignée de touristes et quelques ouvriers en descendent, suivis par deux hommes portant costume et cravate.

— Voilà Austin Klock, l'adjoint du shérif. Je t'avais bien dit que ce n'était pas une simple noyade, explique près de moi un homme à son compagnon.

Ils sortent leurs blocs-notes. Des journalistes, j'imagine.

— Et l'homme qui l'accompagne ?

— Le médecin légiste du comté. Isaac Latombe.

— « Latombe » ? C'est une blague ?

— Non, mon frère. Viens. Allons voir si on ne peut pas obtenir des informations avant le type du journal de Watertown.

À leur vue, l'adjoint du shérif lève les mains en signe d'impuissance.

— Je n'en sais pas plus que vous, messieurs. Une pensionnaire du Glenmore s'est noyée. Son cadavre a été retrouvé, mais pas celui de son compagnon...

Vous ne tarderez pas à en savoir plus, me dis-je. Beaucoup plus. Vous apprendrez bientôt que la jeune femme se prénommait Grace. Et que ses dernières semaines en ce bas monde, elle les a passées enceinte et affolée, à supplier le responsable de venir la chercher. Mais il avait d'autres projets.

Je ferme les yeux, et je revois Chester Gillette. Il signe le registre du Glenmore, il déjeune, il part faire une promenade en barque. Je le vois ramer jusqu'à South Bay. Peut-être Grace et lui accostent-ils pour s'asseoir au bord de l'eau. Chester laisse sa valise sur la rive. Ils poursuivent leur promenade. Chester attend d'être sûr qu'il n'y ait personne à proximité, puis il assomme Grace. Il fait chavirer la barque et rejoint la rive à la nage. Grace ne sait pas nager. Il ne peut l'ignorer puisqu'elle le lui a dit. Elle se noierait même si elle n'avait pas perdu connaissance, mais c'est plus discret ainsi. Elle ne risque pas d'appeler au secours.

Plus tard, lorsqu'on retrouvera la barque, les sauveteurs penseront que Grace Brown et son compagnon se sont noyés tous les deux. Personne ne découvrira jamais qu'elle était enceinte, ni que Chester Gillette était le père de son enfant. Pendant qu'on mettra sa mort sur le dos de Carl Grahm, Chester sera libre de retourner s'amuser à Cortland.

J'imagine Chester aujourd'hui, à cet instant précis. Il prend son petit déjeuner quelque part. Peut-être là-haut, à Seven Lake. Ou au Neodak Hotel d'Inlet, à moins que ce ne soit à l'Arrowhead. Il fait tournoyer sa raquette de tennis. Il sourit. Il n'est sûrement pas mort, lui. Je suis prête à parier mon dernier dollar que non.

J'imagine aussi Grace Brown, toute raide et froide dans une chambre du Glenmore, avec à l'intérieur d'elle une petite vie qui ne verra jamais le jour.

Soudain, un sifflement strident me vrille les oreilles. J'ouvre les yeux, je vois les rails et le train pour New York qui approche. La monstrueuse locomotive s'immobilise. Je suis comme pétrifiée. Le contrôleur descend d'un bond aider les passagers à sortir des wagons. Les porteurs déchargent malles et valises. Les gens tourbillonnent autour de moi. De lourds sacs postaux atterrissent à mes pieds.

— En voiture ! hurle le contrôleur. L'express de dix heures quinze à destination d'Utica, Herkimer et toutes les gares plus au sud jusqu'à New York Grand Central va partir ! Les billets, s'il vous plaît ! Préparez vos billets !

Le train est pris d'assaut. Par des mères et leurs enfants, des hommes d'affaires, des vacanciers qui rentrent chez eux, des couples. Et pourtant, je reste clouée au sol.

Je pense à ma famille. Aux chansons de Beth. À l'arrogance de Lou. À la voix douce d'Abby. J'imagine papa assis au coin du feu, Emmie et la mère de Weaver en train de cueillir des haricots verts. Je vois Royal labourer les champs de son père, en contemplant les nôtres avec ce regard plein de désir et de convoitise qu'il n'a jamais eu pour moi. Je vois aussi Barney lever ses yeux aveugles vers moi. Et le pauvre petit merle mort près de la tombe de ma mère.

Le contrôleur s'agrippe à la rampe d'acier du wagon et grimpe en haut du marchepied.

— Dernier appel ! En voiture ! rugit-il.

La locomotive pousse un long soupir. Un gigantesque nuage de vapeur s'échappe de ses entrailles. Les roues crissent contre les rails. Je m'élance dans un cri.

— Attendez !

Le contrôleur m'aperçoit.

— En voiture, petite demoiselle ! Cette machine ne vous mordra pas !

Il me tend le bras pour m'aider à monter. Je regarde fébrilement autour de moi. Le chagrin, la peur et la joie se bousculent dans mon cœur. Je pars, mais j'emporterai cet endroit et ses légendes avec moi partout où j'irai.

Je me cramponne à la main du contrôleur. Il me hisse à bord de l'express de dix heures quinze. Direction le sud : Utica, Herkimer, Amsterdam, Albany et au-delà. Jusqu'à New York. Où j'ai rendez-vous avec mon avenir. Avec ma vie.

Note de l'auteur

Le 12 juillet 1906, on tira des eaux de Big Moose Lake, dans les Adirondacks, le cadavre d'une jeune femme du nom de Grace Brown. La barque dans laquelle elle se trouvait s'était retournée et dérivait près d'une crique isolée. Il n'y avait pas trace de son compagnon, un jeune homme qui avait loué l'embarcation sous l'identité de Carl Grahm. On le crut noyé lui aussi. La mort de Grace Brown semblait accidentelle, et ni les sauveteurs qui sondèrent le lac ni le personnel de l'hôtel où était descendu le couple ne pouvaient prévoir qu'ils seraient bientôt mêlés au procès criminel le plus palpitant de toute l'histoire de l'État de New York. Ils ne tarderaient pas à découvrir que Grace Brown était célibataire et enceinte, que l'homme qui l'avait emmenée faire une promenade en barque était le père de son enfant. Il s'appelait en réalité Chester Gillette.

Grace et Chester s'étaient rencontrés en 1905 à l'usine de confection Gillette de Cortland, dans l'État de New York – usine où ils travaillaient tous les deux et qui appartenait à l'oncle de Chester. Les deux jeunes gens tombèrent amoureux. S'apercevant qu'elle était enceinte, Grace quitta Cortland peu après pour se réfugier chez ses parents à South Otselic, peut-être à l'instigation de Chester. Là, folle d'inquiétude, elle écrivit à Chester lettre sur lettre, le suppliant de venir la chercher et menaçant de retourner à Cortland s'il refusait.

Chester finit par accéder à sa requête. Ils se rencontrèrent à DeRuyter, une ville proche du domicile de Grace, d'où ils se rendirent à Utica, puis dans les Adirondacks. Ils avaient peu d'argent et aucun projet précis. Plus exactement, Grace n'avait aucun projet, hormis l'espoir de se marier ; alors que Chester, de l'avis du procureur, mûrissait un plan. Parent pauvre des Gillette de Cortland et aspirant à évoluer dans les mêmes cercles qu'eux, Chester souhaitait arriver à ses fins en courtisant une jeune fille d'excellente famille. Pour ce faire, il devait d'abord se débarrasser de la petite ouvrière qui avait conquis son cœur mais qu'il considérait désormais comme un obstacle.

Il n'y eut aucun témoin de la mort de Grace Brown, et nul ne sait avec certitude ce qui s'est passé sur Big Moose Lake le 11 juillet 1906. À l'origine, Chester affirma que Grace s'était noyée accidentellement, avant de prétendre qu'il s'agissait d'un suicide. Le procureur chargé de l'enquête, George W. Ward, reconstitua l'emploi du temps de Chester avant et après la mort de Grace, mettant en évidence le fait que le jeune homme s'était inscrit à l'hôtel sous une fausse identité, qu'il avait fui le lieu de la noyade sans alerter personne et que, trois jours plus tard, des témoins l'avaient vu dans un hôtel d'Inlet. Aussi George W. Ward conclut-il à la culpabilité de Chester. Il utilisa les propres lettres de Grace comme preuve à charge.

Dans *La Rebelle*, j'ai pris la liberté d'imaginer une scène où Grace confie toute sa correspondance avec Chester à un personnage de fiction : Mattie. En réalité, durant son séjour dans les Adirondacks, Grace n'avait dans ses bagages que les lettres envoyées par Chester. Celles qu'elle lui avait écrites furent découvertes par la police dans la chambre de Chester, à Cortland, après l'arrestation de celui-ci.

Les lettres de Grace émurent profondément tous ceux qui assistaient au procès de Chester. Des gens sanglotèrent ouvertement à leur lecture. On raconte même que tout le monde pleurait, sauf Chester Gillette. Bien que sa culpabilité ne reposât que sur des preuves indirectes, les jurés suivirent les conclusions de l'accusation. Chester Gillette fut reconnu coupable d'homicide volontaire, puis exécuté à la prison d'Auburn le 30 mars 1908.

Près d'un siècle après sa mort, les paroles de Grace Brown produisent toujours sur moi le même effet que sur les gens présents au procès de Chester Gillette : elles me brisent le cœur. La première fois que je les ai lues, j'ai éprouvé une immense tristesse pour Grace – pourtant une simple inconnue, morte depuis longtemps. Il y a tellement de peur et de désespoir dans ces lignes, mais aussi tellement de générosité, d'intelligence et d'humour. Grace aimait les fraises, les roses et le pain perdu. Elle avait des amis, et un frère qui ironisait sur ses talents de cuisinière. Elle aimait également les promenades et les feux d'artifice. Ses lettres me rappellent ce qu'on ressent à dix-neuf ans, et je me demande souvent ce qu'elle serait devenue si elle avait vécu. Je me réjouis qu'elle ait aidé Mattie à vivre sa vie.

Ma grand-mère, qui travaillait comme serveuse de restaurant à Big Moose dans les années vingt, assure que le fantôme de Grace Brown hante toujours le lac.

Quant à moi, les lettres de Grace me hanteront à jamais.

Jennifer Donnelly
Brooklyn, New York
Octobre 2002

Remerciements

Bien que Mattie Gokey, sa famille et ses amis soient le fruit de mon imagination, certains personnages de cette histoire, comme Dwight Sperry et John Denio, ont vraiment existé. D'autres, comme Henry, l'aide-cuisinier, ou Charlie Eckler, le capitaine du bateau-épicerie, sont inventés, mais inspirés par des personnes réelles. Plusieurs auteurs de la région m'ont aidée à leur redonner vie. Je tiens donc à rappeler mon immense dette envers Marylee Armour, W. Donald Burnap, mon grand-oncle, Matthew J. Conway, Harvey L. Dunham, Roy C. Higby, Herbert F. Keith, William R. Marleau et Clara O'Brien. Leurs mémoires et leurs romans m'ont permis de mêler la réalité à la fiction en me fournissant des noms, des dates et des faits ; des chroniques de la vie quotidienne des gens du cru ; l'histoire de certains villages et lieux de villégiature.

Grâce à Jerold Pepper, directeur de la bibliothèque de l'Adirondack Museum, j'ai pu avoir accès aux minutes du procès de Chester Gillette ainsi qu'à beaucoup d'autres documents, dont les journaux intimes de Lucilla Arvilla Mills Clark – épouse d'un fermier de Cranberry Lake – et les archives des grands hôtels. Les expositions du musée m'ont apporté des informations sur l'exploitation forestière et les moyens de transport de l'époque. Au Farmer's Museum de Cooperstown, dans l'État de New York, je me suis utilement documentée sur les méthodes d'agriculture et d'élevage. Je dois beaucoup aux employés de ces deux excellents musées. Personne n'aurait pu répondre avec plus de patience ou de gentillesse à mes innombrables questions.

Je suis également redevable à Peg Masters – historienne de la ville de Webb et ancienne présidente de la Town of Webb Historical Association – de m'avoir autorisée à consulter la collection de photos de l'association, ainsi que les archives de l'état civil et des différents percepteurs. Elle m'a par ailleurs donné des renseignements sur les premiers commerces d'Inlet et l'école publique du village. Je tiens en outre à remercier les bibliothécaires de la Port Leyden Community Library, qui m'ont prêté sans limitation de durée les titres épuisés de la littérature locale.

Mes remerciements vont aussi à Nancy Pratt et à sa famille qui ont conservé au Waldheim Hotel toute sa beauté, et au personnel du Glenmore (désormais un pub, après être devenu une épicerie) qui m'a laissée inspecter les lieux et jouer avec le chien de la maison, un grand danois baptisé Hamlet.

Du fond du cœur, mille mercis à Wilfriede Donnelly, ma mère, grâce à qui j'ai découvert l'existence de Grace Brown ; à Matt Donnelly, mon père, pour ses leçons de botanique et d'entomologie ; à Mary Donnelly, ma grand-mère, pour toutes les anecdotes qu'elles m'a racontées sur son père bûcheron et l'époque où elle était serveuse au Waldheim ; à Jack Bennett, mon oncle, qui connaît plus d'histoires sur nos forêts qu'elles ne comptent d'arbres. Je voudrais enfin exprimer ma plus profonde gratitude à Steven Malk, mon agent littéraire, à Michael Stearns, mon éditeur, et à Doug Dundas, mon mari, qui m'ont tous les trois prodigué sans compter encouragements, remarques judicieuses et conseils éclairés.

Achevé d'imprimer sur les presses de

BUSSIÈRE

GROUPE CPI

à Saint-Amand-Montrond (Cher)
en septembre 2005

N° d'édition : 4083. — N° d'impression : 053374/1.
Dépôt légal : septembre 2005.

Imprimé en France